SCRITORES POLITICOS
ESPAÑOLES
1780-1854
selección y prólogo
Albert Derozier
Ediciones Turner

ESCRITORES POLITICOS ESPAÑOLES
(1789-1854)

ALBERTO DEROZIER
Profesor de la Universidad de Besançon

ESCRITORES POLITICOS ESPAÑOLES
(1789-1854)

EDICIONES TURNER
MADRID

Diseño cubierta, Diego Lara

Traducción del prólogo, Manuel Moya

Papel fabricado por Torras Hostench

ISBN: 84-85137-16-7

Depósito legal: M. 14.536-1975

Imprime: Closas-Orcoyen, S. L. Martínez Paje, 5. Madrid-29

I

EL SIGLO XIX ESPAÑOL (1789-1854)

INTRODUCCION

El estudio del siglo XIX ofrece todavía serias dificultades, a pesar de algunos trabajos históricos que nos permiten comprender, en su complejidad, estos decenios tan característicos. Aludimos a los trabajos de F. G. Bruguera (1), de Manuel Tuñón de Lara (2) y a los numerosos de Pierre Vilar. Otros muchos, como los de Miguel Artola (3), Marcelin Défourneaux (4), Angel González Palencia (5), algunos aspectos del monumental trabajo de Jean Sarrailh (6) y los estudios tan interesantes y variados de Antonio Rodríguez-Moñino, centrados sobre el estado de la sociedad y la evolución de las estructuras sociales destacan por la riqueza de su contenido. También es justo recordar que algunos comentaristas se han dedicado seriamente a los problemas literarios de esta época extraordinariamente confusa: pensamos en particular en Guillermo Díaz-Plaja (7), en Vicente Lloréns Castillo (8) y en la clásica —aunque discutible— *Historia del movimiento romántico español,* de A. Allison Peers (9).

---

(1) *Histoire contemporaine d'Espagne. 1789-1950.* Ed. Ophrys. 1953.

(2) *La España del siglo XIX (1808-1914).* París, Librería Española, segunda edición, 1968.

(3) *Los afrancesados.* Con un pról. de Gregorio Marañón. Madrid, 1953.

(4) *L'Inquisition espagnole et les livres français au XVIIIe siècle.* París, P.U.F., 1963.

(5) *Estudio histórico sobre la censura gubernativa en España (1800-1833).* Madrid, 1934-35 y 1941.

(6) *L'Espagne éclairée de la seconde moitié du XVIIIe siècle.* París, Klincksieck, 1954 (traducción española de A. Alatorre, F. C. E., 1957, México).

(7) *Introducción al estudio del romanticismo español,* 2.ª ed., Madrid, Espasa-Calpe, 1942.

(8) *Liberales y románticos. Una emigración española en Inglaterra (1823-1834).* México, ed., El Colegio de México, 1954.

(9) Trad. José María Gimeno. Madrid, Gredos, 1954, 2 vols.

Pero no es menos cierto que, a pesar de estos trabajos, la visión que se tenía, en España y en Francia, del final del siglo XVIII y de la primera mitad del XIX sufría de los tópicos impuestos por la supervivencia de casi un siglo de crítica destructora y parcial. Un historiador como Juan Rico y Amat, en su *Historia política y parlamentaria de España* (10), reducía estos sesenta años a unas cuantas luchas anárquicas cuya finalidad era la de destruir todas las tradiciones, desde las de la Iglesia hasta las de la Monarquía arbitraria, pasando por las de las clases llamadas justamente privilegiadas. Con esta óptica, evidentemente, el fenómeno literario no era más que un puro reflejo —condenable del mismo modo— de la creciente anarquía. Toda manifestación cultural debía necesariamente conducir al vacío y a la destrucción. Como todos saben, fue Marcelino Menéndez y Pelayo quien dio un golpe fatal y duradero al siglo XIX. Cuando, en su *Historia de los heterodoxos españoles* (11), lanzó el anatema sobre su historia, su civilización y su cultura, fue escuchado por toda la España tradicionalista, que espontáneamente se agrupó en torno al piadoso estandarte del maestro. Menéndez y Pelayo hizo estragos en España. No es que condenemos tal o cual enfoque o tal o cual método, ni incluso una u otra posición ideológica (cabe preguntarse, por otra parte, qué derecho asiste para legislar de tal suerte desde lo alto de un púlpito). Pero Menéndez y Pelayo, en su estudio y en otros posteriores (12), desdeñando los documentos (publicados o de archivos), sentenciando arbitrariamente en todas las ocasiones, condenando en nombre de convicciones políticas y religiosas, representa un grave peligro que una sana crítica ha tardado varios lustros en eliminar.

Los prejuicios de Menéndez y Pelayo eran también de orden estético: una época que había abandonado la oda y la *octava real*, que ignoraba la novela y que se consagraba al extranjerizante neoclasicismo, era, a sus

---

(10) *(Desde los tiempos primitivos hasta nuestros días.) Escrita y dedicada a S. M. la Reina Doña Isabel II*. Madrid, 1860, 3 vols.

(11) Reed. por el C.S.I.C. en 1965 en la «Edición Nacional de las *Obras completas* de Menéndez y Pelayo», t. XXXV-XLII.

(12) *Historia de las ideas estéticas en España...*, 1883. Reed. *ibid.*, t. I-V. *Estudios y discursos de crítica histórica y literaria...*, 1884. Reed. Madrid, 1942.

ojos, despreciable. Los continuadores del maestro, del historiador de las ideas que hubiera querido ser, fueron naturalmente aún más dogmáticos, pero felizmente cada vez menos escuchados. Sólo el día en el que se tomó la decisión de interrogar a los mismos documentos pudo emprenderse el trabajo de revisión que necesitaba el siglo XIX y una buena parte del XVIII. La tarea no era fácil, porque los documentos eran numerosos y se encontraban dispersos en archivos más o menos accesibles. Había que leer y analizar millares de pliegos. Pero ¡qué importaba! Desde entonces se tenía la convicción de entrever, al término de esfuerzos y fatigas, un poco de luz y de poder en el futuro arrojar un poco de claridad sobre un siglo que tanto la necesitaba.

En primer lugar, era impensable la posibilidad de disociar los dos fenómenos: el histórico y el literario. Una cultura impregnada de historia, condicionada sin cesar por el acontecimiento —y condicionándolo a su vez—, no podía ser amputada de su contexto. Recientes estudios —mencionados en la bibliografía— que se interesan sea por las manifestaciones del *afrancesamiento* antes y durante la Guerra de la Independencia, sea por el teatro, o por la génesis del liberalismo, o por las categorías sociales, o por la ideología romántica, se esfuerzan, cada uno a su manera, en analizar los fenómenos, destacando sus ideas centrales.

Los estudios recientes en España o en el extranjero de Ramón Solís, Alberto Gil Novales, Antonio Domínguez Ortiz, Iris M. Zavala y Javier Herrero, entre otros, nos proporcionan una masa de elementos preciosos, enriqueciendo el conocimiento cada vez más profundo que buscamos de estos años de crisis entre 1789 y 1854. Es indudable que en la actualidad las ideas falsas ya no gozan del derecho de ciudadanía. A pesar de algunas lamentables tentativas que ilustraron los veinticinco años de paz en España, podemos decir que este período histórico se nos aparece ya tal como fue: rico y complejo.

El afrontamiento de las ideologías, durante el período que vamos a estudiar, nos ayuda a entender mejor no sólo todo el siglo XIX, sino también las estructuras de la sociedad contemporánea. El fenómeno liberal, producto en cierto sentido del espíritu de la Ilustración, se esforzará por imponerse a través de la clase social que lo representa y por medio de las virtudes que le son propias: las de la clase media o las de la burguesía. Esta intentará instalarse en el poder y afianzarse en él, sin que ningún contexto revolucionario, como en Francia, por ejemplo, la haya conducido a ello. Esta clase se mantendrá al precio de las mayores dificultades, ya porque choque con la ideología feudal retrógrada, o porque no consiga dominar el empuje de las masas explotadas que invaden progresivamente el campo de la política. Es la historia quien quiere que se encuentre eternamente en una situación falsa. Esta ambigüedad fundamental, que procede precisamente del hecho de que el liberalismo se vanagloria, o más exactamente se persuade, de hacer sus revoluciones sin derramar una gota de sangre, la experimentamos aún más netamente a comienzos del siglo XX y puede decirse que hasta una época reciente.

La literatura recoge estos afrontamientos. Y esta es la razón por la que, por encima de los falsos valores estéticos que blanden los partidarios de la «literatura pura», las traducciones, las imitaciones, las proclamas, los manifiestos, los folletos, los panfletos de todo género, la prensa política, los escritos polémicos, los discursos, las poesías comprometidas, las reflexiones económicas y las declaraciones doctrinales de aquellos años nos van a ofrecer la triple ventaja de ayudarnos a comprender mejor la curva de la historia, a ponernos en contacto con la realidad económica y social y a mostrarnos cuáles son los imperativos estéticos nuevos o, si se prefiere, los moldes sucesivos destinados a recibir y transmitir al lector una circunstancia dada.

Vamos, pues, a través de este estudio y de los textos comentados que lo acompañan, a intentar comprender el sentido profundo de la literatura y de la historia entre 1789 y 1854, fechas simbólicas por excelencia. Al mismo tiempo comprenderemos una realidad social movediza, caminando hacia una revolución que aún está sin hacer.

PRIMERA PARTE

NACIMIENTO Y ASCENSION DEL PENSAMIENTO LIBERAL

CAPITULO PRIMERO

DE LA REVOLUCION FRANCESA A LA GUERRA DE LA INDEPENDENCIA (1789-1808)

Importancia de la cronología

Cuando estudiamos el siglo XIX cualquier fragmentación cronológica puede parecer arbitraria, lo que resulta lógico. Es conveniente tomar puntos de referencia históricos, ya que sería absurdo conservar las fechas de 1800-1850-1900. Las dos fechas que se utilizan generalmente como punto de partida de este tipo de estudios son las de 1789 ó 1808. Esta última, en efecto, se justifica plenamente, ya que marca el comienzo de la Guerra de la Independencia ante la invasión napoleónica y los primeros actos de la «Revolución» liberal. Pero ofrece el grave inconveniente de no tener en cuenta los prodromos de esta «revolución» ni la manera de formarse una ideología, ni tampoco la manera en que una clase social toma conciencia de sí misma e intenta imponerse al país por todos los medios: económicos, políticos y culturales. La fecha de 1789, dadas las relaciones que en ese momento mantienen Francia y España y las respectivas casas reales de los dos países, es suficientemente explícita. Alude a una auténtica revolución de la que los liberales españoles van al mismo tiempo a desconfiar y a envidiar algunos de sus resultados: aquellos, al menos, que les parecen más positivos (accesión al poder, control del conjunto del país, fin del Antiguo Régimen). Esta fecha ofrece la ventaja de mostrarnos claramente cuáles son las repercusiones que tuvo la Revolución francesa en España, sobre qué capas sociales se hicieron sentir y cómo el concepto de «revolución» se desnaturalizó conscientemente hasta llegar al compromiso de marzo de 1808.

En efecto, el período de diecinueve años que transcurre de 1789 a 1808 es capital y nos ayuda a comprender todo el proceso de la «Revolución» de 1808, de la de 1841 (regencia «progresista» del general Espartero) y, por último, de la de 1854 (retorno al poder de un bloque híbrido unido en torno a los generales O'Donnell y Espartero). Muchos levantamientos militares y ninguna revolución social: esta es la primera constatación que se nos impone.

Los orígenes del espíritu liberal

En cierto modo nos conviene ahora averiguar por qué un cierto espíritu de libertad llamado luego «liberal» (el adjetivo designaba entonces un color político) nació durante la Guerra de la Independencia, entre 1808 y 1814, y por qué esta tendencia política, provisionalmente anulada por las reacciones políticas de 1814, 1823 y 1856, renace constantemente con suficiente vigor para crear en España un régimen parlamentario que orienta toda la vida política del siglo XIX y, como ya hemos dicho, de una parte del XX; y por qué, al mismo tiempo, carece de medios para imponerse definitivamente. Este espíritu liberal procede en buena parte de fuera: de Francia (a tal señor, tal honor) y de Inglaterra. Pero también tiene sus fuentes nacionales, que sería erróneo querer ignorar u olvidar. Es esta característica la que va a permitirle, con las aportaciones extranjeras, tomar rápidamente una vía particular y nacional y adquirir una independencia propia adaptada a las nuevas necesidades del país.

Estamos obligados a hablar del fracaso constante de la ideología liberal bajo todas sus formas. Indudablemente, las torpezas de los regímenes liberales serán innumerables; pero, por otra parte, las difíciles condiciones en las que tomarán el poder serán explotadas por sus enemigos tradicionales, los absolutistas, «servilones» y otros «realistas netos». Pero el recuerdo de la libertad —incluso controlada— permanecerá siempre en el corazón de los españoles, y el liberalismo debe parecernos ante todo como un intervalo o una transición hacia otra: primero, hacia la heteróclita Revolución de 1868; luego, hacia la Primera República raquítica y hacia la Segunda dramática; pero, sobre todo, hacia los grandes afrontamientos sociales y políticos contemporáneos, y, por último, hacia otro futuro posible: el de la España de mañana.

Si desde el comienzo hablamos de fracaso del sistema

liberal, la razón esencial —ya lo veremos— es que éste trata de conservar en el centro de su sistema la monarquía, o, dicho de otra forma, que intenta integrarse en la monarquía de tipo tradicional, orientándola a su idea. Pero es conveniente recordar que esta monarquía se ha considerado desde siempre —y no solamente en España, puesto que se trata de lo que es la esencia del Antiguo Régimen— como de derecho divino. El antagonismo es irreconciliable entre la libertad y la divinidad cuando ambas se mezclan en la labor política. En la actualidad esta situación no puede sorprender a nadie.

Si 1808 es por muchos motivos una fecha clave en la historia europea es precisamente porque Francia lleva entonces la batuta y va a conocer en España sus primeras derrotas. Tenemos que mirar hacia atrás si queremos comprender la reacción de la «nación» española. Comencemos por una constatación fácil de entender gracias al tiempo transcurrido: la incesante aspiración del prestigio nacional hace que España juegue un permanente juego donde la vemos aproximarse, según las peripecias de la historia, bien al bando inglés o al francés. Esta política de «prestigio» es seguida por España encarnizadamente en el momento exacto de su plena decadencia.

Alianzas históricas entre Francia y España

Francia y España eran de hecho amigas desde hacía un siglo. Habían hecho las mismas guerras, las mismas paces y las mismas alianzas. La *Junta Central Suprema del Reino* nos lo recuerda con su estilo florido, evocador y anticuado, en su famoso *Manifiesto de la Nación española a la Europa,* de noviembre de 1808.

Pero Francia tenía la hegemonía en Europa, y, dada la mayor influencia de sus reyes, considerados como los cabeza de familia, era ella quien dirigía todos los asuntos. Consecuentemente acaparaba todos los beneficios, mientras que España iba a remolque de su poderosa y peligrosa aliada.

Estos lazos se rompieron con la Revolución de 1789. La expulsión de los Borbones del trono francés terminó definitivamente con el pacto de familia. El rey de España, Carlos IV, torpe, mal inspirado y peor aconsejado, creyó oportuno lanzarse en la coalición antirrevolucionaria francesa. En 1793 declara brutalmente la guerra a Francia. La influencia de su favorito, Manuel de Godoy, que dirige las operaciones militares, es desastrosa. A esta guerra desafortunada le sucede una paz «vergonzosa», como se la llamó en España, aunque los poetas —Alvarez de Cienfuegos, Quintana, Forner, el conde de Noroña y otros muchos— hayan considerado como un deber el cantarla con un entusiasmo de circunstancias. Al fin la paz fue seguida de una alianza desigual y ruinosa. Desde entonces, España quedó a merced de Francia, que bajo cualquier pretexto se instala cada vez más del otro lado de los Pirineos, donde es acogida de buen grado o de mal grado. España se arruina progresivamente, pierde los últimos tesoros de América y se ve obligada a hacer la guerra. Todo porque el principio constante del Gabinete español es el de no descontentar nunca a los franceses. Carlos IV, monarca débil, no tiene otras opiniones que las de su mujer, María Luisa, y las de su primer ministro-favorito, Godoy. Este último hace todas las concesiones posibles a Francia, en la cual veía su apoyo más seguro para el futuro. Estas peripecias han sido tan ampliamente analizadas por los historiadores que no necesitamos recordarlas (1).

Hacia Trafalgar

Desde la primera alianza con Francia (19 de agosto de 1796) hasta Trafalgar asistimos a una serie ininterrumpida de grandes derrotas diplomáticas o de todo género. El 1 de octubre de 1800 se firma el Tratado de San Ildefonso, catastrófico para la opinión pública: España se reduce al ceder la Luisiana y barcos de guerra, sin que la pequeña compensación del engrandecimiento de Par-

(1) Digamos solamente que Godoy fue celebrado —convencional o sinceramente— por los poetas de la época: nos referimos en particular a Juan Meléndez Valdés o Juan Pablo Forner, futuros *afrancesados* durante la Guerra de la Independencia. Esta actitud no impide que el segundo de los citados haya denunciado los vicios introducidos en la Corte, como también lo hicieron el conde de Noroña o Manuel María Arjona en su oda *A la nobleza española*. De todas formas, ninguno de los futuros liberales entonará himnos de gloria al Príncipe de la Paz después de 1795.

ma engañe a nadie. El 29 de enero de 1801, Francia fuerza de nuevo la mano a España a propósito de Portugal. La brillante y rápida «Guerra de las Naranjas» (mayo-junio) es un resultado magnífico sólo para Napoleón. La Paz de Amiens (marzo de 1802) también resulta poco gloriosa. En este momento la situación española es catastrófica, mientras Francia e Inglaterra se vigilan, y la última está dispuesta a multiplicar los incidentes con España, esperando decir la última palabra sobre su terreno: el mar.

España está como cogida entre dos fuegos, sin saber, en definitiva, qué hacer ni qué posición tomar. Casi todos sus políticos y diplomáticos son unas nulidades, igual que sus ministros y su rey. Inglaterra, en una hábil jugada diplomática, obliga al mismo tiempo a los franceses a salir de su pasividad. Después de los incidentes hispano-británicos de octubre de 1804, la guerra fue declarada. Nunca ninguna declaración de guerra fue acogida con tanto alivio, porque todos los beligerantes, si bien tienen algo que perder, también tienen todos algo que ganar. España quiere hacer relumbrar de nuevo sus blasones, un tanto marchitos. Francia está segura, con la ayuda y alianza de la Armada Invencible, o mejor dicho, de su sombra, de vencer a Inglaterra, que es para ella el único, el último y verdadero enemigo que hay que derrotar. Inglaterra, segura de sus posibilidades, al haber conseguido vencer en sus audaces atentados marítimos a los españoles, sin que éstos se hayan atrevido nunca a protestar (¿falta de valor?, ¿de posibilidades?, ¿de marinos?, ¿de barcos?, como quiera que sea: todo un conjunto abrumador de circunstancias); esta misma Inglaterra se alegra de encontrar una ocasión propicia para hacer tambalear al coloso europeo, porque sabe que puede contar (y tiene razón) con la falta de homogeneidad marítima de las flotas española y francesa. El porvenir le dará la razón.

Las consecuencias de Trafalgar y la aparición de Fernando VII en la escena política española

Todo lo dicho nos conduce al desastre de Trafalgar, el 21 de octubre de 1805. El tan esperado encuentro naval provoca una cruel desilusión en España: es la primera gran decepción nacional del siglo XIX. Basta con leer las poesías de Sánchez Barbero (2), de Arriaza (3), de Quintana (4), de Moratín (5), o los comentarios de Mor de Fuentes en el *Bosquejillo de su vida*, o de Alcalá Galiano en sus *Recuerdos de un anciano*, o las reseñas de todo tipo que aparecen, para darse cuenta de la profunda conmoción que recorrió todo el país. Francia encuentra una compensación al instalarse en territorio español, al tiempo que suscita hábilmente manifestaciones como la de El Escorial, donde vemos a la familia real dividida. Al final de esta historia el país, fatigado, pone todas sus simpatías en el príncipe de Asturias, el futuro Fernando VII, que aparece entonces como el salvador. Es éste, sin duda, uno de los primeros síntomas de la futura «Revolución» liberal. El hecho de que los escritores hayan tomado posición en este debate —prudentemente, porque la censura vigilaba— constituye un dato importante para nosotros.

Sabido es cómo las cosas se fueron envenenando. A continuación del «motín de Aranjuez», Fernando VII ocupa el trono unos días, mientras Napoleón, aprovechándose de las torpezas de la familia real, reúne con habilidad a todo el mundo en Bayona, donde recoge la Corona de España para él mismo, antes de cederla a su hermano José, el futuro y desgraciado José I. También en esta ocasión vemos a los escritores y a los poetas volcar torrentes de indignación en escritos de factura diversa, generalmente mediocres, pero que traducen claramente la indignación común en vísperas de la Guerra de la Independencia.

Si hemos recordado estos hechos ha sido para comprender mejor hasta qué punto habían llegado las desiguales relaciones entre los dos países, uno fuerte y otro irrisoriamente débil, o sea para comprender mejor que la verdadera conquista militar había comenzado. Veremos a los escritores, de todas las opiniones políticas, denunciar el golpe de mano con vehemencia y levantarse, en su mayoría, contra los «Vándalos del Sena». Pero ya volveremos sobre esto.

---

(2) *A la batalla de Trafalgar*, oda en tres escenas.
(3) *La tempestad y la guerra, o el combate de Trafalgar.*
(4) *Al combate de Trafalgar.*
(5) *La sombra de Nelson.*

Los escritores: formación cultural y actitudes

Si se quiere comprender la actitud de los escritores en este momento histórico es conveniente mirar hacia atrás para saber en qué fuentes han adquirido su cultura.

Podemos hacer a grandes rasgos un balance intelectual. La segunda mitad del siglo XVIII representó, bajo los Borbones, una cierta tentativa de regeneración, conocida con el nombre de «despotismo ilustrado». El interés por los problemas interiores del Estado se hace más vivo. Se asiste, aunque tímidamente, a una restauración de las finanzas; a un desarrollo de la población; a una tentativa por encontrar solución al problema agrario —dentro de los límites del sistema—; a un renacimiento de las industrias tradicionales y de las relaciones comerciales —síntoma de futuro—; a una difusión de la cultura, y a una tentativa de educación por parte de las capas sociales más ilustradas. Las fuerzas tradicionalistas, sobre todo las clericales, se ven atacadas en sus prerrogativas. El espíritu del siglo ya no es favorable a la Santa Inquisición ni a las cruzadas sangrientas por la pureza de la fe. A fines de siglo, el Santo Oficio es una institución envejecida: las hogueras, los autos de fe, los calabozos, que su solo nombre evoca, han desaparecido prácticamente. El espíritu sopla desde otros sitios, especialmente desde Inglaterra y Francia. Estas dos naciones, la última sobre todo, contribuyen a la obra de secularización de la vida política del país. Los ministros, portavoces de las nuevas ideas: Aranda, Patiño, Macanaz, Ensenada, Wall, Floridablanca (6), Campomanes, Jovellanos..., etc., intervienen activamente. Casi todos proceden de la clase media, a la que, *grosso modo*, puede llamarse burguesía. La mayoría de las veces se trata de juristas, amigos y partidarios del rey, aunque vivamente influenciados por las corrientes liberales que atraviesan la frontera bajo forma

(6) Floridablanca (José Moñino, conde de...) ha jugado un papel importante en el reinado de Carlos III. Buen monárquico, participó activamente en la expulsión de los jesuitas. También economista de talento, realizó un trabajo positivo. Fue él quien alentó los primeros pasos del liberalismo español como dirigente de la Junta Central Suprema del Reino en 1808, año de su muerte. Este hecho muestra la continuidad existente entre los dos sistemas.

de literatura «subversiva», o de relaciones personales entre gentes ilustradas.

De la misma manera que la Inquisición deja de ser sangrienta, las reformas pretenden sacar a España de su marasmo. ¿Manifestaciones «democráticas»? En primer lugar: el nombramiento tendencioso de los ministros, salidos prácticamente todos de la *clase media;* y en segundo, la reforma de la composición de las municipalidades bajo Carlos III, que, al dar libre acceso a elementos de la burguesía, hace que se opongan al exclusivismo de las altas clases, que eran, hasta entonces, las únicas que ocupaban este género de puestos. Se inspiran en lo que se hace en Francia. La orientación general comienza a cambiar: entramos en los tiempos modernos.

El «despotismo ilustrado»

Las características generales del siglo (llamémoslas europeas) son el humanitarismo y la bondad, la beneficencia y la tolerancia. Para convencerse basta con leer las poesías de la época, escritas en un momento en que aún no se intentan otras formas expresivas. Mientras que unas décadas antes, Iglesias, Iriarte y el conde de Noroña, o Meléndez Valdés, Reinoso, Arjona, Forner, Arriaza y Sánchez Barbero (aunque este último sea infinitamente más intencionado que sus predecesores o contemporáneos), se complacían en sus comienzos en escribir poesía anacreóntica y rústica, ahora sus preocupaciones siguen las del siglo, y vemos a Meléndez Valdés, Lista y Blanco y Crespo consagrar odas, epístolas y poesías filosóficas a la beneficencia, la bondad, la amistad, la sabiduría y la felicidad. El fanatismo y la intolerancia también son denunciados públicamente por Quintana, el mismo Meléndez y por Goya en sus *Caprichos.* Es el triunfo de lo que se llama la filantropía, la cual es uno de los principios del «despotismo ilustrado». «Todo para el pueblo, pero sin el pueblo», según la bien conocida fórmula de Jovellanos, el cual, en su famoso *Informe... en el Expediente de la Ley agraria* de 1795, como en otros muchos escritos posteriores, se muestra antirrevolucionario y muy apegado a las formas tradicionales del Estado. El pueblo —en el sentido moderno en el que lo entendemos ahora— tardará mucho tiempo en hacer valer sus derechos; éste es, sin duda, el problema de fondo de la ideología liberal, que, con su preocupación constante de salvaguardar las jerarquías sociales, verá siempre su verdadero enemigo en las capas populares.

El origen de esta filantropía es filosófico. Los verdaderos responsables son Locke, Montesquieu (aunque en España sólo sea conocido tardíamente durante el Trienio Constitucional), Voltaire y, sobre todo, Rousseau, el apóstol de la «soberanía popular»; fórmula y tema que suscitarán la indignación de las capas más tradicionalistas de España. El ejemplo de los reyes europeos, y de los españoles en particular, leyendo sus obras resulta sintomático. La influencia de Francia se hace sentir poderosamente, facilitada por el hecho de que los mismos Borbones reinan a uno y otro lado de los Pirineos, y por los lazos amistosos que unen entonces a los dos países. Los hombres de letras españoles mantienen correspondencia con los franceses, y las doctrinas «perniciosas» afluyen a España. Júzguese, según los textos, de qué manera Cadalso, desde 1789, en sus famosas *Cartas marruecas*, analiza con prudencia mesurada el fenómeno.

Cuando en 1789, ó más exactamente (como hemos visto) en 1792-1793, la unión se rompe, ¿cuál es la actitud de la monarquía española? Intentará detener la difusión de las ideas revolucionarias, cerrando las fronteras y replegándose sobre sí misma. El «despotismo ilustrado» o el absolutista —no olvidemos que la palabra «despotismo» es su denominador común— se asusta de los periódicos, de las ideas y de las manifestaciones liberales que ve aparecer un poco por todas partes. Pero, evidentemente, es ya demasiado tarde para reaccionar. España, con sus estructuras envejecidas, no puede oponer nada a la seductora ideología extranjera. El afrontamiento se resolverá, en cierta medida, en los primeros días de la Guerra de la Independencia.

El progreso

Entre los progresos registrados durante el siglo ocupa lugar preeminente el desarrollo de la instrucción pública y de la cultura. Las huellas de Jean-Jacques Rousseau y del suizo Pestalozzi serán profundas. La pedagogía se pone de moda, y por todas partes se fundan escuelas, instituciones, «Sociedades de Amigos del País» y escuelas reales profesionales (dibujo, aritmética, geometría, escultura, etc.). Dejando a un lado las Universidades, que quedan a la zaga del movimiento general (Alcalá de Henares y Salamanca han perdido su prestigio), tenemos, sobre todo, que volver la vista hacia las sociedades que acabamos de citar: en 1788, en vísperas de la Revolución francesa, hay ya cuarenta y cuatro. Se forman con gentes muy distintas, que discuten sobre las reformas sociales y económicas. Desde fines del siglo XVIII están muy ligadas con la francmasonería, que, desde Francia, se ha infiltrado muy eficazmente. Cuando el primer ministro Aranda toma el poder, en 1796, existen ya doscientas diez logias, focos de cultura y de difusión de las ideas liberales. Las cosas cambiarán, evidentemente, después de la Guerra de la Independencia, sobre todo en el período de 1820 a 1823, en el que constituirán una temible potencia oculta, a medio camino del poder y de los liberales posrevolucionarios. Ya tendremos ocasión de ocuparnos de la masonería más adelante.

Cultura y clase dominante

Constantemente advertimos el gran papel cultural e intelectual representado por Francia, paralelamente al de sus empresas políticas, que suscitan, sin duda, menos simpatías. Debemos tener en cuenta estas paradójicas influencias. Pero no nos equivoquemos: esta difusión de la cultura se hace a través de las clases ilustradas, cercanas a los círculos palaciegos, o entre la fracción de la aristocracia abierta a este género de preocupaciones. No penetra en las masas, analfabetas en su mayoría. Estas, por otra parte, no ejercen, hasta 1835, ninguna influencia sobre la historia española: el primero que discernirá una dinámica social nueva será Larra. Por el momento, ni son consultadas ni se sienten concernidas. Existe una élite —liberal o conservadora— que se encarga de pensar por ellas. Nadie tiene interés en verlas invadir el terreno político.

Esta es, poco más o menos, la situación en 1808, en

vísperas de la invasión francesa. Antonio Alcalá Galiano ha evocado ampliamente, en sus *Memorias* (entre 1806 y 1807), lo que este período ha podido tener de incierto y de equívoco, de rico y de prometedor. Por parte de Francia hay, a partir de ahora, una contradicción flagrante entre su ideología y su política. Sin embargo, el peso de la ideología —llamémosla liberal— es considerable. Un autor de la época escribe como en broma esta verdad social: «Comíamos, vestíamos, bailábamos, pensábamos a la francesa.» Y Cadalso, en sus ya citadas *Cartas marruecas,* que son para España lo que las *Cartas persas,* de Montesquieu, para Francia, describe «el poderoso de este siglo» en un cuadro célebre, que se podrá leer en la segunda parte de este libro. Este «poderoso» se viste a la francesa, lee libros franceses, tiene criados franceses y va al teatro para ver representar tragedias traducidas del francés. Aunque no caigan en estas ridiculeces, la mayoría de los españoles que poseen los medios de abrirse a la cultura aceptan esta invasión cultural. El único camino que, según ellos, podían seguir era el que imponía el gusto francés. Y, además, repitámoslo, el ejemplo venía de arriba, puesto que la Corte era en cierto modo francesa, y el Gobierno había adoptado algunas de las máximas políticas francesas —las menos exaltadas y las menos «jacobinas»—. Todo el mundo se adhería a la cultura del país vecino. Muchos escritores han evocado y comentado esta influencia extraordinariamente poderosa. Recordemos algunos de los artículos de los *Diálogos satíricos,* de Sánchez Barbero (7), y varios de los *Artículos de costumbres* (8), de Larra, sin olvidar los de J. E. Hartzenbusch y de otros.

Los franceses, apóstoles de la filantropía, de la tolerancia, del triunfo de la razón, de los altisonantes principios enciclopédicos y de la libertad y fraternidad, entran, sin embargo, en España con las armas en la mano. No se presentan con los rasgos tranquilizadores que gustaba de evocar Quintana en su oda *A Juan de Padilla,* de 1797, y en algunas otras poesías de los años anteriores; o un Cienfuegos, que los glorificaba en su composición *En elogio del general Bonaparte, con motivo de haber*

---

(7) *Los Viajerillos (Dedicado al ganado lanar transhumante),* cuyos protagonistas, de nombres simbólicos, se llaman «Andante» y «Estante».

(8) *¿Qué dice Vd? ¡Que es otra cosa!,* y otros.

respetado la patria de Virgilio. Pasado el primer momento de sorpresa, aunque algunos escritores o políticos, como Jovellanos, duden sobre la conducta que han de seguir, los españoles se rinden masivamente a la evidencia: los actos no corresponden a la teoría. En efecto, no han olvidado que la Constitución de 1791 prohibía toda guerra de conquista. Los acontecimientos del 2 y del 3 de mayo de 1808 acaban por desengañar a los más ingenuos o incrédulos. El príncipe Murat, que se ha apoderado de la capital, hace disparar sobre la población, con un pretexto futil, ocasionando unas mil doscientas víctimas. Detiene y hace ejecutar esa misma noche, y al día siguiente por la mañana, a un centenar de madrileños. La poesía ha dedicado a estos acontecimientos más de una elegía, escritas por J. N. Gallego, Sánchez Barbero, Arriaza, Mor de Fuentes y otros. Goya ha inmortalizado las dos escenas que han conmocionado a los escritores y a los políticos: hemos escogido algunos textos que nos lo recuerdan.

La nación, indignada y en cólera, toma también las armas. Ya no tiene ni rey, ni gobierno, ni estructuras. Se va a asistir al laborioso proceso de formación del Estado Moderno, fundado sobre los principios políticos del liberalismo. España, al borde de la anarquía —y pronto al de las tentativas federalistas—, a merced de Napoleón, se lanza a este singular combate, más difícil que lo que son los enfrentamientos militares.

«Afrancesados» y «afrancesamiento»

Existe, como ya sabemos, un importante grupo de españoles que forman parte de la élite, conocidos con el nombre de «afrancesados», que deciden colaborar con el invasor, creyendo, o a veces fingiendo creer, que los franceses vienen para instalar en el país una nueva Edad de Oro. Estos intentan, a su vez, convencer al mayor número posible de españoles ilustrados de la bondad de las intenciones francesas, pretendiendo, por todos los medios, atraerlos a los medios allegados al rey José I. Por su parte, también los franceses intentan ganarse las voluntades de las personas más sobresalientes, por creer que de esta forma el resto de la nación les seguirá.

Nada es simple en estos momentos y, reconozcámoslo, encontramos muchas vacilaciones, tergiversaciones y problemas de conciencia. Sin hablar de Juan Meléndez Valdés, a quien su débil carácter inclina a lamentarse a menudo de los males de la patria y de las discordias civiles, sin por ello adoptar una actitud política enérgica, el caso, ya evocado, del ministro Jovellanos es célebre.

Jovellanos había sido ministro de Justicia del 21 de noviembre de 1797 al 24 de agosto de 1798, es decir, hasta el momento en que Godoy consiguió destituirle. Los poetas, sus amigos, habían celebrado al unísono su promoción política: Meléndez Valdés, Quintana, etc. Hasta el mismo Goya alude a ello en la famosa lámina de sus *Caprichos* «El sueño de la razón produce monstruos».

Conviene recordar el caso de Jovellanos, aunque sea de pasada, para comprender mejor, retrospectivamente, las dificultades y escrúpulos en el momento de tomar una decisión. En una carta del 21 de junio de 1808, dirigida a Mazarredo, uno de sus amigos, favorable al Gobierno francés, después de explicarle los errores que la nación española comete quizá al rechazar la tutela francesa, termina, sin embargo, diciendo: «La causa de mi país, como la de otras provincias, puede ser temeraria; pero es, a lo menos, honrada, y nunca puede estar bien a un hombre que ha sufrido tanto por conservar su opinión arriesgarla tan abiertamente cuando se va acercando al término de su vida.»

Veamos otros pasajes de la carta que en septiembre de 1808 dirige a otro amigo suyo, Cabarrús, que también ha tomado el partido de Francia: «España no lidia por los Borbones, ni por Fernando; lidia por sus propios derechos, derechos originales, sagrados, imprescriptibles, superiores e independientes de toda familia o dinastía. España lidia por su religión, por su Constitución (9), por sus leyes, sus costumbres, sus usos; en una palabra, por su libertad... España juró reconocer a Fernando de Borbón; España le reconoce y reconocerá por su rey mientras respire; pero si la fuerza le detiene, o si le priva de su príncipe, ¿no sabrá buscar otro que la gobierne?» En este punto de la argumentación se percibe ya un intento significativo de conciliación de los valores antiguos y

(9) La palabra aparece entonces.

nuevos, intento bastante vago aún y mal formulado, al final del cual nos ofrece esta expresión que, abriendo un horizonte más amplio, nos ayuda a comprender mejor la actitud de España desde 1810: «Y cuando tema que la ambición o la flaqueza de un rey la exponga (a España) a males tamaños como los que ahora sufre, ¿no sabrá vivir sin rey y gobernarse por sí misma?»

Esta carta es ya un programa para el futuro. Contiene una esperanza, un proyecto y, al mismo tiempo, una negativa de colaboración. Los franceses continúan paralelamente, sin descorazonarse, la conquista militar y espiritual. El mismo Jovellanos, en abril de 1809, es decir, un año después de los sangrientos sucesos de Madrid, será invitado a colaborar por el mariscal Sébastiani, que le hace ver hábilmente cómo sus ideas liberales, su amor a la patria y su deseo de verla próspera y feliz deben hacerle abandonar el partido de la Inquisición y del oscurantismo. Sébastiani recibirá una negativa definitiva. Y Jovellanos, consciente de la ambigüedad de su posición, explicará más tarde que al comienzo de la guerra ha podido equivocarse, pero que no ha sido el único en hacerlo: muchos otros se han equivocado como él. Como quiera que sea, después de un año de guerra ya no hay lugar para las vacilaciones, porque ya no hay ningún enigma que resolver.

CAPITULO II

EL FRACASO DE LA REVOLUCION LIBERAL (1808-1823)

Sublevación de las provincias y nacimiento de la Junta Central Suprema del Reino

En el momento de la invasión se crean en cada provincia Juntas locales para organizar la lucha y asumir una parcela del poder desaparecido. Realizan un trabajo eficaz y agobiador, consiguiendo crear ejércitos que inflingen a los napoleónicos sus primeras derrotas. Nos lo recuerdan las dos odas de M. J. Quintana *Al armamento de las provincias españolas contra los franceses* y *A España después de la Revolución de marzo,* de 1808. No son las únicas que se escribieron en este momento: Sánchez Barbero lo evoca al comienzo de su larga oda *La invasión francesa en 1808* (1), lo mismo que Tomás González Carvajal, en su poesía *En la Revolución francesa,* que prudentemente pone bajo los auspicios de Santiago, Patrono de España.

Desde fines de septiembre de 1808, una Junta Central Suprema del Reino, primero establecida en Madrid y luego en Sevilla, huyendo del enemigo, controla lo que queda libre del país, es decir, la Mancha, Extremadura y Andalucía. Al mismo tiempo intenta hacerse oír en las provincias ocupadas. El nacimiento de este cuerpo político no se hizo sin disensiones, sin múltiples celos, sin querellas de prestigio, ni incluso sin enfrentamientos entre partidarios de ideologías contrarias. Nos encontramos ante un giro histórico (2).

---

(1) I. *De Bonaparte.* II. *Victoria de los españoles sobre los franceses.* III. *Entrada de nuestras tropas en Madrid.* IV. *Proclamación a Fernando VII.* V. *Marcha de nuestros ejércitos contra los franceses.*

(2) Entre los escritores, alguno como José María Blanco y Crespo, más conocido bajo el nombre de Blanco-White, cuya acuidad política e intelectual es considerable, no se engaña: consagra al acontecimiento una poesía, *A la instalación de la Junta Central de España.* Jovellanos,

La Junta Central adopta, desde su instalación, una medida que ella misma califica de *liberal:* decide dirigirse al país con una serie de proclamas y manifiestos, para tenerle al corriente de la situación general. La primera proclama, y muchas de las siguientes, de las que en la Antología se podrán leer extractos y comentarios, intentan crear una organización verdadera, dando un sentido interno a la lucha, al anunciar para un futuro próximo la convocación de Cortes. Cortes que se reunirán para discutir los problemas económicos, sociales y políticos, y votarán leyes que se habrán de aplicar. Esto constituye un hecho de importancia capital. De esta forma, las *Cortes,* es decir, el conjunto de los diputados elegidos, o si se prefiere la «nación» o el «pueblo» —dando a estos términos el sentido que tienen en la época—, representarán al conjunto del país. En una óptica liberal serán las llamadas a crear un verdadero gobierno representativo, siendo la base de la bien conocida «soberanía popular». Es así como hay que entenderlas.

Las ideologías en presencia

Pero es a causa de esto por lo que comienzan las dificultades. La Junta Central, ardientemente patriótica, no está, evidentemente, formada sólo por elementos liberales o exaltados. En sus filas figuran muchos elementos tradicionalistas que, como su mismo nombre indica, se sienten celosamente vinculados a las tradiciones de la España eterna. Luchan por la restauración del rey en la integridad de sus privilegios. No desean, por lo tanto, una convocatoria de *Cortes* demasiado democráticas. En ellas sólo ven un peligro de subversión (palabra que se puso de moda pronto). También los liberales luchan por la restauración de la monarquía, pero la amarga experiencia de Carlos IV, de su corrompida Corte y de la omnipotencia escandalosa e inicua del primer ministro, les hace ser prudentes; prudencia que les conduce a intentar limitar el poder real.

Recuerdan, a su modo, la lección liberal dada por

Quintana, el conde de Tilly, el marqués de Villel, Garay, Veri, Pedro Rivero, etc., luchan por su parte sin descanso para imponer la existencia política de este cuerpo «revolucionario».

Francia veinte años antes. Esto no quiere decir que no odien a los franceses, ni que no reprueben a sus propios compañeros traidores, ni que no execren a José I y a la Constitución fantoche de Bayona (3). Pero no han olvidado los principios de libertad y fraternidad, de filantropía y tolerancia. Siguen creyendo que se pueden adoptar ciertos ideales sin ser napoleónicos, y distinguen claramente al hombre (Napoleón) del ideal (Enciclopedia). Saben que los que han originado los profundos cambios de la sociedad francesa son los enciclopedistas, los filósofos y los economistas, y, olvidando la campaña militar francesa, sólo retienen un programa adaptable a su «circunstancia». Estos liberales, patriotas y antifranceses, representan algo excepcional y determinante. Debemos estudiarlos con la mayor atención, porque son los que representan el punto de partida de una ideología que se esforzará inútilmente por imponerse durante todo el siglo XIX, hasta comienzos del XX. *Mutatis mutandi,* forman entre 1808 y 1814 la mayoría de los que encontraremos a menudo en la futura historia de España.

Hasta 1833 serán la bestia negra de Fernando VII, el cual los perseguirá obstinadamente, haciéndolos oficialmente responsables de todos los males del país. Pero, después de 1833, serán también los enemigos de María Cristina, última esposa del «Deseado», y después de 1840, de su hija, la todopoderosa y autoritaria Isabel. Por otra parte, ni siquiera la Revolución de 1868, que consagrará el fracaso de la monarquía borbónica en España, ni el exilio de la reina Isabel II resolverá la contradicción liberal. El país, aún por mucho tiempo, se encontrará confrontado al problema esencial de la elección de su destino político.

La convocatoria de las Cortes

Desde el momento en que se comenzó a hablar de convocatoria de *Cortes,* los dos bandos, liberales y tra-

---

(3) Lleva fecha de 6 de julio y fue aprobada con la complicidad de noventa y una personalidades (Josef Colón, Pedro Ceballos, el duque del Infantado, J. A. Llorente, el marqués de las Hormazas, etc.). Jamás pudo pasar por representativa de ninguna ideología ni de ninguna clase social. Tampoco pudo ser para Napoleón el arma política que durante un tiempo creyó que podría ser.

dicionalistas, se enfrentan violentamente. En el país acaba de operarse lo que podría llamarse una «pasación» de poder, y los liberales, estimando que los tiempos han cambiado, proclaman que los españoles, que luchan por un fin preciso, deben retirar los frutos de sus esfuerzos sin exponer la independencia, costosamente conseguida, al libre arbitrio de un soberano incierto. Las proclamas, las poesías, los *folletos* y los tratados teóricos lo repiten sin descanso. Todo esto no carece de cierta impertinencia, sobre todo si tenemos en cuenta que su razón fundamental salta a la vista. ¿Pretende Napoleón dar a España un régimen constitucional? La respuesta es que los españoles pueden hacerlo ellos mismos sin contar con él. La conciencia nacional, aún joven, pero ya llena de empuje, sabrá expresarse libremente, y hacer la España de mañana, a pesar de los descontentos, de las tradiciones enfermizas e incluso a pesar de los reyes, como lo proclamaba el «virtuoso» Jovellanos años antes.

Para los liberales, las leyes, buenas o simplemente aceptables, que habían sido puestas en vigor hacía siglos para oponer un freno a la tiranía, no constituyeron un dique eficaz contra ella. Su implantación la hacen remontar al reinado de Carlos V, y estiman que se ha prolongado hasta el de Carlos IV. Es por ello por lo que creen que desde el momento en que una revolución ha estallado a favor de los acontecimientos hay que aprovecharla para realizar la felicidad social. Contagiados por el espíritu del siglo XVIII, los liberales de la Junta Central Suprema del Reino creen que las futuras *Cortes* pueden forjar esa felicidad nacional. La felicidad de una nación consiste en una buena Constitución, a la que todo el mundo obedezca, incluso los monarcas. No vacilan en tratar a sus enemigos con insolencia y desdén y en darles una lección pública de patriotismo; pero al final de sus razonamientos nos quedamos sin saber exactamente cuáles son los enemigos del pueblo español: las hordas napoleónicas o los reyes absolutos. En un confusionismo voluntario proclaman con énfasis las máximas democráticas que tanto les ha reprochado Menéndez y Pelayo, pero que constituirán los fundamentos de su programa político. Los franceses es evidente que no ocultaban su hostilidad a este programa, pero las fuerzas tradicionalistas españolas lo apreciaban aún menos, si cabe.

La futura Constitución de la Monarquía española (que tendría que ser votada por las *Cortes)* destruiría también la de Napoleón, y sería puesta en la práctica después de consultada toda la nación. Entendamos por nación los espíritus ilustrados, los magistrados, los altos funcionarios y las personalidades religiosas y militares. El gobierno provisional de los años 1808-1809 sabe que sólo tiene un poder limitado, porque es escasamente representativo. Por otra parte, piensa que la situación de urgencia no durará mucho, y por ello solicita de todos aquellos susceptibles de dar un consejo que lo den con la mayor brevedad posible. Estos proyectos de reforma, cuyos objetivos son la Constitución en general, o bien ramas particulares de la Administración pública, estarían centralizados, y los autores de planes «útiles» serían invitados a participar en las comisiones de reforma.

La futura Constitución

Los principios fundamentales de esta Constitución, sobre los cuales debemos insistir, porque acondicionan toda la historia del siglo XIX español, deberían de ser los siguientes: la Constitución será monárquica; la monarquía será hereditaria en el seno de la familia de Fernando VII y de sus descendientes; las leyes serán libremente discutidas y votadas por las *Cortes;* la Constitución sólo podrá ser revisada por las *Cortes;* América y las demás «colonias» tendrán los mismos privilegios que la metrópoli; se tomarán medidas para mejorar la suerte de los pueblos que hasta entonces han estado «horriblemente vejados».

Estos principios, que son el objeto de un manifiesto de la Junta Central a la nación, comportan una sabrosa adición. En el borrador se lee, añadido al margen por necesidad, este otro principio que inopinadamente será luego el primero: «La Religión Católica, Apostólica y Romana es la única religión del Estado.» ¿Puede sorprendernos que los liberales (o como dicen con exagerado énfasis sus enemigos ideológicos, los *jacobinos,* los *demócratas,* los *demagogos,* los *anarquistas)* sean los responsables de esta modificación esencial? No, por supuesto: si lo hubieran hecho no serían liberales. Pueden, llegado el caso, hacer ostentación de un superficial anticlericalismo, como Argüelles, por ejemplo; pero sin poner nunca en duda los principios religiosos fundamentales. Esta actitud, relativamente específica del liberalismo español del siglo XIX, se explica por una larga tradición de clericalismo que, si bien invita a los espíritus a una crítica de detalle, los acondiciona, sin embargo, encerrándolos en un marco inmutable.

Los liberales se explicarán oficiosamente sobre este punto: si han hecho, dirán, del catolicismo la única religión del Estado ha sido por política de conciliación y por deseo de no fragmentar las distintas corrientes políticas. Argüelles, «padre del liberalismo», futuro «divino orador» de las *Cortes*, es el primer responsable. Lo menos que se puede decir, cuando se mira el curso que seguirá la historia de España, es que la medida era especialmente inoportuna: los liberales estaban quizá convencidos —sin razón, por otra parte— de la diplomacia ocasional del procedimiento, pero carecían de presencia de ánimo, o de discernimiento político, si creían haber ganado una partida fácil.

Diversas reacciones ante el programa liberal

Recordemos rápidamente las reacciones de las personas consultadas. Los arzobispos son naturalmente hostiles a las *Cortes*, que juzgan nocivas e impolíticas: a su entender, están ligadas a la noción de libertad. Creen que dicha palabra debe matizarse y que sería preferible hablar de «libertad civil» o «justa libertad», porque el término ha adquirido una desagradable resonancia desde que los franceses han hecho la Revolución. El lector se dará fácilmente cuenta de que no se trata tan sólo de una disputa lingüística. A través del lenguaje empleado sentimos las motivaciones del combate emprendido. Así, en el mismo orden de ideas, estiman que un gobierno fuerte es el único con derecho a pensar en el país. El pueblo sólo tiene que obedecer. Esta será exactamente la opinión de Fernando VII cuando regrese a España en 1814, después de su exilio francés. Estamos ante los primeros indicios de la gran querella política que caracterizarán al siglo XIX «no revolucionario» español.

De hecho, las opiniones están divididas incluso en el seno del «partido» liberal. En la medida en que también son partidarios de la restauración del rey, su posición es evidentemente muy variable y, en ocasiones, ambigua. Existe una importante fracción liberal (baste con citar a Jovellanos y sus amigos) que plantea la siguiente cuestión: ¿es verdaderamente necesario votar una Constitución o es preferible restaurar las leyes fundamentales justas, velando cuidadosamente por su buena aplicación? Se trata de monárquicos ilusionados y de políticos pronto sobrepasados por los acontecimientos y que, en todo caso, tienen miedo —y no son los únicos— a una Revolución como la Revolución francesa de 1789, con sus excesos: libertad de prensa, clubs, sediciones, crímenes, cadalsos...

A medida que avanza el año 1809, el problema se complica singularmente. El gobierno recibe toneladas de papel con proyectos de todas clases: las discusiones se eternizan, las comisiones se multiplican, mientras los asuntos se estancan. Los liberales no consiguen ponerse de acuerdo sobre las modalidades de la monarquía que propugnan. Frente al bloque unido de los conservadores, la fosa se ahonda progresivamente entre los «moderados», que están de acuerdo para dar su confianza al rey, controlándolo por medio de una o de dos Cámaras, y los «exaltados».

Estos, dirigidos por Lorenzo Calvo, Flórez Estrada y otros, piden la libertad, la igualdad y la seguridad para todo el mundo. Se pronuncian contra las concesiones hechas al clero, que sostiene los derechos de la intolerancia. Quieren destruir los viejos mitos, poniendo toda su confianza en la Constitución. Cualquier pacto social, dicen, que no tenga por objeto la mayor felicidad de todos los asociados será «injusto», «fraudulento» y «nulo». Estos términos, y sus temas, nos recuerdan sin duda a J.-J. Rousseau. Además, quieren (Flórez Estrada lo enuncia claramente) que se facilite y estimule el comercio, y que se replantee el problema agrario, única verdadera fuente de la riqueza nacional. Para esto se inspiran en Francia, pero sobre todo en Inglaterra. Por último, para ellos el rey no es sagrado, pudiendo imponérsele, incluso, la pena capital; ya no habrá «vasallos», sino «ciudadanos»; y hay que proclamar la libertad religiosa, y obtener la supresión de la nobleza, «virtud quimérica», que contradice el principio inatacable de la igualdad entre ellos y el resto de los ciudadanos. En este credo político encontramos muchos temas de la ideología de 1789; pero, repitámoslo, se trata de una fracción minoritaria de la ideología liberal en trance de constituirse.

Las peripecias de la historia

Llegados a este momento, dos fenómenos importantes van a intervenir. En primer lugar, la Junta Central, que detenta el poder, no tiene la intención de abandonarlo rápidamente, no sólo por deseo de eternizarse, sino por miedo al futuro. Además, un verdadero escándalo se prepara: el de la convocatoria de las *Cortes*. Se trata de saber la forma según la cual conviene convocar los diferentes *brazos* o *estamentos* (los estados). Los liberales moderados deseaban que se celebrasen elecciones en cada provincia (en la medida de lo posible) para designar los distintos representantes de los tres estamentos (nobleza, clero y tercer estado) y que se los convocase separadamente para que deliberasen una vez reunidas las *Cortes*. Es el punto de vista de las clases privilegiadas que defienden sus intereses tradicionales.

Los liberales exaltados deseaban, por el contrario, que al término de una elección del mismo tipo se convocase a todo el mundo indistintamente, sin tener en cuenta a los tres estamentos (o a las dos Cámaras). Todos formarían una sola asamblea donde la mayoría sería necesaria en las decisiones.

Ahora bien: aparentemente sólo existía un decreto en el primer sentido, es decir, en la vía tradicional. Este decreto se perdió. Hubo que prevenir oficiosamente a los interesados, olvidando precisar que las Cámaras estarían disociadas, de modo que todos los diputados fueron convocados al mismo tiempo. Naturalmente, esto era el resultado de todo un conjunto de intrigas en cuyos detalles nos perderíamos. Muchas personalidades estaban comprometidas. Nadie llegará jamás a saber exactamente todo lo ocurrido. Las anécdotas de esta pequeña historia son infinitas. Digamos que cualesquiera que fuesen los compromisos y concesiones del momento, las *Cortes* que iban a reunirse eran, contra todo lo que se podía creer, «democráticas».

Cuando la opinión pública, cansada de tantas maniobras, derribe a la Junta Central, a comienzos del año 1810, y la reemplace por un Consejo de Regencia, compuesto de cinco personas, este asunto tampoco será aclarado, lo que es la mejor prueba de que nadie tenía interés en que lo fuese. En realidad, fue el desarrollo de la guerra el que modificó profundamente la política. Por más que poetas como Lista o Dionisio Solís compusieran poemas en honor de tal o cual victoria de los ejércitos españoles, o un J. B. Arriaza multiplicase los sonetos de circunstancias, los himnos, las cantatas, las canciones o los breves diálogos teatrales, estas hermosas ilusiones ya no engañaban a nadie. El lector podrá comprobar en los pasajes de la *Memoria sobre las críticas circunstancias en que se halla la Patria y el Gobierno y medidas de precaución que las mismas dictan,* que García Malo escribió en 1809, que los medios oficiales eran los primeros en estar seriamente preocupados por el problema.

La acumulación de derrotas militares, la doble presión de Francia e Inglaterra sobre las colonias americanas, las intromisiones de la misma Inglaterra en los asuntos de Estado españoles, hacen que, al fin, después de año y medio de discusiones, sea decretada la reunión de las *Cortes* para el 24 de septiembre de 1810. Gestación lenta y laboriosa; a partir de este momento se constituye verdaderamente el Estado; los enemigos se encuentran frente a frente: la vieja y la nueva España.

Esta cuestión de la convocatoria de las *Cortes* había ido dividiendo más y más los ánimos. Los elementos más tradicionalistas se oponían por todos los medios a la realización de la «soberanía popular». Por su parte, el Consejo de Regencia, una vez investido del poder supremo, había intentado transformarse en gobierno legítimo. Podemos decir que fueron los mercaderes, comerciantes, financieros y propietarios de Cádiz los que consiguieron inclinar la balanza. Intervinieron, por todos los medios, en las elecciones de diputados: actuación que les resultaba muy fácil, puesto que la elección descansaba sobre una discriminación por la riqueza. Así consiguieron imponerse a las tentativas de los reaccionarios que querían impedir a toda costa las peligrosas reformas que, según ellos, iban a destruir la antigua sociedad. La hora de los liberales, es decir, de la burguesía, acababa de sonar.

Atmósfera política en el seno de las Cortes

Los liberales consiguieron imponerse, en efecto, en las *Cortes:* eran mayoritarios y contaban en sus filas con personajes de gran prestigio: Diego Muñoz Torrero, dos veces presidente de las *Cortes* (4); José María Calatrava, vicepresidente de las *Cortes* (5); Juan Nicasio Gallego, secretario (6); Agustín Argüelles (7) y José María Lequerica (8), entre otros. La mayoría, sobre todo Argüelles, eran buenos juristas y excelentes oradores. Sus discursos

---

(4) Una de las grandes figuras de las *Cortes.* Eclesiástico, profesor y rector de la Universidad de Salamanca (1761-1829). Exiliado a Portugal, y confinado en un monasterio gallego de 1814 a 1820, vuelve a la escena política con el restablecimiento del régimen constitucional. Fue él quien orientó a las *Cortes* con su famoso discurso del 24 de septiembre de 1810.

(5) Abogado, liberal, célebre por sus discursos sobre la libertad de prensa, el proyecto de Constitución y el Consejo de Regencia (1781-1847). Deportado al presidio de Melilla de 1814 a 1820, se convirtió en uno de los pilares del partido constitucional de 1820 a 1823. Durante la Restauración tuvo que emigrar. Con Argüelles y Mendizábal, a pesar de ciertas diferencias, constituyó la cabeza del partido liberal progresista.

(6) Eclesiástico, político liberal convencido, orador y poeta de valor (1777-1853). Formó parte de todas las comisiones importantes (libertad de prensa, reglamentación del poder ejecutivo, organización del gobierno). Es célebre por su intervención directa en la abolición del Tribunal de la Inquisición y el proyecto de Constitución. Encarcelado y luego confinado en un convento entre 1814 y 1820; constitucional de 1820 a 1823; exiliado después de 1823.

(7) (1776-1844). Estuvo a la cabeza con Muñoz Torrero de la comisión constitucional. Es una de las primeras figuras liberales de las *Cortes.* Orador irresistible al que se conocía con el nombre de «divino». Su nombre va unido indisolublemente a toda la obra constitucional española desde 1810 hasta mediados del siglo; fue uno de los autores de la Constitución de 1812 y preparó directamente la abolición de la Inquisición. Entre 1814 y 1820 estuvo deportado en el presidio de Ceuta, y luego exiliado en Mallorca. Ministro en 1820, primera figura política después de la muerte de Fernando VII, fue él quien, con sus innumerables discursos, hizo ganar todas las votaciones a los liberales.

(8) Diputado americano, también gran orador de las *Cortes.* Formó parte de todas las comisiones. Sus discursos más conocidos conciernen a la libertad de prensa, a la abolición de la Inquisición y a la igualdad entre americanos y españoles. Murió de la fiebre amarilla en febrero de 1813.

son para nosotros testimonios preciosos de los primeros actos del liberalismo: libertad política de prensa, Constitución, libertades de todo género, imposición fiscal, reforma de la justicia, etc. Es fácil comprobarlo a través de los pasajes que reproducimos en la segunda parte de esta obra.

Sus rivales políticos eran menos numerosos y menos prestigiosos, aunque en ocasiones fuesen también temibles oradores, como el diputado americano Blas de Ostolaza (9) y el celebérrimo Pedro Quevedo, obispo de Orense (10).

En estas primeras *Cortes*, compuestas de 303 diputados, de los cuales 33 lo eran por las colonias americanas, había una desproporción flagrante entre los partidarios de la ideología liberal y los de una España inmutable, entre la esperanza y la estagnación. Teniendo en cuenta este dato esencial, no será inútil conocer sumariamente las actividades profesionales de estos 303 diputados:

— 97 eclesiásticos;
— 16 profesores;

---

(9) Eclesiástico, capellán del rey Fernando VII, es conocido tanto por sus opiniones políticas y religiosas, de extrema derecha, como por su mala fe e hipocresía, manifestada en interminables y fútiles intervenciones destinadas a retardar la marcha de los debates y la hora de las votaciones. Estimable polemista, habilísimo en todo género de astucias. Llegó incluso a ser secretario de las *Cortes*. Ardiente defensor del clero y de la Inquisición, cuya pureza defendía, intervino continuamente en todos los grandes debates. Acérrimo enemigo de la Constitución, será, durante los años 1814-1820, un reaccionario convencido que, amparado por el rey, empleará sus energías en perseguir a sus enemigos derrotados. Miembro influyente de la «facción» carlista, infatigable combatiente, terminará sus días fusilado en Valencia.

(10) (1736-1818). No fue diputado, pero sí presidente del Consejo de Regencia. Chocó abiertamente con las *Cortes*, rehusando reconocer su soberanía en los primeros días de octubre de 1810. Debió ceder —en apariencia—, pero manifestó de nuevo su oposición en el acto de prestar juramento a la Constitución. Su proceso en 1812 fue muy sonado: destierro y exilio. Su oposición no era un acto aislado: al contrario, estaba ligada con las conspiraciones del regente Lardizábal y de algunos otros altos funcionarios del Consejo de Castilla. Sabemos que los nuevos regentes (Agar, Císcar, Blake) ofrecieron más garantías a las *Cortes*. La tentativa del obispo es una de las más oficiales del absolutismo tradicional. La responsabilidad directa del rey en ella quedó casi a la luz del día. Pero era una tentativa prematura y torpe en la medida en que las *Cortes* estaban en el apogeo de su popularidad.

— 37 militares;
— 60 abogados;
— 55 funcionarios públicos;
— 15 propietarios;
— 9 marinos;
— 5 comerciantes;
— 4 escritores;
— 3 representantes de las grandes Ordenes militares;
— 2 médicos.

Terminaremos estas estadísticas recordando que en 1812 había unos 60.000 gaditanos, cuyo número se triplicó al instalarse allí las *Cortes,* alcanzando entonces la cifra de 170.000, como nos lo precisan en sus poesías o memorias muchos autores (Sánchez Barbero, Quintana, Somoza, etc.). Toda España se había reunido allí al solo nombre de la regeneración política por la vía más legal, es decir, la vía parlamentaria.

Veremos a los enemigos de los liberales actuar con precaución y disimulo; operar en la sombra, esperando que pase la tormenta para volver a tomar el poder; suscitar durante más de tres años el mayor número de dificultades posibles; aprovecharse de las divergencias de opinión; explotar hábilmente todas las situaciones y beneficiarse de las torpezas de los liberales, para terminar alzándose con el triunfo. Sin embargo, no debemos olvidar que la masa del pueblo, absorbida en la lucha contra los franceses o prisionera de sus querellas locales, permanecía al margen, ignorante de cualquier noción política, y no podía comprender lo que representaban verdaderamente las *Cortes* de Cádiz. Además, el sistema electoral estaba hecho para que no votase. Es importante decir que la «libertad nacional», en otros términos, el sistema liberal, será la obra de una minoría, de una élite restringida.

No es ésta la ocasión de contar la variada y rica historia de estas primeras *Cortes.* Nos limitaremos a evocar algunas de las medidas más notables que fueron tomadas entre fines de 1810 y la primavera de 1814. El problema capital de la libertad de prensa es planteado desde el 27 de septiembre por Argüelles, quien se dirige de la siguiente forma a la Asamblea: «Cuantos conocimientos se han extendido por Europa han nacido de esta libertad, y las naciones se han elevado a proporción que ha sido más perfecta. Las otras, oscurecidas por la ignorancia y encadenadas por el despotismo, se han sumergido en la proporción contraria. España, siento decirlo, se halla entre las últimas...» Y Juan Nicasio Gallego añade por su parte: «Si hay en el mundo absurdo en este género, eslo el de asentar... que la libertad de imprenta podía existir bajo una previa censura.» Era el aditivo que, en efecto, habían propuesto los absolutistas para compensar esta medida, terrible a sus ojos. Después de una apasionada discusión, los liberales ganaron gracias a sus argumentos, a sus oradores y al presidente de las *Cortes,* Muñoz Torrero, que, por su parte, acababa de orientar sin ambigüedad la política española al hacer residir la soberanía nacional en las *Cortes.* El 5 de diciembre de 1810 fue votada la libertad política de prensa: por primera vez cada uno podía decir y escribir lo que pensaba. Los absolutistas y los defensores de la Inquisición acababan de perder una batalla.

Argüelles y Muñoz Torrero no están solos al frente de estos combates. Encontramos también a sus amigos: García Herreros, Calatrava, el conde de Toreno, Antillón, Gallego, Zorraquín, Lorenzo Calvo, Oliveros, Luján, etc. Pero ellos serán los principales redactores de la Constitución de marzo de 1812. Es a ellos a los que saludarán los escritores cuando celebren la «restauración» de España, y esto tanto los defensores incondicionales de la monarquía, como Manuel María de Arjona (11), o como los «exaltados» J. Romero Alpuente y A. Flórez Estrada.

Medidas políticas votadas por la Asamblea

A pesar de su disparidad, los decretos que entre tanto se han votado no son menos significativos. El 1 de diciembre de 1810 se suprimen las prebendas y algunas rentas eclesiásticas para hacer frente al estado de urgencia. En el curso del año 1811 se toman una serie de medidas concernientes a América (5 de enero y 13 de marzo), en particular la prohibición de las *mitas* (partición de las

(11) En su *Oda a España restaurada en Cádiz* (*Oda dedicada a la memoria de Juan de Padilla*).

aldeas y repartición de los indios); medidas humanitarias que se prolongarán durante el año 1812 y, prácticamente, durante toda la duración de las *Cortes*.

En marzo de 1811, las *Cortes* estudian un mejor reparto de los impuestos: «El impuesto, para ser justo —declara Argüelles el 23 de marzo—, ha de ser igual y proporcionado entre todos los que lo pagan.» Fue el mismo Argüelles quien, unos días antes, el 15 de marzo, había dado el tono de la «Revolución» liberal, oponiendo netamente las clases no productivas y privilegiadas a las clases productivas de la sociedad: «Las clases opulentas que viven de lo que rinden sus rentas nada reservan de ordinario para aumentar la industria de la nación... Las clases productivas son acreedoras a toda consideración.» Como se ve, se trata de un alegato en favor del desarrollo del capital, con su lógico corolario del enriquecimiento de la nación. Argüelles, en nombre de los «capitalistas» de Cádiz, exige que se proteja y aliente a la clase que posee y hace fructificar los capitales.

El 16 de abril de 1811 se vota la apertura de los colegios y universidades. El año 1812 ve la abolición de la tortura «en todos los dominios de España», así como la disolución de los dominios señoriales: era la reforma radical de las principales características del Antiguo Régimen. Los señores poseían los dos tercios de las aldeas. Sus privilegios eran, naturalmente, de distintas clases: administraban justicia y percibían las rentas y contribuciones. A partir del momento en que se decreta que el agua, la caza, la pesca, los hornos comunales y los molinos son libres, se puede considerar que el feudalismo ha cesado, teóricamente al menos, de existir. Del mismo modo se abolió el «Voto de Santiago»: impuesto de pan o trigo que entregaban los campesinos a la iglesia de Santiago.

Observamos que entre estas medidas las hay que han sido inspiradas fundamentalmente por ideas filantrópicas, sin tener en cuenta las eventuales dificultades de su aplicación, que serán numerosas. Era difícil, sin proceso revolucionario, proclamar de la noche a la mañana, y de un plumazo, el final del Antiguo Régimen. Por otra parte, habrá que esperar hasta el año 1813 para que sea abolida, provisionalmente, la Inquisición (22 de febrero). El artículo 2.º del proyecto de la comisión especializada creada a este efecto —y de la que Muñoz Torrero era el cauto presidente— decía: «El Tribunal de la Inquisición es incompatible con la Constitución» (12). Los debates de la Asamblea sobre este punto serán largos y agitados. El discurso de Manuel García Herreros en 1813, del que se incluyen diversos pasajes en la presente Antología, están ahí para recordárnoslo. De hecho no se trataba de una mera cuestión de principios: paralelamente a su abolición, los bienes de la Inquisición eran declarados bienes nacionales; sus derechos y privilegios eran anulados; las «pinturas negras» debían desaparecer de las iglesias, y en los antiguos edificios recuperados se debían instalar cátedras de Agricultura, de Constitución y colegios de enseñanza de todas clases y Sociedades Económicas. Por último, también eran expropiados de dos mil quinientos a tres mil conventos. Todas, decisiones positivas si se quiere, pero que teniendo en cuenta la relación de fuerzas en presencia eran de difícil aplicación y acentuaban la separación de las «dos Españas» (13).

Los diputados americanos —es decir, los españoles de América— participan en este debate histórico. Participan en las mismas querellas políticas en nombre de los mismos intereses y de las mismas ideologías. En su mayor parte son favorables al sistema de gobierno que les garantice su posición. Casi ninguno vislumbra los verdaderos problemas de su continente. Este desconocimiento histórico hará que, llegado el momento, no comprendan las revoluciones americanas ni los múltiples movimientos independentistas, porque voluntariamente ignoran la existencia y los derechos de los mestizos y criollos. En la mayoría de los casos harán causa común con el liberalismo español, y serán partidarios de una política colonial estricta, en la que los territorios americanos sean estrechamente dependientes de España. Esta estrechez de miras facilitará la labor diplomática de Francia e Inglaterra, que, cada una por su lado, se esforzarán por conquistar

(12) El artículo 2.º del decreto CCXXIII, del 22 de febrero de 1813, repetirá palabra por palabra los mismos términos: es la abolición de la Inquisición.

(13) Desde 1811, muchos liberales se habían esforzado por hacer triunfar los «buenos» principios humanitarios y políticos en nombre de la armonía nacional: el hecho de que los *Apuntes sobre el bien y el mal de España*, del abate D. M. A. de la Gándara, se hayan puesto de moda en este momento es simbólico.

los mercados y el comercio americanos, estableciendo zonas de influencia. Este problema, muy complejo, escapa a este estudio, pero resulta instructivo —y los debates de las *Sesiones de Cortes,* o las proclamas de la Junta Central y de los Consejos de Regencia, entre 1810 y 1814, nos los prueban— comprobar que generalmente los diputados «americanos» sólo representaban los intereses españoles del liberalismo de Estado.

La Constitución de Cádiz

La obra más positiva de las *Cortes* es, sin ningún género de dudas, la Constitución. Los debates duraron seis meses. Durante este tiempo, los diputados multiplicaron las invectivas, en un ambiente que exacerbaba las pasiones. Pero, a pesar de todo, y a pesar de las imperfecciones del sistema liberal, se consiguió crear un importante monumento. Para probar hasta qué punto se manifestaron sin tapujos todas las opiniones, no es inútil evocar la inmensa correspondencia de cuantos tuvieron que hacer proposiciones cuando se les consultó. Algo parecido a lo que había ocurrido dos años antes cuando se les había requerido para que se pronunciasen sobre la oportunidad de convocar *Cortes.* Recordemos que el clero, ya entonces, había manifestado claramente su hostilidad. Ahora la acentúan, puesto que tiene más que perder. La exposición del arzobispo de Santiago, Rafael Vélez, bien conocido, por otra parte, por sus obras difamatorias, es significativa a este respecto. Después de haber protestado anteriormente en una carta insidiosa contra los libros funestos, «envenenados de mortíferos sistemas e insolentes doctrinas», ataca brutalmente a los malos españoles imbuidos de principios democráticos y de máximas republicanas copiadas de autores extranjeros y, por consiguiente, peligrosas (Rousseau, Diderot, Beccaria y los «revolucionarios» Marat, Robespierre, etc.). Son espíritus «perversos» y «corrompidos», enemigos de las prerrogativas de la monarquía y de «los imprescriptibles derechos del Clero y de la Nobleza», estamentos no privilegiados, sino «esenciales», «miembros integrantes del Estado» desde siempre. Si se humilla al clero y a la nobleza, la autoridad real queda igualmente «deprimida», «abatida» y «despojada de sus derechos», añade el arzobispo. El clero está ahí, en España, para contener las «tropelías del vulgo obcecado y frenético». Por otra parte, añade, ha participado suficientemente en la guerra con sus riquezas para merecer retirar algunas ventajas. Sus derechos, sus privilegios y los impuestos que percibe son instituciones ancestrales que siempre han sido respetadas sin discusión. Atentar contra ellas es «la mayor injusticia y arbitrariedad». Debemos, precisa, participar en el poder, cualquiera que éste sea: hacerlo sin nosotros es una estafa.

Se había planteado el problema de que los diputados, para probar su adhesión a la causa pública, pagasen sus gastos de viaje y su estancia en las *Cortes*. Veamos los comentarios que estas medidas inspiraron a Rafael Vélez: «la medida es muy buena en sí, pero ¿cómo los diputados poco ricos van a poder hacer frente a estos pesados gastos? Por el contrario, los prelados, los grandes "y otras personas de superior jerarquía" podrán, sin ninguna duda, a pesar de las difíciles circunstancias, prestarse de muy buen grado a semejante sacrificio, dando así a toda la nación ejemplo de generosidad y desinterés» (14).

En una palabra (escribe el arzobispo para terminar), queremos ser ahora y continuar siendo lo que siempre hemos sido. Todo esto es muy claro. Si hemos elegido esta carta no es sólo por ser autógrafa y ofrecernos pasajes de una rigurosa fidelidad histórica, sino porque expresa admirablemente y sin ambigüedad unas motivaciones políticas que no ocultan en absoluto su juego. En los archivos españoles abundan los documentos de este tipo firmados por arzobispos u obispos. Podríamos, sin falsearlos, relacionarlos con documentos posteriores escritos a raíz de otras crisis históricas profundas, para comprobar la continuidad de estos razonamientos.

A pesar de estas hostilidades, de la acumulación de maniobras, del soborno a la prensa para que aleccionase a las masas..., la Constitución se hizo. El entusiasmo público era todavía fuerte y la reacción tuvo que ceder. Los liberales, por su parte, cometieron, por espíritu de conciliación, el peor error que podían cometer. Este

---

(14) Observamos que no es casual que los liberales tengan poco más o menos el mismo razonamiento fundamentado en la salvaguardia de los privilegios de clase.

error es el artículo 12 de la Constitución, el cual la hacía perder su aspecto innovador y dejaba sin resolver toda la crisis histórica: «La religión de la nación española es y será perpetuamente la católica, apostólica, romana, única verdadera. La nación la protege por leyes sabias y justas, y prohibe el ejercicio de cualquiera otra.» Cuando Argüelles, más tarde, en 1837, comente este artículo infortunado, dirá, en sustancia, que el clero en las *Cortes* de Cádiz y hasta 1814, y luego en el período de 1820 a 1823, no quiso jamás emplear «los inmensos medios legales» que las *Cortes* habían puesto a su disposición, prefiriendo actuar en la «ilegalidad». Y —añade— utilizaron para ello «el púlpito» y el «confesionario», e incluso la prensa. Fernando VII —concluye— «pagó este trabajo, ese cultivo de la viña del Señor con prelacías y otros testimonios no menos importantes». ¿Excusas y justificaciones? Sin duda, pero el mal estaba hecho, y para mucho tiempo.

Constitución española de 1812 y Constitución francesa de 1791

Es cierto, sin embargo, que otros artículos eran menos inoportunos. En general, se inspiraban directamente de la Constitución francesa del 3 de septiembre de 1791: soberanía nacional, representatividad de los diputados, discriminación según la fortuna, funcionamiento de la Asamblea legislativa, funciones de los ministros, inviolabilidad de los diputados, posición del rey en el sistema constitucional, monarquía de tipo moderado, restricciones al poder real, ley sálica, funcionamiento de las instituciones, impuestos nuevos, ejército nacional permanente, milicias nacionales, modificaciones de la Constitución, etc.

Las mayores diferencias entre las dos Constituciones residen en el hecho que la Constitución española prevé específicamente el caso de las colonias (art. 10: «El territorio español comprehende en la península con sus provincias e islas adyacentes... con las demás posesiones de Africa. En la América septentrional... En la América meridional... En el Asia...»), habla de una monarquía «hereditaria» (art. 14), y no concibe la responsabilidad legal del monarca (art. 172, 11: «El secretario del Despacho que firme la orden y el juez que la ejecute serán responsables a la Nación y castigados como reos de atentado contra la libertad individual»), mientras que la Constitución francesa preveía varios casos de abdicación, llegando a especificar el juicio del rey «como simple ciudadano».

Pero las mayores diferencias residían de hecho en la ausencia, en la Constitución española, de la famosa *Declaración de los derechos del hombre y del ciudadano:* «Los hombres nacen y son libres e iguales ante la ley» (artículo 1.º); conservación de derechos imprescriptibles: libertad, propiedad, seguridad, resistencia a la opresión (artículo 2.º); «El principio de toda soberanía reside esencialmente en la Nación. Ningún cuerpo constituido ni ningún individuo pueden ejercer ninguna autoridad que no emane de ella expresamente» (art. 3.º); «Ningún hombre puede ser acusado ni detenido salvo en los casos determinados por la ley... Aquellos que soliciten, ordenen, ejecuten o hagan ejecutar órdenes arbitrarias serán castigados» (art. 7.º); «Nadie debe ser inquietado por sus opiniones ni en materias religiosas...» (art. 10); «La libre comunicación de pensamientos y opiniones es uno de los derechos más preciosos del hombre; todo ciudadano puede, por lo tanto, hablar, escribir e imprimir libremente...» (art. 11); garantía de derechos por medio de la Constitución (art. 16).

La Constitución española tampoco decía nada de la libertad de asociación, del derecho de reunión, de la libertad de dirigir peticiones a las autoridades, de la instrucción pública común y gratuita, ni, como ya vimos, de la libertad de ejercer un culto religioso. En contrapartida, también es cierto que la Constitución de 1791 escribía: «La Nación francesa renuncia a emprender ninguna guerra con el propósito de hacer conquistas, y no empleará jamás sus fuerzas contra la libertad de los otros pueblos», artículo que la historia posterior desmentirá por razones muy complejas, como nadie ignora.

Por último, después de haber precisado la responsabilidad de cada uno (art. 15: «La potestad de hacer ejecutar las leyes reside en las Cortes con el rey», y art. 16: «La potestad de hacer ejecutar las leyes reside en el rey»), la Constitución española definía las atribuciones de las *Cortes;* las principales de las cuales eran las siguientes:

— Proponer y decretar las leyes, e interpretarlas y derogarlas en caso necesario.
— Conceder o negar la admisión de tropas extranjeras en el reino.
— Crear y suprimir tribunales... y oficios públicos.
— Dar ordenanzas al Ejército, Armada y Milicia nacional, en todos los ramos que los constituyen.
— Establecer anualmente las contribuciones e impuestos.
— Establecer el plan general de enseñanza pública en toda la Monarquía.
— Proteger la libertad política de la imprenta (15).

Tal es la Constitución liberal que regirá al país hasta 1814, y luego, de nuevo, durante el Trienio Constitucional de 1820-1823. Es una recopilación de leyes relativamente justas y profundamente reformadoras en relación al aplastante pasado. Es obra de unos hombres de buena voluntad; es tolerante y conciliadora; en una palabra: «liberal». Los presupuestos ideológicos, implícitos o explícitos, que la recorren son: ni exaltación ni anarquía o licencia; al contrario: libertad bien entendida, buen sentido y solidez. En resumen: es obra de la burguesía.

La restauración absolutista de 1814

Para el clero y los representantes de la «España eterna» el partido liberal era el enemigo que había que destruir: había abolido la Inquisición, cerrado las iglesias y confiscado los conventos para impartir enseñanzas útiles. La oposición se manifiesta con más violencia a medida que se acerca el año 1814. Los procesos des-

(15) Además: recibir el juramento que debe prestar el rey, el príncipe de Asturias y la Regencia; resolver todas las dudas de hecho y de derecho concernientes a la sucesión de la Corona; nombrar la Regencia o el Regente y determinar el límite de sus poderes; nombrar un tutor durante la minoría del rey; aprobar antes de su ratificación los tratados; fijar el presupuesto de la Administración pública; concertar empréstitos; aprobar los reglamentos generales de policía, etc.

garran las *Cortes:* la desconfianza reina, las delaciones se multiplican —un eco de esto lo encontramos en *El censor angustiado,* de Eugenio de Tapia, desde 1812—, se exigen justificaciones a ciertas personas y, en una atmósfera tormentosa, se ataca a tal o cual personalidad. A través de estas acusaciones personales, en realidad se combate a todo el sistema. Por el contrario, las sesiones secretas de las *Cortes* se multiplican cuando se trata, sobre todo, de discutir las modalidades del regreso del rey. Los escritores, por su parte, toman posición. Unos, reclamando un monarca absoluto, y otros —la mayoría—, complaciéndose en imaginar el regreso de un rey liberal: es el caso de Manuel María de Arjona en su *Cantinela* intitulada *Al Rey, Nuestro Señor, en 28 de abril de 1814.* Leyéndola se puede apreciar todo lo que simboliza esperanza para un honrado monárquico.

Sin embargo, la coalición va creciendo. Aprovechándose de las debilidades del mismo sistema, consigue una primera y gran victoria el 12 de abril de 1814. En efecto, ese día, sesenta y seis diputados dan a conocer oficialmente su adhesión al rey absoluto, restablecido en la integridad de sus derechos: firman un documento conocido en la historia con el nombre de *Manifiesto de los Persas.* El ejército obra del mismo modo. Algunos escritores, por oportunismo —especialmente antiguos *afrancesados* y todos los personajes políticamente fluctuantes—, comienzan a entonar alabanzas al rey vengador que llega a tiempo para aplastar la «anarquía»: es el caso de Javier de Burgos en su composición *El triunfo del Rey Don Fernando VII sobre los anarquistas de España.*

Fernando VII el Deseado es aclamado durante su viaje de retorno. En Valencia recupera todas sus antiguas prerrogativas gracias al general Elío, llamado desde entonces «Elío el restaurador». En la noche del 10 de mayo comienza una brutal represión. Todos los liberales son encarcelados, ejecutados, exiliados o deportados si previamente no han tomado la precaución de huir. España recae en la noche, el caos, la Inquisición, la policía, la tortura, la exacción, la arbitrariedad y el crimen.

«Los seis años ominosos»

Durante seis años (1814-1820) los liberales diezmados pagarán sus imprudencias y torpezas. La reacción florece no sólo en política, sino también en literatura. Es el momento de los monárquicos incondicionales, como J. B. Arriaza. Este período no aporta ciertamente nada a la historia del liberalismo español. La sucesión de complots refleja bien la inestabilidad de un período en el curso del cual una opinión segura de sí misma siente la nostalgia de la Constitución de Cádiz, e intentará imponerla de nuevo por la violencia. A pesar de los esfuerzos realizados por los absolutistas para agrupar a su alrededor a todas las fuerzas reaccionarias del país, confiando, por ejemplo, las Finanzas a un hábil economista y tecnócrata como Garay, y a pesar del vigoroso e interesante *Plan de Hacienda* que éste publica el 18 de febrero de 1818, con la intención de conseguir un reparto más equitativo de los impuestos; a pesar de todo ello, y de la coalición de todos los intereses y privilegios del país, el balance es totalmente negativo y la historia prosigue su inexorable curso.

El problema que de hecho va a plantearse es el siguiente: ¿el partido liberal va a sacar la lección de las derrotas pasadas, en el momento en que las circunstancias históricas lo encaramen de nuevo al poder?, o bien, prisionero de un ideal sentimental y confuso, ¿va a abandonarse de nuevo a sus contradicciones internas, mostrándose incapaz de superarlas?

La génesis del golpe de Estado de Riego: obra de la francmasonería

El éxito del liberalismo, a continuación del golpe de Estado de Riego, está ligado a la influencia profunda de la francmasonería. Ya hemos visto como ésta había cobrado influencia a partir de 1759 con la llegada de Carlos III al trono español: Aranda, luego el conde de Montijo, y también Floridablanca y Campomanes, habían desempeñado un papel determinante en su desarrollo. Muchas de las *tertulias* de la época y de las de los años siguientes eran en realidad reuniones masónicas disfrazadas, donde se leía y comentaba —como ha sido probado— las obras de Voltaire, Rousseau, D'Alembert y Bayle. De manera muy significativa, «Ilustración» y francmasonería tendían a confundirse. Después de la restauración absolutista de 1814, la francmasonería se extendió por todo el país. Es en este marco donde se dio a conocer por primera vez un nuevo político: Evaristo San Miguel, aquel a quien Quintana, en sus *Cartas a Lord Holland*, llamará, después de 1823, «el corifeo del partido exaltado». Las logias pueden entonces desenvolverse gracias al apoyo eficaz proporcionado por la burguesía comerciante y constituir un foco de oposición permanente al absolutismo de Fernando VII.

El rey, por su parte, en el decreto de 24 de mayo de 1814, había cerrado todas las logias y confundido en las mismas represalias liberales y francmasones. Agustín Argüelles es un buen ejemplo de esta torpe persecución que va a lanzar a la clandestinidad a la francmasonería y al liberalismo, provocando *ipso facto* su acercamiento ideológico y político.

La actuación de los francmasones entre 1814 y 1820 es, naturalmente, difícil de apreciar con precisión. Generalmente los encontramos en todas las conspiraciones liberales que intentan derribar el absolutismo. En ellas aparecen elementos cada vez más numerosos de la burguesía incipiente (profesiones liberales, comerciantes, intelectuales, algunos aristócratas, oficiales, etc.). Pero de lo que no podemos hablar es de una coalición masónica a escala nacional. Todos los comentaristas de la época así lo han reconocido. Esta falta de homogeneidad queda subrayada por el hecho de las divisiones internas: antiguos «doceañistas» partidarios de la moderación (Argüelles, Toreno, Quintana, etc.) y futuros «veinteañistas» de ideas más avanzadas (Torrijos, Vadillo, Arco Agüero, San Miguel y el mismo Riego en cierta medida). En esta división ya parecen esbozarse las futuras querellas del Trienio Constitucional y de los años posteriores a 1833.

Riego y Quiroga, sin embargo, tuvieron el inmenso mérito de comprender que el grito «Constitución de 1812» era un poderoso movilizador. Pero el levantamiento del héroe de Cabezas de San Juan el primero de enero de 1820 no tiene un carácter definitivo, contrariamente a lo que a menudo se piensa. Entre enero y marzo, durante más de dos meses, la historia no avanza. La prensa del país es el fiel reflejo de esta incertidumbre. Riego y sus partidarios, por una parte; Fernando VII y los «leales», por otra, se observan, midiendo sus fuerzas. Sólo el 7 de marzo cederá el rey al ver cómo se multiplican las sublevaciones. El día 10 publicará su famoso manifiesto. Los poetas, González Carvajal en cabeza, cantarán las virtudes del monarca, y habrá numerosos actos oficiales para celebrar el acontecimiento: en resumen, se diría que todo va bien en el mejor de los mundos.

No se puede poner en duda que la francmasonería haya jugado un papel determinante entre 1814 y 1820, y más exactamente de enero a marzo de 1820. Pero tampoco es menos cierto que debemos tener en cuenta la profunda división existente entre «moderados» y «exaltados». Es esta división, cada vez más acentuada, la que en cierta medida facilitará, después de 1820, el fraccionamiento de la francmasonería y el nacimiento subsiguiente de la *comunería,* como lo muestra Quintana en la séptima de las *Cartas a Lord Holland,* y como lo repetirá a continuación el novelista Pérez Galdós en su *Gran Oriente.* A distancia, el nacimiento de la *comunería* nos parece, en efecto, capaz de comprometer definitivamente la vieja autoridad jerárquica, fuertemente sacudida ya por la entrada en la francmasonería de muchos militares sin graduación. A partir de 1821 se creará una nueva jerarquía que descansará esta vez sobre bases exclusivamente políticas.

La recuperación de la «Revolución» de 1820

Debemos tener en cuenta otro elemento no menos importante: es el movimiento de recuperación, como lo llamaríamos actualmente, de la «Revolución» de 1820. Existen muchas pruebas de ello, todas confirmadas además por la realidad histórica del Trienio. En Aragón, por ejemplo, cuando el movimiento insurreccional es conocido, una «numerosa multitud» nombra, por aclamación, una Junta Provisional, confiándole el destino constitucional de Zaragoza: en esta Junta figuran el marqués de Lazán, capitán general de Aragón bajo Fernando VII; Martín de Garay, personaje fluctuante políticamente, como ya hemos visto, y ex ministro de Hacienda entre el 26 de diciembre de 1816 y el 14 de septiembre de 1818; Ramón Felíu, futuro primer ministro y prototipo de las componendas oficiales del sistema liberal moderado; José Antonio Marco, Agustín Caminero y algunas otras personalidades.

El marqués de Lazán, pilar de la Junta, se había hecho tristemente célebre desde el 22 de mayo de 1814, al aceptar la responsabilidad oficial de denunciar y perseguir a los antiguos diputados de las *Cortes*. Había estado asistido en esto por los no menos célebres Blas de Ostolaza y Francisco Mozo Rosales. En el informe del marqués de Lazán (16) se encuentra una denuncia odiosa de aquellos que han conspirado «contra la autoridad y soberanía reales» y que, con sus discursos y sus maniobras políticas, han derribado el Antiguo Régimen y los valores tradicionales. ¿Cómo es posible que este personaje, y Martín de Garay, sean puestos por la «Revolución» en los puestos políticos más importantes de la provincia? Esto basta para conocer la «multitud» que los consagró y para darse cuenta de su habilidad política en este momento histórico. Habilidad de la que, por otra parte, tenemos una ilustración en las declaraciones que hacen a la prensa a comienzos de marzo de 1820. En su mayor parte se trata de informes al rey: todos emplean el lenguaje de la «moderación», hablando de la salvaguardia de la religión y de las prerrogativas reales, de «orden» y «respeto». Así comprendemos mejor la total ambigüedad que reinó durante los primeros días del Trienio. Existe un abismo entre unos y otros, abismo que nos ayuda a comprender sobre qué difíciles bases va a desarrollarse la *comunería* y la ideología «exaltada», en la que, por otra parte, participa una importante fracción de la francmasonería.

Es innegable que existió, a continuación del golpe de Estado militar de Riego, entre ciertas capas sociales, un legítimo entusiasmo. La vuelta a la Constitución de 1812 suponía para muchos la esperanza después del ambiente de terror y muerte, de la represión sistemática y del largo marasmo económico y social. La opinión pública

---

(16) Luis de Palafox, hermano del héroe de Zaragoza durante la guerra de la Independencia.

—que se nos perdone este anacronismo— se pronunció masivamente por la monarquía constitucional. La reacción había engendrado lógicamente una contrarreacción. El absolutismo se había matado a sí mismo, según la marcha ineluctable de la historia.

Orientación ideológica del Trienio Constitucional

A pesar de que la revolución estuvo frenada desde el comienzo, la historia de 1820 a 1823 es muy similar a la de 1810 a 1814: *Cortes,* Constitución, libertad prudencial de la prensa, abolición de la Inquisición, restricción de los inmensos privilegios del clero, tentativa de desarrollo de la instrucción pública, examen del problema agrario y revisión del sistema impositivo. Es decir: el liberalismo reconquistando sus derechos. Sin embargo, todo esto es sólo apariencia, porque, entre tanto, las cosas han cambiado mucho. La historia acusa aún más los defectos del sistema. Los antiguos liberales (el ejemplo de Zaragoza y de todo Aragón lo prueban), fatigados por el exilio y la prisión, intentarán por todos los medios no perder lo que han reconquistado o, mejor dicho, lo que les han ayudado a reconquistar. Por estos motivos, el Trienio Constitucional será el mundo de las desilusiones y de las maniobras políticas, porque los hombres que vuelven al poder (Toreno, Martínez de la Rosa, Argüelles, etc.) han envejecido, y su única preocupación es la de conservar sus carteras de ministros. Como todos ellos son escritores al mismo tiempo que hombres públicos, nos dejan entreverlo cuando analizan la situación en los periódicos, en sus tratados teóricos, en los libelos polémicos o en sus discursos. Las maliciosas *Condiciones y semblanzas de los diputados a Cortes,* con sus caricaturescos retratos, nos dan, desde 1821, una confirmación suplementaria.

Otro elemento importante acentúa la ambigüedad del sistema: la presencia y actitud del rey Fernando, que había tenido que prestar juramento a la Constitución contra su grado («Marchemos francamente, y Yo el primero, por la senda constitucional»), y que muy pronto iba a manifestar su decidida voluntad de fomentar todos los complots para derribarla. Además, todos los ministros que tenían que tratar con Fernando eran los mismos liberales que habían sido perseguidos sañudamente en 1814. En estas condiciones no podía existir la confianza mutua; de hecho, el primer gabinete no llegó a tener ninguna relación con el soberano (lo formaban: Argüelles, Canga Argüelles, Pérez de Castro, Jabat, etc.). Los siguientes se encontraron poco más o menos en la misma situación, y se caracterizaron, ante todo, por su deseo de conservar el poder sin aplicar una política coherente ni intentar verdaderas reformas sociales.

Al ministerio Argüelles, que había sido acogido con entusiasmo, le sucede el de Felíu (Estanislao Sánchez Salvador, López Pelegrín, Cano Manuel, Vallejo, Francisco de Paula Escudero y Bardají); luego, el de Martínez de la Rosa (Moscoso de Altamira, Sierra Pambley, Balanzat, Clemecín, Gareli y Romarate); luego, el efímero de Evaristo San Miguel, y, por último, el de Romero Alpuente, Flórez Estrada, Calvo de Rozas y Torrijos, que no llegará a reunirse por las circunstancias críticas que atraviesa España en 1823, amenazada por la invasión de la Santa Alianza.

Comprenderemos bien la quiebra del sistema liberal volviéndonos de nuevo hacia la francmasonería. Su actividad, ciertamente, es también difícil de apreciar durante estos tres años, y conviene ser muy prudente al enjuiciarla. Después de la victoria de 1820, la francmasonería pierde mucho de su utilidad. Las *Cartas a Lord Holland* nos lo dicen, y recuerdan con justeza que no se gobierna igual que se conspira. Al día siguiente de la «Revolución», los francmasones se encuentran en una especie de semiclandestinidad. Los más intransigentes de los «exaltados» (Moreno Guerra, Velasco, Manzanares, San Miguel, Alcalá Galiano, etc.) se verán colocados en una situación sumamente inconfortable. Frente a ellos se levanta la logia masónica llamada «característicamente» *La Templanza,* cuyo objetivo es el de oponerse a los «jóvenes revolucionarios», apoderarse de los puestos clave del Estado y recurrir al Erario público para resarcirse de los seis años 1814-1820. En *La Templanza* encontramos a todos los «doceañistas», con Argüelles a la cabeza. En ella podemos ver un esbozo de la que pronto será la temible y poderosa sociedad secreta de *El Anillo de Oro.*

Desarrollo de las sociedades patrióticas

Paralelamente se desarrollan las «sociedades patrióticas», que tendrán una importancia política capital en la vida del Trienio liberal: son asambleas que se reúnen en los cafés como los «clubs» de la Revolución francesa. Alcalá Galiano (francmasón) y Romero Alpuente (comunero) se harán célebres en ellas como nos lo recuerda el comienzo de la novela histórica de Pérez Galdós *La Fontana de Oro*. Estas sociedades, en sus comienzos, se abren generosamente a todas las influencias (más «exaltada» la del café Lorencini, más moderada la de La Fontana de Oro); los propios ministros u otros personajes oficiales acuden a ellas y expresan sus ideas. Muy pronto, incluso en el mismo año 1820, estas sociedades se extenderán por todo el país: en marzo, en Madrid y Valladolid; en abril, en Zaragoza, La Coruña y Guadalajara; en mayo, en Barcelona, Ceuta, Ciudad Real, Córdoba, Ecija, León, Málaga, San Sebastián, Tudela y Londres (donde reside una importante colonia española); en junio, en Alcira, Cuenca, Logroño, Ubeda y Utiel. Registramos otras creaciones más tardías: en julio, en Badajoz, Potes y Segovia; en agosto, en Aldea del Rey y Arahal; en septiembre, en Ibiza y Oviedo; en noviembre, en Ferrol y Huesca; etcétera.

Rápidamente, sin embargo, estas sociedades patrióticas no sólo se interesarán en la vida política del país, sino que intentarán participar activamente en ella para influenciar las instituciones existentes y ocupar un lugar en la historia. Lo veremos cuando comiencen las polémicas sobre la disolución del Ejército de la Isla, el de Riego, que era el que había hecho la «revolución». Esta medida tomada por el gobierno liberal fue impopular. Cualesquiera que fuesen las «razones de orden público» invocadas por Argüelles, así como su deseo de evitar la presión de los militares sobre las *Cortes*, la decisión fue brutal y severamente interpretada por la opinión pública. Riego aprovechó la situación para reunir a sus partidarios, mientras los desórdenes aumentaban en los meses que siguieron: los discursos pronunciados en las sociedades (San Sebastián, Gran Cruz de Malta, Sociedad Landaburiana, Fontana de Oro) nos lo prueban. Las mismas opiniones sostuvo en su conjunto la prensa. Desde este momento, las sociedades patrióticas se separan de la línea moderada (primeros meses de 1821) y de buena parte de la antigua francmasonería: van a jugar un papel político original.

La literatura, reflejo de la inestabilidad histórica

Si la literatura, bajo todas sus formas, incluso las más simples, se hace eco de estas preocupaciones, es porque éstas dividen la opinión. Ejemplos de ello se encontrarán en las permanentes explicaciones que los sucesivos ministros deben dar ante las *Cortes* a partir del año 1822 (Moscoso de Altamira, ministro de la *Gobernación de la Península;* José María Calatrava, ministro del Interior; etc.). La Fontana de Oro es en estos momentos el centro de todas las disputas, a veces de las agitaciones, crisis, cantos patrióticos (como el memorable *Trágala)* y violencias. Los desórdenes nocturnos al son del *Himno de Riego* aumentan, atizados además por los medios monárquicos reaccionarios, como lo muestra Pérez Galdós en algunas de sus novelas históricas. Un ir y venir permanente se establece entre la calle y las sociedades patrióticas. El liberalismo de Estado y las mismas sociedades saldrán maltrechas de estas crisis. Las sesiones de las *Cortes* nos lo recuerdan. No es casualidad que Argüelles se erija en paladín de las virtudes tradicionales, en especial del orden y del respeto; pero el orden sólo puede venir de arriba.

Situación económica catastrófica

Recordemos, por otra parte, que las finanzas se encuentran en un estado desastroso, y el país, agotado y empobrecido por el clero, la aristocracia y la monarquía. Los préstamos solicitados provocan una invariable desconfianza. Las *Cortes,* con mayoría de elementos de la burguesía comerciante y adinerada, toman abiertamente la defensa de los propietarios de máquinas de tejer cuando éstas son destruidas por los «anarquistas» (17). Lo

(17) Sobre este asunto existe un curioso decreto del 19 de marzo de 1821.

que es asombroso, nos dice un autor de la época, es que el régimen liberal haya podido durar tanto tiempo con todas estas taras. No interpretemos esta reflexión como una broma. Está plenamente justificada, puesto que el liberalismo moderado debe hacer frente en este momento a una coalición anticonstitucional, como lo han hecho notar varios historiadores, en especial Manuel Tuñón de Lara. Esta coalición está formada por la Corte de Fernando VII, las cortes europeas que siguen la política del príncipe de Metternich, el alto clero, una buena parte de la Administración y los elementos tradicionalistas retrógrados.

A través de este caos, a través de los ministerios efímeros y de los desequilibrios ideológicos, se percibe un profundo malestar (18). Es un período mucho más politizado que el de los años 1808-1814. Para terminar de convencernos sólo tenemos que fijarnos en el papel fundamental de las sociedades secretas, que representan, en cierto modo, «la prehistoria de los partidos políticos», como ha señalado con justeza una historiadora (19).

Las sociedades secretas

En efecto, las sociedades patrióticas se vieron rápidamente amenazadas por el gobierno. Como la libertad de opinión, de expresión y de prensa les permitía censurar los actos oficiales, el gobierno, considerándolas focos de exaltación política, las prohibió pura y simplemente, a raíz de un apasionado debate en las *Cortes* entre «moderados» y «exaltados». Fue un error capital, ya que desde entonces el gobierno apareció como el «enemigo de las libertades».

Es cierto que algunas de estas sociedades secretas nos parecen, retrospectivamente, como instrumentos subversivos. Es el caso de una parte de la *comunería*. Sin duda,

---

(18) Por otra parte, el gobierno se encuentra sin ejército, porque una parte ha permanecido fiel o se ha vendido al rey. Los jefes, muy a menudo, sólo son gentes incapaces y ambiciosas. El ejército, voluntario o profesional, que había hecho la Guerra de la Independencia, ya no existe.

(19) Iris M. Zavala, *Las sociedades secretas, prehistoria de los partidos políticos españoles*. En *Bulletin Hispanique,* enero-junio 1970, t. LXXII, núms. 1-2, pp. 113-147.

los *comuneros* son, en su mayoría, artesanos, pequeños comerciantes, militares sin graduación o de los escalones inferiores, periodistas, obreros (aunque esta noción deba manejarse con prudencia), es decir, representantes del mundo del trabajo, cuya característica hasta entonces era la de no tener acceso al terreno político por la injusticia de la ley electoral. Pero existen también entre ellos elementos turbios, provocadores y sospechosos. Regato es uno de éstos. Lo encontramos durante cierto tiempo en la facción más exaltada de la francmasonería, y más tarde, en el momento en que esta facción es ya sólo una minoría, lo vemos pasarse hacia la *comunería*. Está entonces en el centro de todas las provocaciones violentas callejeras hasta el punto de que varios comentaristas lo denuncian como agente secreto del rey. Es un ejemplo, entre tantos otros, como lo es el general Ballesteros, personaje equívoco e indeciso, por no decir otra cosa.

Francmasones y *comuneros*, de un lado; sociedades de extrema derecha, del otro, alentadas éstas por la Corte, el rey y su familia, en particular por el hermano del rey, el demasiado famoso don Carlos, que, a la muerte de Fernando, será el instigador de las sangrientas guerras carlistas. Esta situación es un fiel reflejo del Trienio. Los primeros se esfuerzan por denunciar las debilidades e iniquidades del sistema liberal moderado, mientras los otros intentan por todos los medios arruinar el crédito de los ministerios, fomentar revueltas y suscitar algaradas; en resumen: crear un estado de agitación y subversión.

Existe, por último, la todopoderosa sociedad gubernamental de los liberales dirigentes, «El Anillo de Oro». El partido liberal moderado, que ha prohibido las sociedades patrióticas, hace de «su» sociedad una especie de cenáculo de carácter económico, destinado a desempeñar el inocuo papel de asociación que recibe fondos de la generosidad pública y que entrega luego a los organismos o particulares necesitados. Pero esto es sólo una apariencia. En realidad, es un medio para controlar todo en el país, detentar los puestos esenciales, apoderarse de las finanzas y administrar y regentar las provincias. El hecho de pertenecer a la sociedad era signo de triunfo, es decir, de «moderación» y de «orden». Encontramos en esta sociedad, de renombre europeo, que pretende ante todo salvaguardar los privilegios de la corona, muchos nombres conocidos en política y, como es de suponer, en literatura: el conde de Toreno, Francisco Ramonet, Francisco Martínez de la Rosa, Juan Alvarez Guerra, Estanislao Sánchez Salvador, Manuel José Quintana, el príncipe de Anglona, el duque de Frías, Diego Clemencín, José de Moscoso de Altamira, Nicolás Gareli, Manuel García Herreros, Felipe Sierra Pambley, José Martínez de San Martín, el general Pablo Morillo, el marqués de Casasarria, el marqués de las Amarillas (Pedro Agustín Girón), el duque del Infantado, José María Calatrava, Agustín Argüelles, Javier de Burgos, el general Castaños, el conde de Castroterreño, etc.

La caída del sistema liberal

Todas estas sociedades secretas, con sus violentos antagonismos, precipitan a España en el desorden. Los compromisos políticos son considerables y originan una lucha interminable y destructora. La burguesía defiende el poder adquirido. Por su parte, en el Congreso de Verona se ha decidido ya (22 de diciembre de 1822) la suerte de España, mientras el proceso de represión del liberalismo se va haciendo cada vez más amenazador. A principios de octubre de 1823 el sistema liberal es aniquilado, a pesar de sus múltiples concesiones y compromisos. El 9 de octubre un decreto declara que todos los *comuneros* y francmasones pueden incurrir en la pena de muerte. La «España tradicional» acaba de conseguir, en menos de diez años, su segunda victoria. Correlativamente, el liberalismo acaba de dar prueba por segunda vez de su incapacidad para regir los destinos del país.

Los poetas, que son el eco más inmediato y elevado de las preocupaciones cotidianas, apelan a los buenos sentimientos, como José Musso y Valiente, en *A los Españoles en sus discordias civiles (1823),* o aplauden el cambio político, como el intratable y aburrido Arriaza en *El el día de la restauración en 1823, pintando los males de la anarquía,* o, en fin, manifiestan una vehemente indignación, como Dionisio Solís, en *La invasión francesa,* en la que gime por la libertad de su país.

Literatura e historia

No puede asombrarnos que la literatura en general esté profundamente marcada por esta atmósfera de mutación histórica. Ya leamos un tratado teórico y doctrinal, como las *Cartas a Lord Holland* (1823-1824), o los periódicos de la época *(El Universal, El Espectador,* de tendencia gubernamental; *El Nuevo Diario,* de tendencia masónica; *El Zurriago, La Tercerola, El Indicador, El Tribuno del Pueblo Español, El Diario Gaditano, El Eco de Padilla,* de tendencia *comunera),* o escuchemos los discursos de las celebridades del sistema, o veamos obras teatrales, la preocupación esencial es de orden político, y en ella las ideologías se enfrentan: burguesía, antiguas clases privilegiadas y clases explotadas.

También la literatura evoluciona: traducciones o imitaciones (almanaques, calendarios, «cartas» sobre la religión, la sociedad, el Estado), acompañadas de comentarios apropiados; adaptaciones de obras de tipo pedagógico o político; poesías que cantan en un tono nuevo las primeras conquistas sociales-teóricas y flagelan los viejos mitos, bajo la pluma de J. Blanco-White, Sánchez Barbero, A. Lista, M. J. Quintana, M. M. Arjona (20); teatro como una solución a los problemas políticos de España, expresión directa para hacer vibrar a las masas, al enunciar de un modo simple los sentimientos colectivos, la glorificación de la Constitución y las victorias políticas; panfletos, proclamas, manifiestos que muestran una mayor madurez política; literatura «menor», si se quiere, pero que constituye entonces la nueva manera de vivir la historia y de traducir la revolución a un plano político y literario; discursos, prensa y escritos polémicos son la última moda de expresión, la más elaborada y explícita, la única verdaderamente capaz de formar una conciencia colectiva. Los autores se van liberando de las formas puramente convencionales y representan bien este giro de la historia al cual asistimos.

La literatura se ha hecho utilitaria. Así lo son los tex-

---

(20) En esta óptica, las curiosas y abundantes *Poesías asiáticas* del conde de Noroña no deben ser consideradas forzosamente como un anacronismo, sino más bien como exponentes de un gusto por el exotismo y como una aspiración indeterminada hacia otras necesidades estéticas.

tos que hemos elegido como ilustración de este estudio. Bajo sus formas diversas se encuentra en contacto permanente con la historia, a fin de dar una lección importante a todos. Poco a poco se ha ido politizando y pretende orientar al país. Este es el motivo por el que los liberales moderados se vuelven tan frecuentemente hacia Inglaterra, presentada siempre como un modelo envidiable de madurez parlamentaria. Una prueba complementaria de ello nos la da, en 1826, Blanco-White al publicar *De la administración de la Justicia criminal en Inglaterra,* adaptación de la obra de Charles Cottu. La historia se ve, por lo tanto, a través de un nuevo prisma: el de la literatura en plena evolución. Todo esto no ocurre sin debates; será precisamente esta nueva literatura la que lo pondrá de relieve. Es esencial insistir en la diferencia entre los dos períodos constitucionales que acabamos de evocar: desde el punto de vista de las relaciones entre la historia y la literatura, la primera es una época de balbuceos, mientras que la segunda —más madura— es un período de formación y consolidación.

Esta literatura en plena evolución nos hace asistir al despertar de una conciencia. Y, al mismo tiempo, España descubre con entusiasmo que la literatura puede ser otra cosa que un pasatiempo de espíritus ociosos y que es susceptible de desempeñar un papel social. Se da cuenta de todo el partido que se puede sacar de una literatura utilitaria. Escritores y políticos como Quintana, Argüelles, Martínez de la Rosa o Flórez Estrada ejercen una influencia decisiva sobre su tiempo y sobre sus contemporáneos. Además, la literatura orienta a la historia. Así es como del examen de los simples acontecimientos, a través de esta conjunción estrecha de literatura e historia, se llega a una visión más amplia, que nos da en cierta medida el tono de los debates posteriores: método de reflexión que permite conocer distintos aspectos de una época de transición.

Un período de mutación histórica

¿Qué prueban todas estas convulsiones a las cuales estamos asistiendo en España desde 1789? Que el país intenta liberarse del Antiguo Régimen sin conseguirlo del todo y sin encontrar su verdadero camino. La revolución burguesa no se ha realizado como en Francia. Y aunque los liberales españoles constaten con orgullo que su revolución no ha costado una gota de sangre, hay que reconocer que esta ventaja teórica es de hecho una debilidad. Las clases medias no han conquistado verdaderamente el poder, y no han conseguido liberarse del yugo de la monarquía, del clero y de las antiguas instituciones. Lo que originó concesiones a unos y a otros y compromisos sobre problemas de fondo como los religiosos, los fiscales y los agrarios. Su poder se ha visto continuamente amenazado y puesto en cuestión, tanto por las fuerzas reaccionarias como por las capas explotadas de la nación, que comienzan entonces a reivindicar sus derechos como tales. Los liberales moderados han cerrado los ojos a estos ataques, en los que sólo han querido ver luchas superficiales —puramente políticas— fuera de su contexto económico y social. Esta ceguera los ha conducido a un callejón sin salida. Las aspiraciones de la masa o de las masas que aparecen durante el Trienio Constitucional estarán en el centro de las preocupaciones de un Mariano José de Larra algunos años más tarde. Paralelamente, la aristocracia se debilita, incapaz de sobrevivir a sus viejos ideales.

Pero lo que más asombra en la España de 1823, al día siguiente del nuevo fracaso que acaba de sufrir, es que el capitalismo, que es la razón de ser de la clase burguesa, resulta demasiado débil para imponerse. Los comerciantes andaluces sólo piensan en sus intereses locales, incapaces de inscribirse en un contexto nacional. Otro tanto podría decirse del capitalismo catalán, aunque por razones sensiblemente diferentes. Cuando, después de la muerte de Fernando VII, Madrid se convierte en el centro de un nuevo capitalismo bancario y financiero, que reposará esencialmente sobre capitales extranjeros, tampoco conseguirá imponerse. Por lo tanto, ni capitalismo suficientemente fuerte, ni burguesía sólida, ni nacionalismo que surja de estos fenómenos. Toda la ambigüedad de la España del XIX reside en ello. Y este desequilibrio aumenta no tanto por las reacciones a menudo encarnizadas de las fuerzas retrógradas del país, que encuentran en la realeza un aliado providencial hasta la Primera República de 1873, sino por las reivindicaciones de las capas populares, que comienzan a organizarse con un sentimiento naciente de conciencia de clase. Entramos en el mundo moderno, pero España está desgarrada y desangrada. Ninguna perspectiva se abre ante ella. Y los políticos y teóricos liberales moderados, no habiendo analizado las razones por las cuales la «Revolución» no se ha hecho en España, esperan, a merced de los acontecimientos, lo que les reservará el porvenir.

CAPITULO III

PARLAMENTARISMO E HISTORIA INACABADA (1823-1854)

Diez años de marasmo

De 1823 a 1833, durante la segunda restauración absolutista, los liberales son perseguidos encarnizadamente; los talentos, mediatizados; la creación literaria, prácticamente inexistente, salvo entre los exiliados, y el mensaje ideológico no puede hacerse oír. La Inquisición recupera sus derechos: para que se vea hasta qué punto su censura es esterilizante hemos copiado al azar algunas rúbricas, entre las más significativas y variadas, de los *Indices de libros prohibidos* (1). La prensa desaparece, salvo la *Gaceta* oficial. Los teatros sólo representan obras inconsistentes y aburridas. La poesía, fuera de sus manifestaciones más artificiosas, se calla. Ya no quedan ni pensadores ni teorizadores; en una palabra: los escritores han desaparecido.

Hay que mirar hacia el extranjero (y aun así esperar cierto tiempo) para poder leer producciones interesantes en los dominios económicos, políticos o simplemente literarios. Pensamos, sobre todo, en Alvaro Flórez Estrada y en la primera edición inglesa, en 1828, de su *Curso de Economía política*, que tanto eco tendrá en toda Europa; éxito legítimo, por otra parte, cuando se piensa que Flórez Estrada propone una revisión fundamental del sistema económico de una sociedad pasada.

---

(1) El Tribunal de la Inquisición fue suprimido por primera vez el 5 de enero de 1813 por las *Cortes* de Cádiz, restablecido de 1814 a 1820, y de nuevo suprimido durante el Trienio Constitucional, y otra vez restablecido al triunfar el sistema absolutista. Solamente después de la muerte del rey, el 15 de julio de 1834, la Inquisición será definitivamente abolida: esto no impedirá que la censura eclesiástica se ejerza con dureza aún durante algunos años.

Papel determinante de María Cristina de Borbón

Durante este largo período de marasmo, España vive fuera de la historia europea. Abre algunas perspectivas el último matrimonio de Fernando VII, al final de su vida, con María Cristina de Borbón. De esta unión nace una hija, la futura Isabel II. Durante la enfermedad del rey y hasta su muerte (1832-1833), y durante la minoría de Isabel, es la reina-madre quien es regente hasta el momento en que, como es sabido, su política autoritaria y positivamente retrógrada la conduce al exilio (octubre de 1840). Cede entonces el puesto a Espartero, quien será el exponente de una desventurada regencia entre el 10 de mayo de 1841 y el 23 de julio de 1843; regencia que los historiadores de la época han calificado, con imprudente entusiasmo, de «progresista». Durante este decenio (1833-1843) España se esfuerza en disminuir una parte de su retraso y en integrarse en el movimiento político europeo. A partir de este momento, España ya no escapa al ciclo de la historia, aunque siguiendo con obstinación la vía más moderada posible con políticos gastados como Martínez de la Rosa, Cea Bermúdez, el conde de Toreno, el duque de Frías, Istúriz, Bardají, o con políticos falsamente reformistas, como Mendizábal y Espartero. Es el momento en el que asistimos verdaderamente al nacimiento del parlamentarismo, característico de la Europa decimonónica. Esta orientación se irá acentuando hasta la «Revolución» de 1854. La literatura expresa acertadamente, bajo formas múltiples, el sentido de este nuevo período de transición.

Pero volvamos hacia atrás. María Cristina fue acogida con alivio por el conjunto del país. Cuando Fernando, enfermo, le entregó las riendas del poder, España tuvo la sensación de renacer. Los poetas cantaron su matrimonio y luego alabaron cortésmente su abnegación a la cabecera del moribundo. Pero saludaron sobre todo la muerte del «Deseado» y el comienzo de una nueva era. Los ejemplos afluyen a la memoria: Alberto Lista *(A las bodas de Fernando VII y María Cristina de Borbón)*, Tomás José González Carvajal *(A la reina Doña María Cristina de Borbón en la enfermedad del Rey en el año de 1833, en La Granja)*, Arriaza *(A Cristina,* en 1829, y otras múltiples poesías hasta 1833, en las cuales saluda a la digna esposa de un virtuoso monarca), Quintana *(A Cristina. Canción epitalámica al feliz enlace de S. M. C. Don Fernando VII con la Serenísima Señora Doña María Cristina de Borbón)*, y otros cien más o menos interesantes.

¿Qué escritor no creyó entonces en la regeneración política de España, a excepción de un Bartolomé José Gallardo, que se extenuaba multiplicando sus zarpazos y arañazos contra todo el mundo, con un malhumor perfectamente estéril? La decepción será aún mayor al darse cuenta de que la regente gobierna poco más o menos como Fernando. Esta desilusión es especialmente sensible en la breve pero brillante carrera de Larra. Volveremos sobre ello.

Las primeras medidas políticas

La Constitución es restablecida. María Cristina, que es sin duda una de las más finas diplomáticas de la primera mitad del siglo XIX, pretende hábilmente crear un equilibrio particularmente difícil de conseguir, apoyándose momentáneamente sobre todas las fuerzas liberales o «progresistas» del país, al no poder contar con los elementos tradicionalistas, que se habían adherido a don Carlos, el hermano del rey, el «Alfeñique» para los periódicos satíricos del tiempo. Estos acontecimientos son sobradamente conocidos para que insistamos sobre ellos. En todo caso, María Cristina comprendió perfectamente que el país estaba esquilmado, sin recursos ni riquezas, y, naturalmente, sin colonias, porque la hermosa aventura americana se había terminado de una vez para siempre. Los Estados recién creados habían seguido el ejemplo de la metrópoli, y sus revoluciones los habían conducido a la independencia.

Si bien los antiguos «doceañistas» han envejecido, ahora aparece una joven élite liberal, entusiasta, dispuesta a sostener al nuevo sistema. Los diez años que han precedido a la muerte de Fernando han permitido reflexionar a los hombres. También ha evolucionado Europa. Además, se benefician de la endeblez humana y de la falta de consistencia histórica de don Carlos, el cual carecía totalmente de envergadura y se había comprometido en toda clase de complots, sea al servicio de su hermano, sea contra él, cuando hubo estimado, al igual que sus consejeros, que el rey se había hecho demasiado blando. Es bien sabido que la actitud que simbolizaba reagrupó en torno a su frágil persona a todos los defensores de la vieja España clerical y despótica, y que será el motivo de la primera guerra civil, «los siete años épicos», de los que habla Miguel de Unamuno en su novela histórica *Paz en la guerra;* guerra que se prolongará interminablemente y que pondrá a menudo en peligro al gobierno liberal. Sin embargo, las circunstancias han cambiado. La opinión pública, en su mayoría, es anticarlista, del mismo modo que está contra la Inquisición, contra la tiranía y contra los privilegios de las viejas castas. Tiene puesta su confianza en el liberalismo, a pesar de sus defectos, torpezas y errores y escándalos inherentes al sistema.

María Cristina maniobra, por otra parte, muy hábilmente. Hace abrir las Universidades; plantea inmediatamente el problema de la enseñanza, que había sido abandonado desde 1823; intenta algunas medidas de aperturismo político (libertad prudencial de la prensa) e impone una revisión fundamental de las leyes de la monarquía constitucional, a fin de que se realice el viejo sueño de los liberales moderados: creación de dos Cámaras que, teóricamente, controlen y frenen al gobierno, y que, además, estudien y voten las leyes. El examen que se puede hacer de tal o cual pasaje de las diferentes Constituciones (1812, 1834, 1837, 1845) es harto revelador de esta evolución de la política española y de las estructuras del Estado.

El problema de la instrucción pública

Hemos hecho mención en especial del problema de la instrucción pública. Este problema planteó graves debates, que sólo pudieron tener solución tras la muerte de Fernando VII. Entre 1810 y 1814, de una parte, y luego durante el Trienio, los gobiernos, desbordados por la aplastante tarea con la que tenían que enfrentarse, no habían hecho prácticamente nada en este dominio. El principio liberal se había manifestado, para paliar la debilidad de la enseñanza tradicional, en la creación de un plan general de instrucción pública para todo el país (1814 y 1821), y en la creación de una Universidad Central, situada en Madrid, que dispensaba todas las enseñanzas (1822) (2). Pero estos tímidos ensayos, dada la fecha tardía en la que se habían realizado, y la lentitud de su aplicación, no habían dado casi ningún fruto.

Después de la muerte del rey, vemos la creación de una *Dirección General de Estudios,* que publica —en 1836 solamente— un *Plan General de Instrucción pública,* en el que se prevén las tareas de cada una de las facultades, y un ciclo de «Estudios eruditos», es decir, un embrión de la investigación científica. Pero las querellas políticas en el seno de las *Cortes,* y en el conjunto del país, la guerra carlista y los problemas interiores impidieron su aplicación. Nada hay aún definitivo. Cada Universidad continúa viviendo como en el pasado, con un plan provisional de estudios tolerado por el gobierno.

En 1833 aún se discute para saber si se debe conservar el latín como lengua de la enseñanza. Todas las buenas voluntades que meditan sobre el problema de la instrucción pública parecen chocar siempre con las mismas imposibilidades. Las razones son continuamente las mismas: falta de competencia, ausencia de un verdadero presupuesto para la educación nacional, retraso acumulado, inexistencia de estructuras de base y descorazonamiento creciente ante la tarea a emprender. A título indicativo, hagamos notar que la Facultad de Filosofía y Letras no alcanzará cierto florecimiento, aunque con muchas limitaciones en determinados dominios, hasta 1845. La Academia de Ciencias sólo aparecerá en 1847. La fundación de los grandes establecimientos es igualmente tardía. Habrá que esperar a la Revolución de 1868 para que la enseñanza obligatoria de la Teología desaparezca de las facultades. Ni nada ni nadie, como puede verse, parece capaz de sacar a la instrucción del marasmo en el que yace desde hace largos decenios. Con anterioridad a 1845 puede decirse que no hay una verdadera laicización de la enseñanza. Si insistimos en ello es porque el problema nos parece de gran envergadura: ¿quién debe asegurar la educación del país, el Estado o el clero? La his-

(2) Ofrecía a los estudiantes un muestrario de disciplinas y serias posibilidades de investigación en laboratorios. Sin embargo, su presupuesto oficial era muy reducido: 1.300.000 reales, aproximadamente.

toria de cada restauración absolutista, con el retorno precipitado a los sistemas anteriores a 1808, nos lo recuerda sin cesar.

Además, el deterioro —o, mejor dicho, la inexistencia— de la Administración es tan considerable que las injusticias abundan. En 1837, por ejemplo, los maestros de enseñanza primaria de Madrid reclaman que se les pague el salario que no perciben desde hace un año y que les obliga a mendigar por las calles (cf. informes de las sesiones del Congreso). La capital, en efecto, no paga a sus maestros. Es cierto que en ocasiones se colectan fondos, procedentes a menudo de la caridad pública; pero el ministro de Hacienda los utiliza para otros fines «más urgentes». Lo más asombroso, cuando leemos los *Diarios de Sesiones de Cortes*, es que los diputados, como se puede constatar, no se conmueven lo más mínimo, y aceptan sin la menor vergüenza cualquier solución. Ese mismo año de 1837, un profesor puede ser expulsado de su cátedra pura y simplemente sin ningún tipo de proceso... Todo esto es tanto más paradójico si pensamos que en el país faltan maestros.

La instrucción pública de la época está irremediablemente condenada. Se crean juntas que discuten, hacen planes y hermosos proyectos; se crean cátedras, pero no hay profesores para ocuparlas ni dinero para pagarlos. Como corolario lógico y evidente, tampoco hay estudiantes, ni vocaciones: es un callejón sin salida. En estos años aún se cree que veinticinco o veintiséis lecciones son suficientes para un curso completo de anatomía. Todos estos ejemplos no son simples anécdotas ni paradojas: revelan una situación grave.

De este período inestable que va de 1832 (enfermedad «oficial» del rey) hasta 1841 (comienzo de la regencia de Espartero), rico de esperanzas y, sin embargo, pletórico de desilusiones, poblado de personalidades (medio escritores, medio políticos) demasiado conocidas y siempre decepcionantes, Larra es un testigo de extraordinaria acuidad, incluso si tenemos en cuenta que la visión que nos ofrece se detiene a comienzos del año 1837 —el 13 de febrero—, fecha de su suicidio.

La importancia histórica de Mariano José de Larra

Larra, nacido en 1809, cumple diecinueve años cuando se decide, en 1828, a publicar un periódico a sus expensas, *El Duende Satírico del Día;* sólo aparecieron cinco números, pero ya encontramos en él el esbozo de varios de los grandes temas que el escritor desarrollará en los años siguientes. Es una época de censura muy estricta: por eso debe dar prueba de gran habilidad para presentar sus críticas contra la España caótica y desecada, nula y vacía, y para abogar por otro gobierno, por las libertades y por la civilización. En agosto de 1832, después de haber ensayado otros géneros literarios (traducciones, adaptaciones de obras extranjeras, dramas de su propia invención), vuelve con obstinación al periodismo. Publica el primer número del famoso periódico *El Pobrecito Hablador,* que durará hasta marzo de 1833, y del que saldrán catorce números firmados por «El Bachiller Pérez de Munguía». En ellos encontramos artículos tan célebres como «El castellano viejo», «Vuelva usted mañana», «El mundo todo es máscaras», «¿Quién es el público y dónde se encuentra?», etc. Dificultades de todo género (financieras y políticas) le obligan a «matar» a su *Pobrecito Hablador* en un artículo muy conocido.

Larra ha comprendido que por medio de la prensa puede llegar a sus contemporáneos, modificar la sociedad, sentar las bases de un credo político y sacudir la apatía general. Estos son los motivos por los que este autor pone su genial originalidad y su poderosa perspicacia al servicio de esta obra cívica. No hace más que recoger y ampliar uno de los modos de expresión más efectivos de los dos precedentes períodos constitucionales. De noviembre de 1832 a febrero de 1835 colabora en la *Revista Española,* en la que escribe muchos artículos sobre el teatro español y extranjero y sobre el periodismo: «Ya soy redactor» (19 de marzo de 1833). En este artículo cuenta de forma divertida y anecdótica cómo no ha parado hasta poder escribir en un periódico o fundar uno: «para ver diariamente consignadas en indelebles caracteres de imprenta mis propias ideas». Añade que es «una empresa, luz y antorcha de la patria y órgano de la civilización del país». Confiesa a su lector que se da cuenta, cuando va a entregar un artículo al diario, «que esta noticia es inoportuna; ésa, arriesgada; la otra no conviene». Intenta hablar de política fingiendo no entender nada de ella, como alguien que marcha sobre arenas movedizas: «Manos a la obra; junto palabras y digo: *conferencias, protocolos, derechos, representación, monarquía, legitimidad, notas, usurpación, cámaras, cortes, centralizar, naciones, felicidad, paz, ilusos, incautos, seducción, tranquilidad, guerra, beligerantes, armisticio, contraproyecto, adhesión, borrascas políticas, fuerza, unidad, gobernantes, máximas, sistemas, desquiciadores, revolución, orden, centro, izquierda, modificación, bill, reforma,* etc., etc.»

Larra, con esta enumeración del vocabulario de moda, quiere hacer comprender a su lector hasta qué punto la libertad de expresión es inexistente. Con gran prudencia y una mesurada ironía dice las cosas a medias palabras o incluso, en ocasiones, lo contrario de lo que él piensa. Hay que leerlo con suma atención, teniendo siempre en cuenta el momento o el acontecimiento.

El mayor interés que nos ofrece la lectura de Larra es el de que escruta minuciosamente una historia particularmente compleja: el ministerio Calomarde *(El Pobrecito Hablador),* el ministerio Cea Bermúdez *(Revista Española),* el ministerio Martínez de la Rosa *(El Observador).* El mismo juzgará sus artículos como «documento histórico», «elocuente crónica de nuestra llamada libertad de imprenta». Lo que le brinda ocasión para disparar algunas «gracias demasiado picantes» y considerar que el «arriesgado» género del artículo es «un sinapismo que ha levantado ampollas que todavía escuecen».

A medida que avanza en su carrera, Larra rehúsa abiertamente la adulación o el mercantilismo. Rechaza todas las «sujeciones» («Dos palabras», 17 de agosto de 1832). Sus razonamientos han madurado y siguen cada vez con más exactitud el curso de la historia. Afirma que quiere «ser leído» sin dejar de «decir la verdad», porque para él «la sátira de los vicios, de las ridiculeces y de las cosas... es útil, necesaria». Vemos que, fiel al principio de toda su vida —corta, pero densa—, adopta una actitud dinámica, agresiva y constructiva al mismo tiempo; quiere actuar en profundidad sobre la sociedad. Se siente personalmente comprometido. A propósito de una cuestión sobre los teatros pronuncia estas frases, que tienen un eco mucho más amplio: «Si nosotros no lo decimos, ¿quién lo dirá? Y si ninguno lo dice, ¿quién lo sabrá? Y si ninguno lo sabe, ¿quién lo remediará?» (10 de octubre de 1832). Estas palabras nos ofrecen un resumen de las funciones esenciales de la actitud «costumbrista».

Sin duda, ha sido uno de los primeros en entonar alabanzas a María Cristina, «que tanto bien ha venido a hacer a nuestro país» («Reflexiones acerca del modo de hacer resucitar el teatro español», 20 de diciembre de 1832). Pero quedó decepcionado muy pronto ante la falta de realizaciones. De la «Conclusión» del 22 de marzo de 1833 a «En este país» (30 de abril de 1833) se adivina un aumento de sinceridad en su tono; sin embargo, aún sentimos la inconformidad de un autor al que paralizan las circunstancias y que desea a todo precio que el aspecto positivo de las cosas se imponga al negativo. Si en España existe un retraso, piensa, es «acaso no por culpa de sus excelsos antecesores, sino tal vez por la sucesión de revoluciones desgraciadas que han afligido siempre nuestro país». Y esta reticencia le permite difundir entre sus compatriotas un mensaje para el futuro.

Como ya lo hemos sugerido, la *Revista Española* es un periódico más importante que los anteriores. Larra publica en ella sus famosos artículos «En este país» y «¿Qué dice usted? Que es otra cosa», al mismo tiempo que adopta el seudónimo de Fígaro, tomado de Beaumarchais, con todas las alusiones que esto supone. Todos estos artículos hay que juzgarlos en función de los cambios aparentes del régimen. El 15 de enero de 1833, por ejemplo, Larra se esfuerza por hacer comprender al lector, en el interesante artículo «Mi nombre y mis propósitos», que es difícil escribir: «En política y en puntos que atañen al gobierno, ¿qué pudiera hacer un periodista sino alabar?» Incluso encontramos una audaz advertencia al gobierno: «Vaya, pues, haciendo nuestro ilustrado gobierno de las suyas, que conforme ellas vayan saliendo nosotros se las iremos alabando.» Se siente toda la ironía por parte de quien se declara poseído por «una maldita tentación de reformar».

En todos los artículos escritos a raíz de la muerte de Fernando VII hay una condena enérgica e irónica de don Carlos, y vehementes e incluso líricas alabanzas a Isabel II y a María Cristina. A este nivel la censura no se ejerce, pero recobrará sus derechos cuando el autor trate de criticar al gobierno y a las instituciones. El artículo «El siglo en blanco» es significativo de este cambio de orientación. En tal orden de ideas intenta definir «lo que ha de ser el periodista», el 4 de abril de 1834. Es el momento en que el proyecto de *Estatuto Real*, de Martínez de la Rosa, hace brotar esperanzas, pronto aniquiladas: seis días más tarde, el 10, esta nueva carta muy conservadora habrá disipado las prometedoras perspectivas que la desaparición del rey había hecho nacer. La nación está de nuevo oprimida. Se habla de *Estamentos* (las dos Cámaras deliberantes: próceres y procuradores), y se discuten sus detalles, lo que equivale al silencio: no pasa nada. Todo conforme con la personalidad de Martínez de la Rosa, que utiliza los recursos de la literatura y de la política para hacer triunfar su ideal moderado: en 1834, el *Estatuto Real* y *La Conjuración de Venecia* (una Constitución y un drama histórico); el *Espíritu del siglo,* en 1835, largo tratado político, donde condena interminablemente la noción misma de revolución. Larra se refugia en el estilo alusivo, en la antifrasis, en la ironía y en la alegoría. Llega incluso a decir el 26 de enero de 1835, en «Un periódico nuevo»: «No expongo todas mis reflexiones, por ser siempre mucho más lo que callo que lo que digo.»

En la actitud de Larra observamos una audacia creciente. El 7 de febrero de 1835 publica un artículo intitulado «La Policía», lleno de ironía y sarcasmo. Esta «institución liberal» —nos dice— existe en todos los países donde impera la represión (Austria, Polonia, Rusia, Francia, etc.) y es particularmente poderosa en España. Se le destina un presupuesto importante (ocho millones), mientras que el nivel de la cultura general es irrisorio, sin que esto le quite el sueño al gobierno. La madurez de nuestro autor es ya grande. Siente la necesidad de difundir entre sus contemporáneos todo lo que piensa y observa, ponerlos en guardia e inducirlos a la lucidez. Todos los problemas de actualidad son traídos a colación: el fin provisional de la carrera política de Martínez de la Rosa y del conde de Toreno; la omnipotencia de Mendizábal (5 de enero de 1836); la querella Mendizábal-Istúriz; las nuevas relaciones que se establecen entre la literatura y la política («Literatura», 18 de enero de 1836); la disolución de las *Cortes* («Buenas noches», 30 de enero de 1836); la censura; etc.

De hecho, la situación no ha cambiado, y Larra lo sabe mejor que nadie. El ejercicio del poder real es el mismo. La situación económica no ha tenido variaciones. El futuro parece cerrado. España está vacía de su sustancia. En el famoso *folleto* intitulado *El ministerio de Mendizábal* (comentario al duque de Rivas, autor del drama romántico *Don Alvaro o la fuerza del sino,* representado en marzo de 1835 en Madrid, y de numerosos discursos políticos a partir de 1836), Larra insiste sobre la función esencial del periodista: «El escritor público que una vez echó sobre sus hombros la responsabilidad de ilustrar a sus conciudadanos, debe insistir y remitir a la censura tres artículos nuevos por cada uno que le prohiban; debe apelar, debe protestar, no debe perdonar medio ni fatiga para hacerse oír; en el último caso, debe aprender de coro sus doctrinas, y, convertido en imprenta de sí mismo, propalarlas de viva voz; sufrir, en fin, la persecución, la cárcel, el patíbulo si es preciso.» Esta frase del 6 de mayo de 1836 nos ofrece una visión dialéctica de la historia y de la función del escritor que se integra en ella. Por este motivo el artículo es importantísimo.

Larra debe retener toda nuestra atención, porque su prodigiosa lucidez le ha permitido entrever soluciones para la España de su tiempo: fenómeno excepcional entre los años 1828-1837. A lo largo de todos sus *artículos de costumbres* acumula toda suerte de personajes, grupos y categorías sociales, situados en el momento histórico preciso. Esta acumulación no es solamente pintoresca, aunque Larra se esfuerce en agradar a su lector con un estilo variado, directo y vivo, sino que dichos personajes y categorías son utilizados para exponer sus ideas y para reflexionar sobre la sociedad.

Larra es un liberal. Su análisis será por ello incompleto sobre determinados puntos. Las clases sociales (aristocracia, *clase media,* capas populares) no se definen tan sólo políticamente, es decir, exteriormente (superestructuras de una sociedad). Existen las infraestructuras, las características sociales, que dependen de una clasificación económica. Por tanto, su análisis histórico es forzosamente limitado. Tiene una concepción muy aristocrática de la vida («¿Quién es el público?»). En su pintura de las *fondas* de Madrid insiste sobre la promiscuidad, la suciedad, la fealdad y la grosería. En «¿Entre qué gentes estamos?» opone la «gente decente» a la «gente desvergonzada». Se indigna porque cada uno no se queda en su puesto («¿Cómo hay tal confusión de clases y personas?»).

Con esta óptica son descritos los miembros de la sociedad en «¿Quién es el público?» o en «Vuelva usted mañana»: los «oficinistas», «mozos», «leguleyos», «poetas», «viejos», «el buen español» nulo y perezoso, los militares de opereta, los malos actores, los hombres de letras; el español medio sin opinión, pomposo, hueco e ignorante, crítico injusto e inútil de todo lo nacional; etc. En esto consiste su visión «costumbrista» en sentido estricto.

Dentro de esta variedad de tipos y figuras podemos observar un ensayo de clasificación categorial, ya sea por oficios o por grupos sociales y políticos. En el primer caso desfilan ante nuestra vista el público de los teatros, los relojeros, los encuadernadores, los médicos, etc. En el segundo el autor evoca a la auténtica burguesía mercantil y comercial (abogados, curas, comerciantes, militares, propietarios, etc.); también asoman los aristócratas, sobre todo el «señorito» inútil y el marqués que se codea con los «plebeyos», aunque esta mención sea a menudo imprecisa, porque se trata sobre todo de la aristocracia del dinero. Por último, vemos aparecer las capas populares (3): la «trapera», el «zapatero», los «mendigos a pedir de boca», etc., oficios indispensables, según nuestro autor, porque si desapareciesen provocarían la ruina de algunas de las capas sociales más bajas. Dentro del mundo político, Larra distingue las dos grandes ramificaciones del liberalismo: «el liberal escarmentado y con competente destino» y «el liberal progresivo y sin destino». Pero es indudable que no es sobre este tipo de análisis sobre los que el autor concentra su atención.

Larra se eleva poco a poco a una serie de conceptos más amplios, partiendo de la noción de «personaje» y de «tipo». El primer estadio de su reflexión es la sociedad

---

(3) Hay que observar que Larra sitúa a los artesanos entre la burguesía y el pueblo: «los artistas (=artesanos), únicos que dan trabajo por dinero», en *Modos de vivir que no dan de vivir*. Es, pues, consciente de su estatuto especial en la sociedad.

en su conjunto, ya sea para decirnos que equivale al vacío total («¿Qué dice usted?»), como que es «una reunión de víctimas y verdugos» («La sociedad»), un mundo de egoísmo, de daños y de crímenes. Casi siempre la visión es totalmente negativa: «Ciertos pueblos no envejecen, porque para envejecer es preciso vivir», o en la misma línea: «Se la puede comparar (a España) con todo y exactamente con nada» («Ventajas de las cosas a medio hacer»). Pero Larra nos recuerda constantemente que si la sociedad es una amalgama él escribe para esta sociedad, es decir, para la mayoría. Así, toca con el dedo el sentido profundo del «nacionalismo» («El álbum»), y al describir esta sociedad la contempla como un todo más o menos coherente, abarcándola en su conjunto («Los barateros»).

Por medio de estos ejemplos observamos que la descripción del autor de «En este país» está, muy a menudo, limitada por un análisis de tipo liberal incapaz de pensar las clases en tanto que fuerzas constituyentes de la sociedad. Por consiguiente, los conflictos, si conflictos hay, son proyectados sobre otro plano: político o sentimental. Pero Larra aporta a esta descripción un elemento esencial que es el de la visión propia que tiene de una sociedad transformada: por ello la descripción se hace más rica y aguda. Aunque hable en tanto que representante consciente de la *clase media,* clase que no está claramente definida ni social ni económicamente, consigue sobrepasar ese nivel elemental de análisis, y descubre en la sociedad un potencial de futuro.

A propósito del joven Augusto, por ejemplo, en «El casarse pronto y mal», enumera largamente las virtudes propias de la *clase media:* «sabiduría», «religión consoladora, verdadera, bien entendida», «domar las pasiones», respeto fundamental de los padres y rechazo de «falsas preocupaciones». Esto en lo que concierne a la célula familiar. En lo tocante a esta misma célula en la sociedad: «virtudes, energía», «amor al orden», «aplicación a lo útil» y «menos desprecio de muchas cualidades buenas que nos distinguen aún de otras naciones». Y Larra insiste muy particularmente sobre la noción de equilibrio, de orden, de mérito, de trabajo y de talento: «Casi siempre el talento es todo.» Tal es la última frase de «Las circunstancias».

Correlativamente a la apología de estas virtudes esenciales, Larra cree que es preciso hacerlas penetrar ampliamente en la sociedad. Es con esta intención por la que subraya la inutilidad de una sociedad donde no hay cultura. Se puede medir la diferencia —por no decir el abismo— que lo separa de los viejos liberales como Argüelles, Martínez de la Rosa o José María Calatrava, que, desde sus puestos en diferentes ministerios, creen haber apaciguado el país o hecho reformas cuando condenan la esclavitud o la tortura en nombre de los buenos sentimientos. Por el contrario, en la «Carta a Andrés» insiste sobre el trabajo paciente y profundo que hay que efectuar. La misma actitud tiene Augusto arrepentido, hablando de sus hijos: «Empezad por instruirlos.» Es la lección de todo este artículo: la instrucción salvará a la juventud y preparará a las generaciones del mañana. En este mismo sentido hay que entender las críticas a la falsa cultura, ya denunciada antaño por Cadalso y Moratín, y que encontramos, por ejemplo, en el Don Periquito de en «En este país» o en Don Timoteo y su falso saber, con el que engaña a una sociedad ciega. Larra es consciente del papel de educadores que algunos escritores tienen en la sociedad, y le gusta insistir sobre ello.

A través de los cambios históricos ve transformarse una sociedad. En ocasiones, la visión que nos ofrece es aún estática, pero en otras es francamente dinámica. Puede en ciertos momentos sentirse deprimido ante este «poco más o menos» que nos describe en «Cuasi», pero siempre entrevé una esperanza que abarca a todos los españoles. Las contradicciones que se multiplican a su alrededor no le parecen forzosamente malas: sabe que son preferibles a la simple vuelta atrás. Intuye una dialéctica de la historia. El «medio saber» que define en «En este país» representa esencialmente una esperanza, una lenta progresión que un día permitirá a la patria elevarse hacia la verdadera civilización. «Me parece, con todo eso —dice en la "Carta de Andrés Niporesas"—, que este país promete», y añade en otro artículo: «Este país que adelanta y progresa» («En este país»). Aquí aparece la idea de una sociedad en estado de transición. A partir de este momento comenzamos a discernir que Larra escapa a los prejuicios estrechos del espíritu liberal de 1789.

Pero conviene ser prudente. Cuando Larra aboga para

que cualquier extranjero pueda efectuar inversiones en España y fomentar la riqueza del país por el «capital de dinero» asociado al «capital de talento» («Vuelva usted mañana»), hay en ello un deseo de abrir la sociedad, que es propio de la teoría liberal. Pero Larra llega más lejos en su propósito de hacer estallar el cuadro de una sociedad estrecha («¿Qué dice usted?»), y en su defensa de una amplia difusión de la cultura para sacar al pueblo de su marasmo: tentativa original y en desacuerdo con los liberales, que, como se sabe, sólo aspiran a la educación de las capas sociales a las que pertenecen. Será elevando el nivel de conciencia general —nos dice Larra— como serán eliminados los «facciosos», es decir, los carlistas. En el segundo artículo sobre los liberales se indigna por el papel que desempeña la riqueza en la sociedad de 1834. He aquí las palabras que presta a sus personajes, todos liberales convencidos: «En la Constitución trabajé para... que se hiciesen ricos otros pocos»; «sin dinero... mientras que otros habían hecho pacotilla»; «habiendo perdido mis pocos bienes... me dicen... que no ofrezco garantías». Sin duda, es una manera de condenar las estériles querellas liberales, pero el lector no deja de darse cuenta de la superación de una teoría rígida.

Esta misma impresión de superación la seguimos sintiendo cuando el autor habla de *orden* y *desorden* en «Un reo de muerte», o cuando protesta contra la pena de muerte («¡Siempre bayonetas en todas partes! ¿Cuándo veremos una sociedad sin bayonetas?»), o, por último, cuando en «Los barateros» nos muestra al *baratero*, aunque sea culpable, convertirse en acusador de toda la sociedad de la que es la inevitable víctima. En este último caso, la acusación de la sociedad tiene gran alcance. Podríamos multiplicar los ejemplos, pero lo que importa ver es que el signo ideológico bajo el que se organiza el pensamiento de Larra hace resquebrajarse a cada momento la teoría liberal, estrecha e insatisfactoria.

Llegamos con esto al final de la evolución personal de Larra, al momento en que su rechazo de una sociedad, un sistema y una teoría va más lejos. Ha discernido que en una sociedad cuanto mayor es el número de individuos implicados en sus transformaciones tanto más este gran número —que llama alternativamente «masa», «masas» y «pueblo»— tiene probabilidades de transformar más profundamente la historia. De aquí sus incesantes llamadas a este gran número. Ya en «El casarse pronto y mal» declara haber escrito este artículo para la «masa». Porque si el «pueblo» es ciego es porque no tiene a su alcance los medios de juzgar, ya que su día aún no ha llegado («Los barateros»). Por eso, Larra tiene del oficio de periodista una idea tan elevada. Basta con releer el *folleto* del 6 de mayo de 1836 *El ministerio Mendizábal.* Entre otras cosas, encontramos esa vehemente llamada de atención y ese extraordinario sentido de la historia: «En una época como ésta, en que toda la dificultad para llevar adelante la regeneración del país consiste en interesar en ella a las masas populares, lo cual escasamente se puede conseguir sin hacerles comprender antes sus verdaderos intereses, no sólo es meritorio que cada español que se crea capaz de fundar una opinión se apresure a emitirla por medio de la imprenta, sino que en nuestro entender fuera culpable el que, pudiendo, dejase, por temores personales, de añadir una piedra al edificio que sólo de consuno podemos todos levantar.»

Esta noción que Larra desarrolla incansablemente resulta muy avanzada para su tiempo, y es preciso subrayarlo. El hecho de que se haya aplicado a Larra el calificativo de «progresista» cobra así toda su significación. Porque esta denuncia, con la que adquiere mayor conciencia social, no vacila, como en «Dios nos asista», en buscar las razones de las insurrecciones y de las violencias, y excusándolas, por más brutales y desencadenadas que sean. Su artículo del 3 de abril no tiene desperdicio: «La sociedad acometida en masa, en masa se defiende»; «asesinatos por asesinatos, ya que los ha de haber, estoy por los del pueblo». Es la forma más dinámica de escapar a la teoría liberal antirrevolucionaria, antirrepublicana y antidemocrática.

Estas pocas precisiones sobre los *Artículos de costumbres,* de Larra, obra que a distancia podemos juzgar como una de las más importantes del siglo XIX, nos ayudan a comprender cuál es la posición personal del autor frente a la historia, y frente a una sociedad que examina en su conjunto y en todos sus detalles. El elemento más importante de su evolución personal es, sin duda, esta progresiva toma de conciencia de la realidad histórica de

España: realidad móvil y no definitiva. Pasamos progresivamente de la noción de individuo a la de colectividad, colectividad que un día podrá desempeñar un papel histórico para el que debe prepararse larga y pacientemente.

Vacío de la historia y fracaso de la literatura

La obra de Larra no tiene eco en los años siguientes (1837-1841). Espronceda no lleva tan lejos la reflexión política, y el duque de Rivas manifiesta, en sus discursos, más bien hostilidad personal a Mendizábal y a la *desamortización.* Se da cuenta de que hace el juego de los especuladores y de un cierto capitalismo, pero su análisis no tiene gran alcance. Se diría que la literatura vacila y que se complace en la evocación de un pasado reconfortante y razonable.

¿No es ésta, a fin de cuentas, la actitud de Mor de Fuentes, que, perdida toda ilusión, se vuelve hacia el extranjero, al no encontrar solución en su propio país? ¿No es también la del conde de Toreno, cuando ese mismo año de 1838 compone su monumental *Historia del levantamiento, guerra y revolución de España,* verdadera apología de la monarquía constitucional —lo que no debe sorprendernos— y sintomático centón de reflexiones pasablemente anacrónicas para el momento? ¿No será, en fin, la de un José Somoza, cuando en 1843 componga sus *Recuerdos e impresiones* para evocar el pasado dichoso, y encontrar en él el sentido del buen gusto, de la razón y de la sana filosofía que su época ya no puede ofrecerle? Podríamos seguir multiplicando los ejemplos en todos los terrenos. Todos nos ofrecerían la misma enseñanza: poco más o menos ningún pensador, ningún político, ningún poeta ven abrirse perspectivas favorables para el país, porque el sistema político no las ofrece, y la lucha de clases aún no ha entrado en su período de grandes crisis.

El fracaso de la novela histórica

Una sola tentativa merece que se le consagren algunas líneas: es la que pretende implantar en España una novela histórica de carácter nacional. Emana de las mismas personalidades que ya conocemos en la política y en las letras. Así que se puede adivinar la tendencia ideológica que tendrá. Entre los años 1833 y 1835, una colección madrileña se propone publicar una serie de «novelas originales y referentes a los principales sucesos de la historia de España, para difundir entre los españoles aquel antiguo amor a la religión y al rey, que tan célebres e invencibles les hizo en ambos mundos». El autor de estas líneas insiste sobre su «novedad», su «sólida moral» y su «oportuna erudición».

La intención es clara. Estamos en el momento en que el movimiento romántico se esfuerza por extenderse, sobre bases poco firmes, por otra parte, ya que le falta el substrato económico y social que existe en otros países. Pero encontramos, a estos dos niveles, la misma ideología, fundada sobre las mismas virtudes de clase que Larra definió en uno de sus primeros artículos: equilibrio, razón, respeto, jerarquía y saber aristocrático.

No carece de interés conocer los nombres de los escritores empeñados en esta empresa: Ramón López Soler, Mariano José de Larra, Antonio Gil y Zárate, Serafín Calderón, Ventura de la Vega, José Espronceda, Estanislao de Cosca Vayo, Patricio de la Escosura, José de Villalta, José Ros de Olano, Joaquín Pacheco y Nicomedes Pastor Díaz. Todos estos nombres son conocidos: auténticos liberales en política y en literatura, multiplican sus esfuerzos —salvo Larra— para hacer triunfar la ideología de su clase.

Estas tentativas, interesantes desde el punto de vista sociológico y estético, resultaron en conjunto un fracaso. La novela histórica no puede implantarse artificialmente. Habrá que esperar los afrontamientos sociales de 1848, cuyas repercusiones en toda Europa son bien conocidas, para que la novela histórica pueda tener las bases de que hasta entonces carecía en España. Y teniendo en cuenta el retraso considerable del país, este género literario no alcanzará su auge hasta 1868. Al decir esto pensamos, naturalmente, en *La Fontana de Oro*, de Pérez Galdós, que da sentido al Trienio Constitucional de 1820-1823 que le sirve de marco, y también a la Revolución de septiembre de 1868, que expulsa a Isabel II del trono, consagrando la autoridad y el prestigio de Prim.

El fenómeno romántico

De la lista de los desafortunados promotores de la novela histórica artificial, todos respetables liberales y románticos en su momento, al tiempo que sólidos representantes de la burguesía, recordaremos dos nombres, los de López Soler y Ventura de la Vega. El primero se proclama partidario del «romanticismo histórico y retrospectivo»: el hecho no puede ser más claro. Y el segundo, en un texto que presentamos a continuación, pronuncia en 1842, ante la Academia española, un virulento discurso contra la ideología romántica venida de fuera, contra los excesos a la francesa y, sobre todo, contra la poesía y el teatro de Víctor Hugo. Este Ventura de la Vega es, sin embargo, uno de los cabecillas del romanticismo español. Esto prueba con toda evidencia hasta qué punto esta escuela, infeudada en el liberalismo de Estado, procura evitar toda exaltación, todo desorden, toda crítica de la sociedad tradicional y toda revisión de la monarquía. Ventura de la Vega no es un caso aislado. Sus compañeros de filas comparten la misma doctrina. Hay que tener en cuenta todo esto para apreciar lo que fue el fenómeno romántico en España.

Drama histórico a lo Martínez de la Rosa, drama «romántico» a lo Ventura de la Vega, novelas históricas de un López Soler o de un Espronceda, ideología de Estado perpetuamente militante sobre bases frágiles: éste es el fiel reflejo de la literatura y de la historia entre 1833 y 1843. No se puede decir, al menos en esta perspectiva, que la regencia llamada «progresista» del general Espartero haya modificado considerablemente la situación.

El mito Espartero

Sin embargo, todas las esperanzas de una buena parte de la nación estaban puestas en este prestigioso militar. En el Congreso, el 2 de enero de 1837, Joaquín María López había saludado ya en él al vencedor de los carlistas en la famosa batalla de Luchana (24 de diciembre de 1836) y al liberador de Bilbao. Cuando entre 1832 y 1840 la reina madre María Cristina agotó todos los recursos de sus triquiñuelas políticas, de compromisos y escándalos múltiples, y cuando ya hubo descontentado a todas las capas sociales, el país buscó naturalmente una solución de recambio mientras esperaba la mayoría de Isabel II, después de haber dudado entre otros varios mitos. Se pronunció entonces, en su mayor parte, por Espartero contra Argüelles, es decir, por el gusto de lo desconocido contra la amargura de lo muy conocido. Baldomero Espartero, elevado al poder por la opinión pública, no tenía ningún programa. Para convencerse de ello basta con releer el discurso que pronunció ante las Cortes el 10 de mayo de 1841: es un conjunto de frases huecas, promesas vacías, y de una total ignorancia de la dinámica de la historia.

Toda España sentirá cruelmente este fracaso y se volverá, a falta de otra cosa, hacia Isabel II el 8 de noviembre de 1843. La joven reina contaba entonces trece años. Asistiremos hasta 1854 a la misma querella que marcó la política desde las primeras Cortes de Cádiz: juegos de intereses fluctuantes que hacen que la balanza se incline bien del lado de los «progresistas», o bien del de los «conservadores», o incluso del lado de una derecha aún más exigente. En resumen, es la estagnación del sistema. El historiador F. G. Bruguera dedica a esta época (diciembre de 1843-julio de 1854) un capítulo que titula con mucho acierto «El Trono, los moderados y la Finanza» (4).

Este período consagra el triunfo de algunas personalidades, unas conocidas desde hace tiempo (como Cea Bermúdez) y otras de renombre más reciente (como Narváez). Es la edad de oro de los aventureros (A. F. Muñoz) y de los financieros (Buschental, J. de Salamanca); los escándalos están a la orden del día, y los especuladores hacen fortuna. La confusión es total. Y a pesar de la adhesión que siguen manifestando al sistema los escritores conocidos (Gertrudis Gómez de Avellaneda, por ejemplo, que se afana en poemas de circunstancias por cantar la gloria de Isabel II), el malestar es absoluto.

---

(4) *Op. cit.*, Premiére époque, livre II, Chap. III, pp. 199-220.

Esta atmósfera casi irrespirable se verá turbada aún más por los movimientos revolucionarios obreros de 1848: su impacto será considerable, y los motines, numerosos, aunque de corta duración, en ciudades como Madrid o Barcelona. Es curioso ver hasta qué punto la literatura española registra la marea revolucionaria, esforzándose en utilizarla para orientar la historia nacional. Mil ochocientos cuarenta y ocho es el año de los libelos, panfletos, poesías, tratados históricos, diarios y escritos antirrevolucionarios de todas clases. Es el año que el clero escogió para lanzar una nueva edición de sus *Indices de libros prohibidos.*

Es el año que registra el fracaso de una segunda guerra carlista. Es también el año de las represalias contra los progresistas y de las sangrientas matanzas de obreros. A través de las violencias, provocadas por el placer de la violencia misma, todas las fuerzas tradicionales de España, coaligadas, quieren ahuyentar el espectro de la democracia y del «pueblo soberano».

Todo lo que no es «orden» es «anarquía», gritan los panfletos reaccionarios. Los «sentimientos religiosos» constituyen la base de toda civilización. La «democracia» excluye la «autoridad» y la «ley», porque un pueblo que se gobierna a sí mismo no gobierna a nadie. Las «doctrinas anárquicas», las «teorías antisociales», las «pasiones desordenadas» deben ser ahogadas en sangre. No hay «instrucción pública» fuera del seno de la Iglesia. Las «clases privilegiadas y exclusivas», lejos de ser «perjudiciales» o «superfluas», son «necesarias» y «muy útiles al bien e interés general». Hay que combatir por todos los medios la «dominación de las masas». No existe, como se pretende, «mala repartición de la propiedad»; si se produjera una «igualdad general» sólo quedaría la «satisfacción» de ser todos «muy pobres y miserables». «¿Gobierno para todos, por todos y de todos?» La idea no sólo es «incomprensible», sino «peligrosa»: más que un «error o falta» es un «crimen» y un «oprobio». La «revolución» es la anarquía: lo han probado los levantamientos de Madrid, Barcelona y Sevilla. A todo esto es conveniente oponer un poder «fuerte», «enérgico» y «sin obstáculo de ningún género».

Frente a esta invitación constante a la represión brutal en nombre del orden, los liberales moderados, más razonables, continúan soñando con el justo medio, la razón y la prudencia. Es lo que hacen Argüelles, Martínez de la Rosa, el duque de Rivas y Ventura de la Vega. Lo mismo que hace Miguel Agustín Príncipe al evocar en tono burlón la historia contemporánea en sus *Tirios y troyanos* de 1849. Por mucho que sea el humor con que denuncia los extremos (república/carlismo) no propone nada constructivo; sigue prisionero de un ideal dramáticamente estático y limitado.

1854 y sus promesas

¿En qué medida y por qué se puede hablar de «Revolución» en 1854? Mil ochocientos cuarenta y ocho, como hemos visto, prueba la falta de madurez española en el enfrentamiento de las clases sociales, y la incapacidad de la burguesía para imponer un programa. Los levantamientos son yugulados al instante, sin que la suerte de la clase obrera se modifique; la noción de reivindicación es prácticamente inexistente; la historia de España se teje sólo con estériles y superficiales querellas políticas.

En efecto, al todopoderoso Narváez le sucede en 1851 Bravo Murillo como presidente del Consejo: clerical convencido y defensor de todos los intereses financieros, hace adoptar el famoso *Concordato*, por el que sólo es reconocida como oficial la Iglesia católica, la educación queda controlada a todos los niveles, y las órdenes religiosas son subvencionadas por el Estado. A consecuencia de esto estalla una agitación anticlerical que culmina en el atentado contra la reina del cura Martín Merino. Por el contrario, los capitales e inversiones extranjeras se consolidan y, cuando bajo la presión de las circunstancias, Bravo Murillo se retire, a fines de 1852, la evolución política se endurece progresivamente, hasta el momento en que llegue la hora de dos generales: Espartero y O'Donnell, antagonistas moderados, a los que el oportunismo alía. Detrás de estos nombres, ¿qué orientación se dibuja?

Mil ochocientos cincuenta y cuatro lleva al poder a progresistas y demócratas, que, por primera vez, llegan a la escena política española; el pueblo —en armas— interviene, y parece que pone fin (provisorio) al triunfo de la Finanza y del todopoderoso clero; la relación de fuerzas entre las clases sufre un cambio radical; el sistema de impuestos es revisado, mientras las huelgas brotan un poco por todas partes (en Cataluña, y en Barcelona, sobre todo); en resumen: es en este sentido en el que se puede hablar de comienzos de un proceso revolucionario.

En la correspondencia que envía al *New-York Daily Tribune* en 1854, sobre la «vicalvarada», Karl Marx analiza minuciosamente esta interesante mutación histórica. Estudia con detalle los movimientos militares y, aunque se muestra extremadamente prudente, observa en ellos síntomas prometedores; se trata casi siempre, por supuesto, de iniciativas militares, pero también, en ocasiones, de manifestaciones populares. Marx es muy sensible al hecho de que las «masas», dejando a un lado divisiones superficiales, hayan fraternizado en la calle e impuesto muchas veces su ley al ejército: en Barcelona, particularmente, y en Zaragoza. Cuando el ejército toma la iniciativa, el movimiento procede de la tropa, que se desolidariza de sus jefes. Marx conoce, ciertamente, la especificidad española, y hablando de Espartero, que había hecho nacer a su regreso algunas problemáticas esperanzas, escribe el 18 de agosto de 1854: «Una de las peculiaridades de las revoluciones consiste en que en el momento mismo en que el pueblo parece estar a punto de dar un gran paso e inaugurar una nueva era, sucumbe a ilusiones del pasado y pone todo el poder e influencia tan costosamente conquistados en manos de hombres que representan, o se supone representan, el movimiento popular de una época ya terminada.» No se puede definir más claramente la ilusión viviente que representa el «progresista» Espartero desde 1841: sin porvenir, sin programa y sin perspectiva de ninguna clase.

Un movimiento revolucionario neutralizado por un personaje cuya nulidad política es flagrante: he aquí lo esencial de la historia de 1854. Pero si es cierto que hay fracaso, también hay esperanza. Una evolución se dibuja en el seno de las capas sociales más explotadas. Los diputados del pueblo formulan claramente sus exigencias. Desde ahora queda abierta la desunión entre el pueblo y los jefes militares. El primero reclama elecciones con sufragio universal y se niega a entregar las armas, en tanto que el gobierno no haya dado a conocer su programa. Exige, además —apunta Marx el 25 de agosto de 1854— la anulación del *Concordato* del 29 de octubre de 1851, la confiscación de los bienes de los contrarrevolucionarios, una exposición pública de la situación financiera, la anulación de las concesiones de las líneas de ferrocarril (fuente de los principales escándalos en los años precedentes) y la presencia de María Cristina ante un tribunal especial, sin hablar de una reestructuración de las finanzas del país.

Sin duda, el autor de estas reflexiones para el *New-York Daily Tribune* no ignora que hay que analizar de manera mesurada estos acontecimientos, y enjuiciarlos con prudencia. Pero es con pleno conocimiento de los problemas españoles por lo que escribe en 1854 los artículos de fondo que titula «Revolutionary Spain» y en 1856 su «The Revolution in Spain». Es conveniente, a distancia, releer estas páginas, en las que se percibe la extraordinaria acuidad del pensador y la lucidez del teórico.

¿Momentáneo fracaso de la acción revolucionaria? Sin duda, pero también perspectivas abiertas después de unos sesenta años de confusión y marasmo. Historia regida por una dinámica profunda. Toda la prensa de la época, desde la más moderada hasta la de los demócratas, lo siente y lo dice. Por otra parte, aparecen una profusión de periódicos, prohibidos hasta entonces, para celebrar la entrada de España en una era social y política nueva.

Una vez más es la prensa, son los *folletos*, los discursos, toda esa literatura que los espíritus retrógrados y nostálgicos califican con desdeño de «menor», la que nos da la medida de una sociedad en evolución y en revolución. En 1854, el observador imparcial tiene la impresión de una historia inacabada, pero rica de esperanzas y cargada de promesas: esta etapa decisiva permite a España integrarse en el movimiento de la revolución social europea.

CONCLUSION GENERAL

Hemos partido del año 1789 porque esta fecha representa para Europa un trastorno profundo, una revisión irreversible de los valores sociales. En ese momento, España —en sus capas superiores— está profundamente influida por la Enciclopedia. Marcada por la obra prerevolucionaria, al mismo tiempo se siente inquieta por esa misma Revolución: inquietud que pronto se convertirá en abierta hostilidad.

España es prisionera, durante los sesenta años que hemos examinado, de su ideal estático de monarquía constitucional. Oscila de Carlos IV (rey anacrónico, irresponsable y mal orientado por la reina María Luisa y el favorito Godoy) a su hijo Fernando VII, de principios prometedores, ausente en el momento decisivo (1808-1814) y más tarde corrompido por malos consejeros. De Fernando se llega a María Cristina, considerada como la única apta para hacer triunfar la obra de la «regeneración política» de España; luego, hacia el «salvador» Espartero, «la espada de la Revolución», como le llama burlonamente Marx; y, por último, hacia Isabel II, quien, llegado el momento, sabrá mostrarse digna descendiente de su padre, y manifestará una fría crueldad ante los movimientos insurreccionales y revolucionarios. Lo que llama la atención en esta enumeración, dejando a un lado el prodigioso candor de la «opinión pública», es la perpetua impunidad de la realeza, libre siempre de toda responsabilidad. Esta mitología empobrecedora hará que España corra aún durante mucho tiempo a la búsqueda de un inencontrable monarca.

Por estos motivos, el incipiente proceso revolucionario queda constantemente truncado y, en sus breves períodos de aparente triunfo, no consiguió nada: de 1808 a 1814, de 1820 a 1823, y de manera más indecisa aún de 1833 a 1843. Habrá que esperar hasta 1854, como ya hemos visto, para que la «Revolución» adquiera un sentido verdadero antes de llegar a los más importantes y decisivos acontecimientos de 1868.

En este cuadro histórico nacen nuevos modos de expresión literaria: la literatura se adapta a las circunstancias. Es obra de hombres polivalentes, que combaten en todos los terrenos. Es por esto por lo que hablar de la obra de escritores-políticos tiene un profundo sentido. Es algo nuevo en España; son ellos los que hacen, al mismo tiempo, la historia y la literatura, y esto por sí ya es importante. Y lo es aún más el de que tengan conciencia de ello.

Desde 1808 han creado las bases de su sistema político y han utilizado la prensa, la tribuna y todos los medios que les ofrecía la literatura para imponerlo. En ellos encontramos: amor a la patria, al equilibrio, a la autoridad; llamada al orden a las gentes laboriosas; teoría de la «revolución» moderada, realizada en la paz, en la armonía y en el consenso general; apología de la «medianía», de la «clase media» contra la aristocracia, y contra los peligros del republicanismo; proclamación de la desigualdad social de hecho, y de la igualdad teórica ante la ley; feroz condenación de la Revolución francesa y de sus escándalos; rechazo obstinado de las nociones «ilusorias» de libertad e igualdad; miedo a la anarquía; gusto profundo por reformas bien comprendidas y adaptadas a las necesidades de las clases dirigentes; condenación de la exaltación bajo todos sus aspectos; representación electoral limitada; defensa de la religión y del rey; discriminación total de las clases, etcétera.

Pero, al contacto con la historia que no se detiene, una nueva literatura, fundada sobre el análisis y la reflexión política, va reemplazando a la precedente. Los liberales son desbordados progresivamente por la revolución que han combatido. En 1854 su ideología de clase ya no puede expresarse como lo habían hecho en las Cortes de Cádiz. Y mientras crece la toma de conciencia y los afrontamientos sociales van siendo más violentos y decisivos, al tiempo que la mitología estéril de la monarquía constitucional se cuartea, la expresión literaria adquiere un indudable sentido dinámico, que pronto hará de ella un arma ideológica de choque en el combate social que comienza.

SEGUNDA PARTE

ANTOLOGIA DE TEXTOS DEL SIGLO XIX
(1789-1854)

INTRODUCCION

Presentamos en esta sección textos destinados a ilustrar la primera parte de esta obra. Los hemos elegido representativos del pensamiento liberal. En tanto que reflejo de una polémica son hoy día los más dignos de interés para nosotros. Los presentamos por orden cronológico, acompañados de notas explicativas cada vez que lo consideremos necesario (sentidos dudosos, alusiones poco claras). La ortografía, la acentuación y la puntuación de la época han sido modernizadas. Cada texto va enmarcado por una presentación sumaria destinada a situarlo en su tiempo, y por las referencias bibliográficas indispensables.

Como se verá, se trata ante todo de textos de acceso difícil (folletos, prensa, discursos, proclamas, ediciones raras), que sólo existen en alguna gran biblioteca especializada (Biblioteca Nacional de Madrid, Biblioteca Nacional de París, Archivo Histórico Nacional de Madrid, Biblioteca de las Cortes de Madrid, Hemeroteca Municipal de Madrid, etc.). Y es precisamente gracias al conocimiento de esta literatura por lo que la visión que se tiene hoy del siglo XIX ha podido ser corregida, enriquecida y profundizada. Tal como son reproducidos (parcialmente o en su totalidad) invitan a la reflexión; deseamos que ésta sea fecunda.

JOSE DE CADALSO

Cartas marruecas

1789 (1)

Carta XLI: Del mismo al mismo (2).

Nosotros nos vestimos como se vestían dos mil años ha nuestros predecesores; los muebles de las casas son de la misma antigüedad de los vestidos; la misma fecha tienen nuestras mesas, trajes de criados y todo lo restante; por todo lo cual sería imposible explicarte el sentido de esta voz: *lujo.* Pero en Europa, donde los vestidos se arriman antes de ser viejos, y donde los artesanos más viles de la república son los legisladores más respetados, esta voz es muy común; y para que no leas varias hojas de papel sin entender el asunto de que se trata, haz cuen-

(1) Como se sabe, las *Cartas marruecas escritas por un imparcial político,* de las que existen manuscritos y versiones parciales impresas con anterioridad, fueron publicadas entre el 14 de febrero y el 29 de julio del mismo año en el *Correo de Madrid.* El lector interesado encontrará en la excelente edición de Lucien Dupuis y Nigel Glendinning, que citamos en la bibliografía, todas las indicaciones útiles.

(2) Es decir, de Gazel a Ben-Beley. Hay sesenta y seis cartas de Gazel a Ben-Beley, ocho de Ben-Beley a Gazel, seis de Nuño a Gazel, cuatro de Nuño a Ben-Beley, tres de Ben-Beley a Nuño y, por último, tres de Gazel a Nuño. A través del artificio de «Cartas escritas por un moro de la comitiva del embajador de Marruecos sobre las costumbres de los españoles modernos y antiguos», el español Nuño Núñez aparece, más o menos, como el portavoz del autor. Rechaza su época, que critica, y se vuelve hacia el glorioso pasado nacional en busca de heroísmos y otras virtudes antiguas (ver la carta número IX, sobre Hernán Cortés). Ben-Beley vive retirado en Marruecos al margen de la sociedad: homólogo de Nuño, ama también la virtud. En cuanto a Gazel, formado por el precedente, es un joven marroquí que visita España en busca de la verdad.

ta que lujo es la abundancia y variedad de las cosas superfluas a la vida (3).

Los autores europeos están divididos sobre si conviene o no esta variedad y abundancia. Ambos partidos traen especiosos argumentos en su apoyo. Los pueblos que, por su genio inventivo, industria mecánica y sobra de habitantes han influido en las costumbres de sus vecinos no sólo aprueban, sino que predican el lujo y empobrecen a los otros, persuadiéndoles ser útil lo que los deja sin dinero. Las naciones que no tienen esta ventaja natural gritan contra la introducción de cuanto en lo exterior choca a su sencillez y traje, y en lo interior las hace pobres.

Cosa fuerte es que los hombres, tan amigos de distinciones y precisiones en unas materias, procedan tan a bulto en otras. Distingan de lujo, y quedarán de acuerdo. Fomente cada pueblo el lujo que resulta de su mismo país, y a ninguno será dañoso. No hay país que no tenga alguno o algunos frutos capaces de adelantamiento y alteración. De estas modificaciones nace la variedad; con ésta se convida la vanidad; ésta fomenta la industria, y de ésta resulta el lujo ventajoso al pueblo, pues logra su verdadero objeto, que es el que el dinero físico de los ricos y poderosos no se estanque en sus cofres, sino que se derrame entre los artesanos y pobres.

Esta especie de lujo perjudicará al comercio grande, o sea general; pero nótese que el tal comercio general del día consiste mucho menos en los artículos necesarios que en los superfluos. Por cada fanega de trigo, vara de paño o de lienzo que entra en España, ¡cuánto se vende de cadenas de reloj, vueltas de encajes, palilleros, abanicos, cintas, aguas de olor y otras cosas de esta calidad! No siendo el genio español dado a estas fábricas, ni la población de España suficiente para abastecerlas de obreros, es imposible que jamás compitan los españoles con los extranjeros en este comercio, y siempre será dañoso a España, pues la empobrece y la esclaviza al capricho de

---

(3) Esta carta es una de las más importantes. Cadalso desarrolla en ella la idea de que España no tiene industria, y de que el lujo bien entendido puede ser una fuente de riqueza para el país. El tema es corriente en la época, y muestra la preocupación dominante de Cadalso —repetida en otras cartas— en un momento importante de la historia de España.

la industria extranjera; y ésta, hallando continuo pábulo en la extracción del oro y plata (única balanza de la introducción de las modas), tendrá cada día efectos más exquisitos y, por consiguiente, más capaces de agotar el oro y plata que tengan los españoles. En consecuencia de esto, estando el atractivo del lujo tan apurado y refinado que engaña a los mismos que conocen que es perjudicial, y juntándose esto con aquello, no tiene fin el daño.

No quedan más que dos medios para evitar que el lujo sea la total ruina de esta nación: o superar la industria extranjera o privarse de su consumo, inventando un lujo nacional que igualmente lisonjeará el orgullo de los poderosos y los obligará a hacer a los pobres partícipes de sus caudales.

El primer medio parece imposible, porque las ventajas que llevan las fábricas extranjeras a las españolas son tantas que no cabe que éstas desbanquen a aquéllas. Las que se establezcan en adelante y el fomento de las que establecidas cuestan a la Corona grandes desembolsos no pueden resarcirse sino del producto de lo fabricado aquí, y esto siempre será a proporción más caro que lo fabricado afuera; con que lo de afuera siempre tendrá más despacho, porque el comprador acude siempre adonde por el mismo dinero halla más ventaja en la cantidad y calidad, o en ambas. Si, por algún accidente, que no cabe en la especulación, pudiesen estas fábricas dar en el primer año el mismo género y por el mismo precio que las extrañas, las de afuera, en vista del auge en que están desde tantos años de los caudales adquiridos, y visto el fondo ya hecho, pueden muy bien malbaratar su venta, minorando en mucho los precios unos cuantos años; y en este caso no hay resistencia de parte de las nuestras.

El segundo medio, cual es la invención de un lujo nacional, parecerá a muchos tan imposible como el primero, porque hace mucho tiempo que reina la epidemia de la imitación y que los hombres se sujetan a pensar por el entendimiento de otros, y no cada uno por el suyo. Pero, aun así, retrocediendo dos siglos en la historia, veremos que se vuelve imitación lo que ahora parece invención.

Siempre que para constituir el lujo baste la profusión, novedad y delicadez, digo que ha habido dos siglos ha (y por consiguiente no es imposible que lo haya ahora) un lujo nacional; lo que me parece demostrable de este modo: en los tiempos inmediatos a la conquista de América no había las fábricas extranjeras en que se refunde hoy el producto de aquellas minas, porque el establecimiento de dichas fábricas es muy moderno respecto a aquella época; y, no obstante esto, había lujo, pues había profusión, abundancia y delicadez (respecto que si no lo hubiera habido, entonces no se hubiera gastado sino lo preciso). Luego hubo en aquel tiempo un lujo considerable, puramente nacional; esto es, dimanado de los artículos que ofrece la naturaleza sin pasar los Pirineos. ¿Por qué, pues, no lo puede haber hoy, como lo hubo entonces? Pero ¿cuál fue?

Indáguese en qué consistía la magnificencia de aquellos ricoshombres. No se avergüencen los españoles de su antigüedad, que por cierto es venerable la de aquel siglo. Dedíquense a hacerla revivir en lo bueno, y remediarán por un medio fácil y loable la extracción de tanto dinero como arrojan cada año, a cuya pérdida añaden la nota de ser tenidos por unos meros administradores de las minas que sus padres ganaron a costa de tanta sangre y trabajos.

¡Extraña suerte es la de América! ¡Parece que está destinada a no producir jamás el menor beneficio a sus poseedores! Antes de la llegada de los europeos, sus habitantes comían carne humana, andaban desnudos, y los dueños de la mayor parte de la plata y oro del orbe no tenían la menor comodidad de la vida. Después de su conquista, sus nuevos dueños, los españoles, son los que menos aprovechan aquella abundancia.

Volviendo al lujo extranjero y nacional, éste, en la antigüedad que he dicho, consistía, a más de varios artículos ya olvidados, en lo exquisito de sus armas, abundancia y excelencia de sus caballos, magnificencia de sus casas, banquetes de increíble número de platos para cada comida, fábricas de Segovia y Córdoba, servicio personal voluntario al soberano, bibliotecas particulares, etc., todo lo cual era producto de España y se fabricaba por manos españolas. Vuélvanse a fomentar estas especies, consiguiéndose el fin político del lujo (que, como está ya dicho, es el reflujo de los caudales excesivos de los ricos a los pobres); se verá en breves años multiplicarse la población, salir de la miseria los necesitados, cultivarse los campos, adornarse las ciudades, ejercitarse la juventud y tomar el Estado su antiguo vigor. Este es el cuadro del antiguo lujo. ¿Cómo retrataremos el moderno? Copiemos los objetos que se nos ofrecen a la vista, sin lisonjearlos ni ofenderlos.

El poderoso de este siglo (hablo del acaudalado, cuyo dinero físico es el objeto del lujo), ¿en qué gasta sus rentas? Despiértanle dos ayudas de cámara primorosamente peinados y vestidos; toma café de Moka exquisito, en taza traída de la China por Londres; pónese una camisa finísima de Holanda; luego, una bata de mucho gusto tejida en León de Francia; lee un libro encuadernado en París; viste a la dirección de un sastre y peluquero franceses; sale con un coche que se ha pintado donde el libro se encuadernó; va a comer en vajilla labrada en París o Londres las viandas calientes, y en platos de Sajonia o de China las frutas y dulces; paga a un maestro de música y otro de baile, ambos extranjeros; asiste a una ópera italiana, bien o mal representada, o a una tragedia francesa, bien o mal traducida; y al tiempo de acostarse puede decir esta oración: «Doy gracias al cielo de que todas mis operaciones de hoy han sido dirigidas a echar fuera de mi patria cuanto oro y plata ha estado en mi poder» (4).

Hasta aquí he hablado con relación a la política, pues, considerando sólo las costumbres, esto es, hablando no como estadista, sino como filósofo, todo lujo es dañoso, porque multiplica las necesidades de la vida, emplea el entendimiento humano en cosas frívolas y, dorando los vicios, hace despreciable la virtud, siendo ésta la única que produce los verdaderos bienes y gustos.

---

(4) El cuadro es muy conocido, y sólo cobra su valor en la medida en que Cadalso lo opone, al final de la carta, a la visión de un pasado magnífico. Cadalso denuncia en ella la pasión absurda por las cosas extrânjeras en lo que éstas tienen de más fútiles. En este dominio será seguido por otros muchos pensadores, entre los cuales los más importantes son: M. J. Quintana, Fr. Sánchez Barbero, M. J. Larra, J. E. Hartzenbusch e incluso Pérez Galdós. Pero, por otra parte, Cadalso quiere mostrar que España está arruinada, y que deja escapar sus riquezas por carecer de una enérgica política en los órganos gubernamentales. Sus ideas sobre la riqueza nacional son bien conocidas, y las seguirá desarrollando con frecuencia la generación de escritores-políticos de 1808.

NICASIO ALVAREZ DE CIENFUEGOS

A la paz entre España y Francia en 1795

1795 (1)

¿Qué fogoso volcán amenazando
hierve en mi corazón, que en paz dormía,
bien como en el abismo hondi-tronante
del Etna cuando brama y humeando
va a romper? Tente, tente, fantasía,
¿dó me arrastras? Perdona; mi sonante

---

(1) Este tema inspiró a los poetas después del 22 de julio de 1795, fecha del desastroso tratado de paz entre los dos países. Por este tratado, España cedía a la República francesa sus posesiones de Santo Domingo. El rey Carlos IV nombra a Godoy «Príncipe de la Paz». Quintana escribe una oda con el mismo título. Lo menos que se puede decir es que las dos composiciones son muy semejantes de tono e inspiración. Es una época en la que los poetas alaban a menudo al Príncipe de la Paz, en quien veían el artífice posible de la felicidad de España. Sólo más tarde, después de los fracasos diplomáticos en Italia, las tristes consecuencias del tratado de San Ildefonso, las crecientes dificultades con Inglaterra y Francia, el decepcionante tratado con los Países Bajos..., la opinión, indignada, se lanzará contra Godoy. Los poetas y los escritores traducirán este cambio radical de popularidad.

Alvarez de Cienfuegos (1764-1809) escribió también una oda *En elogio del general Bonaparte, con motivo de haber respetado la patria de Virgilio,* aludiendo al episodio de las conquistas de Italia antes del Imperio. Pero, en 1808, cuando los franceses invaden el suelo español, Cienfuegos se indigna como otros muchos españoles, y proclama su indignación con vehemencia. Será deportado por el invasor y morirá en Orthez. M. J. Quintana, que con este motivo recuerda de él esta hermosa frase: «una vez se muere, y no más», le dedica sus poesías en 1813. Escribe en esta ocasión un prólogo que es una de las más hermosas páginas de esta época: ver M. J. Quintana, *Obras completas,* Madrid, B.A.E., t. XIX, pp. 1-2.

El texto que reproducimos pertenece a N. Alvarez de Cienfuegos, *Obras poéticas.* Madrid, Imprenta Real, 1816, t. I, pp. 69-75.

cítara suspendí; mi labio mudo
para siempre olvidó la voz del canto.
Y ¿cómo he de cantar entre el espanto
con que Marte sañudo
en rencorosa guerra
muda en sepulcro la anchurosa tierra?

¡Oh Pirineo! ¡Oh campos de Gerona!
¡Espectáculo atroz! ¡Oh! ¿Quién me aleja
de esta escena cruel de sangre y lloro
do el fratricidio la discordia abona?
¿Dónde es muerte el honor? ¡Ay! ¡Cuál refleja
el acero infeliz los rayos de oro
del sol vivificante! ¡Cuál rechina
el carro horrible do el cañón sentado
va de viudez y de orfandad preñado!
¡Cuánto lloro y ruina
y sepulcro está abriendo
del trémulo tambor el ronco estruendo!

Tened, crueles. ¿Contra quién esgrime
el duro hierro la insensata mano?
¿Dó está la humanidad, el don divino
que en nuestras almas al nacer imprime
la natura? ¡Perezca el inhumano
que el feroz ministerio de asesino
el primero ejerció! ¡Que el hondo averno
trague hasta el nombre del que alzó malvado
altares al valor ensangrentado,
y de laurel eterno
ciñendo su cabeza
dijo: sea virtud la impía dureza!

Hirió su voz de Gerges el oído
que el escudo batiendo con la lanza
la guerra ordena al hijo del Oriente.
En la ilusión de su altivez dormido,
sueña que el universo a su pujanza
ya inclina con temor la esclava frente.
Marcha, triunfa; de Esparta en los leones
da, cía, los rodea, caen rugiendo,
y su rugir Temístocles oyendo,

mueve al mar sus pendones
y allí, la diestra alzada,
tumba de toda el Asia fue su espada.

¿Huyes, oh Gerges? Tan opimo fruto
te valió tu venganza lisonjera?
¿Huyes? ¿A dónde huirás? Ya se adelanta
a recibirte en doloroso luto
Asia; y *¿qué fue mi juventud guerrera?*,
te pregunta. *Mis campos, do levanta*
el abrojo su frente ignominiosa,
piden los brazos donde en paz amiga
su sien posaba la materna espiga.
La amante lagrimosa
busca a su amor, no le halla,
que, polvo yerto, para siempre calla.

¡Hijo adorado, en mi vejez odiosa
único puerto de mi ingrata suerte!
Desamor, soledad, ¿ésta es la herencia
que me vuelven de ti? Noche afrentosa
de mi himeneo, en que el amor fue muerte.
¡Jamás sea!... exclama en la vehemencia
de su hondo pesar la anciana madre;
mientras la viuda en lágrimas deshecha
los huerfanitos en su seno estrecha;
y, la mente en su padre,
mil futuros temores
flechan su corazón con mil dolores.

Tú me arrancaste con tu infanda guerra
mi laboriosa paz y mis amores,
entregándome al hambre y las maldades.
Y ¡oh cuánta sangre en mi domada tierra
por ti veo correr! Por tus furores
vuela entre victoriosas mortandades
contra mí el Macedón y me saquea,
y a su muerte... ¡qué horror!, ¡ay!, vuelve, impío,
vuelve mis hijos al regazo mío,
mis hijos de Platea;
cruel, torna al momento,
tórname mi virtud y mi contento.

El Asia dijo; y aun su voz ahora
desde el horror de sus desiertos clama
por su sangre inocente. Oíd, hispanos,
la madre España a sus lamentos llora,
y con su ejemplo a la concordia os llama.
¿Será que vuestros pechos inhumanos
resistan a su voz, que religiosa
repite sin cesar que no hay ventura
sin virtud, ni virtud sin la ternura
y la unión amistosa
adonde en ara santa
feliz beneficencia se levanta?

¡Falte la tierra al que a su mismo hermano
persiga en su enemigo! Uncid los bueyes,
o vírgenes del campo lagrìmosas,
que vuelve su señor. Con diestra mano,
pues amor dictará sus dulces leyes,
tejed guirnaldas de azucena y rosas.
Madres sensibles, vuestro amargo llanto
truéquese ya en placer y regocijos,
que ya a sus lares vuestros tiernos hijos
tornan; sí, que el espanto
va a cesar de la guerra
y en mieses de oro se ornará la tierra.

¡Júbilo, salvación! ¡Oh cuál se inunda
mi espíritu en placer! ¿Ois que clama
paz, paz el Pirineo ensangrentado?
Dad oliva a mi sien. ¿Quién la circunda
con sus hojas? La trompa de la fama
toda es paz, y a su son llora abrazado
del galo el español, y maldiciendo
de la guerra y sus bárbaros horrores,
en amistad convierten sus rencores.
Los oye y brama huyendo
la discordia sangrienta,
y en la oscura Albión su trono asienta.

¿Dó estáis, pastores, que el silencio amado
de los montes dejasteis al ardiente
estruendo del cañón? Volved tranquilos
a sus antiguos reinos el ganado;

señoread las selvas do inocente
a las plácidas sombras de los tilos
el amor sus misterios os confía.
Desechad el temor: del alto cielo
yo lo vi, yo lo vi, que en raudo vuelo
alma paz descendía
de espigas coronada,
de genios y de musas rodeada.

Saludadla, cantad, hijos de Apolo.
¡Salve, decidla, madre bienhechora
del linaje mortal, cándida hermana
de la santa virtud! ¡De polo a polo
rija un día tu mano vencedora!
¡Salve mil veces, y a la gente humana
no abandones jamás! ¡Pueda contigo
comenzar el imperio afortunado
de la fraternidad, en que el malvado
es el solo enemigo
y la tierra piadosa
una sola familia virtuosa!

GASPAR MELCHOR DE JOVELLANOS

Informe en el Expediente de la ley agraria
1795 (1)

Conclusión

Tales son (2), Señor, los obstáculos que la naturaleza, la opinión y las leyes oponen a los progresos del cultivo, y tales los medios que en dictamen de la sociedad son necesarios para dar el mayor impulso al interés de sus agentes y para levantar la agricultura a la mayor prosperidad. Sin duda que Vuestra Alteza necesitará de toda su constancia para derogar tantas leyes, para desterrar tantas opiniones, para acometer tantas empresas y para combatir a un mismo tiempo tantos vicios y tantos errores; pero tal es la suerte de los grandes males que sólo pueden ceder a grandes y poderosos remedios.

Los que propone la Sociedad piden un esfuerzo tanto más vigoroso cuanto su aplicación debe ser simultánea, so pena de exponerse a mayores daños. La venta de las tierras comunes llevaría a manos muertas una enorme porción de propiedad, si la ley de amortización no precaviese este mal. Sin esta ley, la prohibición de vincular y la disolución de los pequeños mayorazgos sepultarían insensiblemente en la amortización eclesiástica aquella

(1) Este *Informe*, publicado por la Sociedad Económica de Madrid, fue reimpreso varias veces los años siguientes, lo que prueba el interés con que fue acogido: «con tanto aplauso recibida esta obra y con tanto aprecio mirada por todos los amantes de la prosperidad nacional», dicen sus editores, en la edición de 1820. El pasaje reproducido es la conclusión de este largo trabajo de reflexión.

(2) Jovellanos alude a la parte que ha tratado precedentemente con el título de «Estorbos físicos o derivados de la naturaleza». Estudia especialmente la carencia de irrigación, la falta de comunicaciones y la ausencia de puertos para el comercio, temas que preocupaban a una parte de la élite liberal.

inmensa porción de propiedad que la amortización civil salvó de su abismo. ¿De qué servirán los cerramientos si subsisten el sistema de protección parcial y los privilegios de la ganadería? ¿De qué los canales de riego si no se autorizan los cerramientos? La construcción de puertos reclama la de caminos; la de caminos, la libre circulación de frutos, y esta circulación, un sistema de contribuciones compatible con los derechos de la propiedad y con la libertad del cultivo. Todo, Señor, está enlazado en la política como en la naturaleza; y una sola ley, una providencia mal a propósito dictada o imprudentemente sostenida, puede arruinar una nación entera, así como una chispa encendida en las entrañas de la tierra produce la convulsión y horrendo estremecimiento que trastornan inmensa porción de su superficie.

Pero si es necesario tan grande y vigoroso esfuerzo, también la grandeza del mal, la urgencia del remedio y la importancia de la curación le merecen y exigen de la sabiduría de Vuestra Alteza. No se trata menos que de abrir la primera y más abundante fuente de la riqueza pública y privada; de levantar la nación a la más alta cima del esplendor del poder, y de conducir los pueblos confiados a la vigilancia de Vuestra Alteza al último punto de la humana felicidad. Situados en el corazón de la culta Europa, sobre un suelo fértil y extendido y bajo la influencia de un clima favorable para las más varias y preciosas producciones; cercados de los dos mayores mares de la tierra y hermanados por su medio con los habitadores de las más ricas y extendidas colonias, basta que Vuestra Alteza remueva con mano poderosa los estorbos que se oponen a su prosperidad para que gocen aquella venturosa plenitud de bienes y consuelos a que parecen destinados por una visible providencia. Trátase, Señor, de conseguir tan sublime fin no por medio de proyectos quiméricos, sino por medio de leyes justas; trátase más de derogar y corregir que no de mandar y establecer; trátase sólo de restituir la propiedad de la tierra y del trabajo a sus legítimos derechos y de restablecer el imperio de la justicia sobre el imperio del error y las preocupaciones envejecidas; y este triunfo, Señor, será tan digno del paternal amor de nuestro soberano a los pueblos que le obedecen como del patriotismo y de las virtudes pacíficas de Vuestra Alteza. Busquen, pues, su gloria otros cuerpos políticos en la ruina y en la desolación, en el trastorno del orden social y en aquellos feroces sistemas que, con títulos de reformas, prostituyen la verdad, destierran la justicia y oprimen y llenan de rubor y de lágrimas a la desarmada inocencia; mientras tanto, que Vuestra Alteza, guiado por su profunda y religiosa sabiduría, se ocupa sólo en fijar el justo límite que la razón eterna ha colocado entre la protección y el menosprecio de los pueblos (3).

Dígnese, pues, Vuestra Alteza de derogar de un golpe las bárbaras leyes que condenan a perpetua esterilidad tantas tierras comunes; las que exponen la propiedad particular al cebo de la codicia y de la ociosidad; las que, prefiriendo las ovejas a los hombres, han cuidado más de las lanas que los visten que de los granos que los alimentan; las que, estancando la propiedad privada en las eternas manos de pocos cuerpos y familias poderosas, encarecen la propiedad libre y sus productos y alejan de ella los capitales y la industria de la nación; las que obran el mismo efecto encadenando la libre contratación de los frutos y las que, gravándolos directamente en su consumo, reúnen todos los grados de funesta influencia de todas las demás. Instruya Vuestra Alteza la clase propietaria en aquellos útiles conocimientos sobre que se apoya la prosperidad de los Estados y perfeccione en la clase laboriosa el instrumento de su instrucción para que pueda derivar alguna luz de las investigaciones de los sabios. Por último, luche Vuestra Alteza con la naturaleza y, si puede decirse así, oblíguela a ayudar los esfuerzos del interés individual, o por lo menos a no frustrarlos. Así es como Vuestra Alteza podrá coronar la grande empresa en que trabaja tanto tiempo ha; así es como corresponderá a la expectación pública y como llenará aquella íntima y preciosa confianza que la nación tiene y ha tenido siempre en su celo y su sabiduría; y así es, en fin, como

---

(3) Una vez más se reconoce aquí la doctrina política de Jovellanos. Busca el justo medio y equilibrio, lejos de las revoluciones y de los sistemas democráticos. Los medios que preconiza tienden todos a reforzar el poder del Estado, y de la propiedad en general. Se puede medir, en una época en que la obra de Adam Smith es ya conocida, la distancia que separa al autor del *Informe* del de las *Recherches sur la nature et les causes de la richesse des nations*, o de su continuador español más conocido, Alvaro Flórez Estrada, el cual pronto renovará las viejas doctrinas económicas españolas.

la sociedad, después de haber meditado profundamente esta materia, después de haberla reducido a un solo principio tan sencillo como luminoso, después de haber presentado con la noble confianza que es propia de su instituto todas las grandes verdades que abraza, podrá tener la gloria de cooperar con Vuestra Alteza al restablecimiento de la agricultura y a la prosperidad general del Estado y de sus miembros.

MANUEL JOSE QUINTANA

A Juan de Padilla

Mayo de 1797 (1)

Todo a humillar la humanidad conspira (2):
faltó su fuerza a la sagrada lira,
su privilegio al canto
y al genio su poder. ¿Los grandes ecos
dó están, que resonaban
allá en los templos de la Grecia un día,
cuando en los desmayados corazones
llama de gloria de repente ardía,

---

(1) Esta poesía apareció en las *Poesías patrióticas* de 1808, y luego en las *Poesías* de 1813. En la *Advertencia* colocada al frente del primer texto, el 6 de octubre de 1808, Quintana explica que esta oda, lo mismo que otras, no pudo publicarse en el momento en el que fue compuesta, porque «el miedo a la opresión no lo consentía». Para caracterizar este tipo de poesía, escribe: «Inspirados estos versos por el amor a la gloria y a la libertad de la Patria, manifiestan ya la indignación de que un pueblo fuerte y generoso sufriese el yugo más infame que hubo nunca, ya la esperanza de sacudirle y de que tomásemos en el orden político y civil el lugar que por nuestro carácter y circunstancias locales nos ha asignado la naturaleza, ya en fin la desesperación de ver desvanecerse con el aspecto que tomaban las cosas públicas esta hermosa y grande perspectiva.»

(2) Quintana utiliza a menudo el apotegma al comienzo de sus obras. Recordemos el comienzo de *A la imprenta*:

«¿Será que siempre la ambición sangrienta
o del solio el poder pronuncie sólo...»

o el de *Trafalgar*:

«No da con fácil mano
el destino a los héroes y naciones
gloria y poder...»

o aún, entre otros muchos ejemplos, este de *Al Armamento de las Provincias españolas contra los Franceses*:

«Eterna ley del mundo aquesta sea...»

y el son hasta en las selvas convertía
a los tímidos ciervos en leones?
¡Oh, cuál cantara yo si el Dios del Pindo
poder tan grande a mis acentos diera!
¡Con qué vehemencia entonces la voz mía,
honor, constancia y libertad sonando,
de un mar al otro mar se extendería!

¡Patria! Nombre feliz, Numen divino,
eterna fuente de virtud, en donde
su inextinguible ardor beben los buenos.
¡Patria!... La vista atónita no encuentra
Patria en torno de sí, ni el labio implora
con voz tan bella al simulacro yerto
que se muestra en su vez. Pálido, triste,
de negro luto y de pavor cubierto,
ni aun a esquivar se atreve
la mano asoladora
de la Furia execrable que, inclemente,
su seno oprime, su beldad desdora.
Sangre destila si afligido llora;
su lúgubre alarido
rompe los aires, y en dolor bañado
viene horroroso a lastimar mi oído.

¡Perdona, madre España! La flaqueza
de tus cobardes hijos pudo sola
así enlutar tu sin igual belleza!
¿Quién fue de ellos jamás? ¡Ah! Vanamente
discurre mi deseo
por tus fastos sangrientos y el continuo
revolver de los tiempos; vanamente
busco honor y virtud: fue tu destino
dar nacimiento un día
a un odioso tropel de hombres feroces,
colosos para el mal; todos te hollaron,
todos ajaron tu feliz decoro.
¡Y sus nombres aún viven! ¡Y su frente
pudo orlar, imprudente,
la vil posteridad con lauros de oro! (3).

---

(3) En un *folleto* reaccionario de 1808 (*Extracto de una crítica impresa en Santiago en la Imprenta de Montero con el título de «Delación a la Patria de las Poesías Patrióticas de D. Manuel Quintana...»*), el autor,

¡Y uno sólo! ¡Uno sólo!... ¡Oh, de Padilla
indignamente ajado
nombre inmortal! ¡Oh, gloria de Castilla!
Mi espíritu agitado,
buscando alta virtud, renueva ahora
tu memoria infeliz. Sombra sublime,
rompe el silencio de tu eterna tumba;
rómpele, y torna a defender tu España,
que atada, opresa, envilecida, gime.
Sí, tus virtudes solas,
sólo tu ardor intrépido podría
volvernos al valor, y sacudido
por ti sólo sería
nuestro torpe letargo y ciego olvido.

Tú el único ya fuiste
que osó arrostrar con generoso pecho
al huracán deshecho
del despotismo en nuestra playa triste (4).

---

que se propone fustigar a Quintana, escribe: «En mayo del 97, reinaba entre nuestros sabidillos mucha pasión al republicanismo; trataban entre dientes a todos los soberanos de tiranos; celebrábanse las victorias de los franceses como redentores de la libertad y se deseaba que arrollasen a todos los príncipes de Alemania, que no dejaban democratizar a todo el mundo; había un odio contra Inglaterra como la protectora de la esclavitud en Europa..., etc.»

En cuanto a Rafael Vélez, el célebre capuchino, que en premio a sus buenos servicios, llegará a arzobispo de Santiago, y cuyo nombre está ligado a una multitud de panfletos o de obras doctrinales subversivas, varias veces reeditadas por los cuidados del clero, escribirá en su *Preservativo contra la irreligión o los planes de la filosofía contra la religión y el estado...* una larga y curiosa crítica de la oda de Quintana (t. II, pp. 23-37, Cádiz, 1812). Vélez es también el autor de la *Apología del altar y del trono...* (Madrid, 1818. Hay otra edición de 1825). Los enemigos de R. Vélez son siempre los mismos: el clero liberal, Quintana, Argüelles, los liberales, la Constitución, los periódicos (*Semanario patriótico, Conciso, Triple Alianza*, etc.) y Gallardo (por su *Diccionario crítico-burlesco*). Toma la defensa de la Inquisición, de los obispos, del alto clero, de la monarquía de derecho divino, y de los intereses de las clases tradicionales privilegiadas. La única utilidad de este tipo de obras, de pura delación, es que en ellas encontramos muchas informaciones de todo género sobre los acontecimientos y personajes de la época.

(4) Estos versos le ocasionaron serios tropiezos a Quintana con la Inquisición después de la restauración de 1814. Se esforzó en explicar a sus jueces, poco inclinados a la indulgencia, que dichos versos aludían, no a la entrada de Carlos V en España, sino a la del despotismo.

Abortóle la mar más espantoso
que los monstruos que encierra en su hondo seno,
y él, respirando su infernal veneno,
entre ignorancia universal marchaba,
destruyendo sus pies cuanto corrieron.
¿De qué, pues, nos valieron
siete siglos de afán y nuestra sangre
a torrentes verter? Lanzado en vano
fue de Castilla el Arabe inclemente,
si otro opresor más pérfido y tirano
prepara el yugo a su infelice frente.

Ofendida, indignada
se alzó, se estremeció, y arrojó el grito
de venganza y de horror. «Vuela, hijo mío,
vuela, y ahuyenta la espantosa plaga
que me insulta y me amaga:
sé tú mi escudo, y en tu ardiente brío
su curso infausto asolador quebranta.»
Dijo: y cual rayo que volando asuela,
o como trueno que bramando espanta,
el héroe de Toledo recorría
un campo y otro campo; el pueblo todo,
conmovido a su voz, ardiendo en ira
y anhelando vencer, corre furioso
a la lucha fatal que se aprestaba.
Padilla le guiaba,
y de la Patria en su valiente mano
el estandarte espléndido ondeaba.

¡Oh, estrago! ¡Oh, frenesí! Dos veces fueron
las que el Genio feroz de la impía guerra
entre muerte y dolor mezcló las haces.
¡Haces que nunca combatir debieron!
Un hábito, una tierra
eran, y una su ley, unas sus aras,
uno su hablar. ¡Ah, bárbaros! ¿Y en vano
Naturaleza os diera
vínculos tantos? Suspended los hierros
que, sedientos de sangre, en vuestras manos
contemplo con horror: ¿no sois hermanos?
Todos a un tiempo, todos
revolved: al furor de vuestros brazos

caiga rota en pedazos
la soberbia del Déspota insolente
que a todos amenaza... ¿En los oídos
no os dan los alaridos,
las tristes quejas de la edad siguiente,
que a ominosa cadena
vuestra discordia pérfida condena?

De polvo en tanto la confusa nube,
nuncia ya del furor, turbando el día,
hasta el Olimpo sube;
y del bronce tronante al estallido
el viento sacudido
raudo dilata por Castilla toda
en ecos el horror; corre la sangre,
vuela la muerte... ¡Oh, Dios! ¿Por qué dispersas
las huestes vencedoras
se derraman así? Sólo en el llano,
de arena y sangre y de sudor cubierto,
miro al héroe que lucha, y lucha en vano,
y al fin cayó: su mísera caída
la libertad rendida
llevó tras sí. Cayó; cuando salieron
sus últimos suspiros,
al seno augusto de la Patria huyeron.

Tajo profundo, que en arenas de oro
la rubia espalda deslizando, llegas
el pie a besar de la imperial Toledo;
Toledo, que en desdoro
de su antigua altivez y su energía,
se encorva al yugo que esquivó algún día;
Toledo, oriente de Padilla... ¡Oh, río!
Tú le viste nacer, tú lamentaste
su destino infeliz, y en triste duelo
su fin infausto denunciaste al cielo.
Tú aquel solar bañabas,
do siempre incorruptibles se albergaron
la patria y el valor. Mis ojos vean
el suelo que él hollaba,
el espacio feliz do respiraba,
y en mi llanto y dolor bañados sean.

¡Y nada encuentro! ¡Y la venganza airada
nada indultó! Su bárbara violencia
la inocente morada
de la opresa virtud sufrir no pudo.
Derrocóla; en su vez, solo, afrentoso,
el padrón del oprobio allí se mira,
que a dolor congojoso
incita el pecho y a furor sañudo,
cuando contempla a la ignominia dado
tan santo sitio, y al silencio mudo.
¡Mudo silencio! No; que en él aún vive
su grande habitador: vedle cuán lleno
de generosa ira
clamando en torno de nosotros gira.

«Castellanos, alzaos; la inmensa huella
corrió de tres edades
por mi sangre infeliz; corrió, y aún ella
hierve reciente y a venganza os llama.
¿Queréis por dicha conllevar la pena
del siglo vil a quien mi muerte infama?
¿Seguir besando la fatal cadena?
¿Vuestro mal merecer? Volved los ojos,
volved atrás, y contempladme cuando
yo di a la tierra el admirable ejemplo
de la virtud con la opresión luchando.
Entonces los clamores
de la tremente Patria en vano oísteis,
negándoos a su voz, y fascinados
tras la execrable esclavitud corristeis,
forjando, ¡oh, indignación!, los torpes lazos
que oprobio han sido a tan robustos brazos.

»Y aquella fuerza indómita, impaciente,
en tan estrechos términos no pudo
contenerse, y rompió; como torrente
llevó tras sí la agitación, la guerra,
y fatigó con crímenes la tierra.
Indignamente hollada
gimió la dulce Italia, arder el Sena
en discordias se vio, la Africa esclava,
el Bátavo industrioso
al hierro dado y devorante fuego.

De vuestro orgullo, en su insolencia ciego,
¿quién salvarse logró? Ni al Indio pudo
guardar un Ponto inmenso, borrascoso,
de sus sencillos lares
inútil valladar; de horror cubierto
vuestro Genio feroz, hiende los mares,
y es la inocente América un desierto.

»Tantos estragos; sin respeto holladas
justicia y fe; la detestable ofensa
hecha a la Patria de amarrarla al yugo
y ahogar su libertad, a un tiempo alzaron
su poderoso grito,
y a la atónita Europa despertaron.
Ella sobre vosotros indignada
cayó y os oprimió. ¿Qué se hizo entonces
vuestra vana altivez? La tiranía
que lenta os consumía
tendió su cetro bárbaro, y llamando
a la exicial superstición, con ella
fue abierto el hondo precipio en donde
se hundió al fin vuestro nombre,
viles esclavos, que en tan torpe olvido
sois la risa y baldón del universo,
cuyo espanto y escándalo habéis sido.

»Estremeceos, a la ignominia hoy dados,
mañana al polvo. ¿No miráis cuál brama,
con cuál furor se inflama
la tierra en torno a sacudir del cuello
la servidumbre? ¿Y se verá que, hundidos
en ocio infame y miserable sueño,
al generoso empeño
los últimos voléis? No; que en violenta
rabia inflamado y devorante saña,
ruja el león de España,
y corra en sangre a sepultar su afrenta.
La espada centelleante arda en su mano,
y al verle sobre el trono
pálido tiemble el opresor tirano.
Virtud, Patria, Valor: tal fue el sendero
que yo os abrí primero.

Vedle, holladle, volad; mi nombre os guíe,
mi nombre vengador, a la pelea:
Padilla el grito de las huestes sea,
Padilla aclame la feliz victoria,
Padilla os dé la libertad, la gloria» (5).

---

(5) Este final es profético. Padilla, héroe «revolucionario», sirve de ejemplo perdurable como también sirve el rey Pelayo en la tragedia *Pelayo* (1805) del mismo autor. La última escena del acto V invita al pueblo a proseguir la lucha después de la muerte del tirano. En una enérgica tirada, el autor pone en guardia al «pueblo insolente», que intentase esclavizar al pueblo español: si este pueblo fuera agredido, defendería su «independencia» contra todos y por encima de todo.

GASPAR MELCHOR DE JOVELLANOS

Representación a Carlos IV e incidentes sobre la obra «El Contrato Social»

1800 (1)

Gijón, 26 de marzo de 1800

Señor: Un extranjero que arribó a este puerto la semana última aseguró en él que acababa de imprimirse en Francia una traducción castellana de la obra intitulada *El Contrato Social*, y que en ella se habían insertado algunas notas que deben ser más peligrosas y subversivas que la misma obra, pues que censuraban el gobierno de España y la conducta de los ministros de V. M. Indicó también que a estas invectivas se mezclaban algunas expresiones de elogio alusivas al actual ministro interino de Estado y a mí; las cuales en tal obra y en tal materia deben ser más injuriosas aún que las mismas censuras,

(1) G. M. de Jovellanos (1744-1811), jurista, hombre de Estado y poeta, dedicó mucha atención a los problemas económicos, pedagógicos y políticos de su tiempo. Espíritu conservador y respetuoso de las tradiciones, pero fuertemente influido por la filosofía del siglo XVIII, se declara partidario de la felicidad de la nación, y del desarrollo de diversas actividades. Esto le lleva a elaborar una teoría, avanzada para su tiempo, según la cual todo debe quedar subordinado al interés del Estado. Para convencerse de ello, basta con leer algunos de sus *Informes* (el de la ley agraria, ya citado, y otros sobre pedagogía y economía), y sus discursos destinados a las «Sociedades Económicas de Amigos del País».

En la carta que sigue, Jovellanos se propone mostrar al rey, en 1800, hasta dónde pueden llegar los estragos causados por el *Contrat Social* de Jean-Jacques Rousseau. ¿Acaso teme que éste provoque una revolución social en España? Sin duda. De la misma forma hace coro con todos los futuros liberales de 1808 para condenar las obras «subversivas» que puedan arrastrar a España por la vía de la violencia, de la sangre y de la «anarquía».

y por lo mismo sólo pudieron estamparse con el artificio y depravado designio de denigrar nuestra reputación. Por tanto, aunque no haya visto este libro ni podido adquirir de él otra noticia, me apresuro, lleno de inquietud y amargura, a elevarla a la suprema atención de V. M.: 1.º A fin de que si fuese de su real agrado mande dar las más prontas y eficaces providencias para estorbar la entrada de libro tan pernicioso en sus dominios. 2.º Para que mande inquirir su autor e imponerle el condigno castigo. 3.º Para prevenir su real ánimo contra cualquiera mala impresión que pueda dirigir la calumnia contra un ministro a quien V. M. honra actualmente con su confianza, y contra otro cuya conducta irreprensible y laboriosa empleada por el largo espacio de treinta y tres años en el real servicio y el bien público le ha hecho también acreedor al buen concepto de V. M. y a su alta protección.

ANTONIO ALCALA GALIANO

Memorias

1886 (1)

Mi compañero de viaje, Quilliet, había traído cartas de recomendación para don Manuel José Quintana, entonces en el cenit de su gloria, y de cuyas poesías y juicios críticos era yo grande apasionado (2). Rogué, pues, a Quilliet que me presentase al famoso poeta, y él, deseoso

(1) Estas *Memorias,* lo mismo que los *Recuerdos de un anciano* (1878), fueron publicados por el hijo de Alcalá Galiano. A este efecto, reagrupó los artículos aparecidos en la revista *La América.* Cuando aparecieron los *Recuerdos...,* el hijo del célebre orador escribía: «Más tarde, cuando las circunstancias lo permitan, se publicará la obra póstuma del autor, que es como la fuente y el origen de donde proceden estos episodios; sus memorias inéditas, en que se presentará al público el personaje en la vida política y privada, desnudo de todo atavío, tal como fue en sus propósitos y en sus hechos, y derramando cual brillante antorcha la más viva luz sobre los sucesos de los dos primeros períodos de la revolución española.» El breve pasaje (cap. VII) que aquí presentamos es característico del tono del autor: acumulación de alusiones a los acontecimientos y a los personajes, y recreación de una época en lo que tiene de más característico y, a la vez, de más oculto.

(2) En efecto, después de Trafalgar, Manuel José Quintana ocupaba un puesto importante en la vida cultural y política de Madrid. Había publicado varios libros de poesías, entre los que destaca *Poesías,* impreso en la Imprenta Real en 1802. Era conocido además por traducciones, estudios de todas clases, y por la publicación del periódico *Variedades de Ciencias, Literatura y Artes,* consagrado a la divulgación de la actualidad científica, y también por su activa participación en la colección poética llamada de «Don Ramón Fernández» (estudios serios sobre la poesía de los tiempos antiguos y del Siglo de Oro español). Alcalá Galiano le rinde el homenaje que rendían todos los jóvenes españoles cultivados y ávidos de saber a un espíritu ya maduro. Añadamos, para terminar, que la *tertulia* de Quintana ha jugado un papel decisivo en la génesis de la revolución liberal durante los años que precedieron a la Guerra de la Independencia.

de complacerme, lo hizo con gusto. Muchas personas de distinción, como autores y eruditos, asistían allí por las noches, hora en que se celebraba la reunión de hombres solos, no concurriendo a ellas *(sic)* las señoras de la casa. Allí eran casi perennes Blanco (después llamado Blanco-White), magistral de la capilla real de San Fernando en Sevilla, mediano y artificial poeta, grande escritor en prosa, de instrucción vasta y extensa, de carácter singular y extremado, acreditado después en las singulares variaciones de su conducta (3); el penitenciario de Córdoba, don Manuel María Arjona, poeta asimismo de la escuela sevillana, de robusta expresión, y en quien igualmente obraban más los preceptos que la inspiración natural (4); don Juan Nicasio Gallego, entonces capellán de los reales pajes, conocido sólo por una oda a la reconquista de Buenos Aires, donde ya aparecían el gallardo concepto poético y la expresión lozana en que después ha sobresalido (5); don J. Aleas *(sic)*, traductor atildado del *Pablo y Virginia,* de Bernardino de Saint-Pierre (6); don Anto-

---

(3) Blanco-White (1775-1841) nació en Sevilla y murió en Inglaterra, donde pasó la mayor parte de su vida. Su nombre está unido sobre todo al periódico *El Español,* que publicó para sostener los derechos de la independencia americana después de las primeras sublevaciones de Caracas y Buenos Aires. En el momento en que Alcalá Galiano escribe, Blanco-White sólo es conocido por algunos poemas de poca importancia, torpes y apagados casi todos. Pero no es como poeta por lo que hoy despierta nuestro interés: apreciamos en él al pensador y al teórico que ha sabido reflexionar sobre el movimiento ineluctable de la historia y que, por eso mismo, queda al margen del clan liberal.

(4) Arjona (1771-1820) es un poeta más interesante, de gusto clásico, correcto e incluso erudito. Su nombre está ligado a la escuela sevillana. Fue también un buen traductor de Horacio. Ha dejado poesías, en conjunto, bastante buenas, entre las que sobresale *Las ruinas de Roma.* Arjona puede parecernos hoy un poeta anacrónico para su tiempo, tiempo que ha ignorado voluntariamente.

(5) Gallego es un buen amigo de Quintana. Poeta, y hombre político militante en el partido liberal, ha dejado un gran recuerdo en todos los organismos de los que formó parte: desde las Cortes hasta la Real Academia Española, pasando por un sinnúmero de academias literarias y *tertulias* culturales o políticas. La oda a la que hace alusión Alcalá Galiano es, en efecto, un modelo del género, desde el punto de vista poético, ya que no desde el de la apreciación política.

(6) Se trata de Josef Miguel Alea, muy unido a Quintana, del que defendió encarnizadamente su tragedia *Pelayo* contra algunos detractores, en particular contra el abate Cladera. En el *Bosquejillo de su vida,* Mor de Fuentes no da sabrosos detalles sobre este asunto.

nio Capmany, laborioso erudito y purista, a quien rivalidades de fama, a la par con diferencias de gusto literario, convirtieron en encarnizado enemigo de la persona a cuya casa iba con apariencia de amistad (7); don Manuel Viudo; don Jerónimo de la Escosura (8), y algunas veces don Juan Bautista Arriaza, separado por toda clase de pensamientos y afectos de los demás concurrentes (9), con otros cuyos nombres y méritos no ocurren en este instante a mi memoria. No me acuerdo de haber visto allí a Cienfuegos, a quien no conocí personalmente, pero que literaria, filosófica y políticamente considerado era de los primeros capitanes de la hueste cuyos reales estaban sentados en aquella tertulia (10). Saben muchos

---

Alea colaboró en estos años en el periódico *Variedades,* en compañía de José Rebollo, Eugenio de la Peña, Juan Blasco Negrillo, José Folch y Juan Alvarez Guerra.

(7) Capmany (1742-1813) frecuentaba en esta época la *tertulia* de Quintana. Es un historiador y un erudito. Su sentido político, extraordinariamente abierto, hace de él uno de los espíritus más ilustrados de su tiempo. Pero su temperamento desapacible y rencoroso, atrabiliario se decía entonces, lo hace a menudo odioso. Se hizo tristemente famoso por su ramplona polémica contra Quintana en 1811. Junto a esto nos ha dejado un *Teatro histórico-crítico de la elocuencia castellana,* unos *Discursos analíticos* y varios *Compendios, Epítomes* y otros análisis, dignos de interés para el historiador actual.

(8) J. de la Escosura (1772-1855) fue militar de carrera, hombre de letras y matemático. Espíritu distinguido y agradable, se interesó también por la historia, siendo miembro de las dos Academias (la de la Lengua y la de la Historia). La Junta Central le encomendó diferentes misiones durante la Guerra de la Independencia. En el «affaire» de 1811 (escándalo político provocado por Capmany) tomó la defensa de Quintana, lo mismo que Luzuriaga, Martínez de la Rosa, García Malo y Alvarez Guerra, por citar los más importantes.

(9) Arriaza (1770-1837) fue siempre uno de los pilares de la monarquía arbitraria y de derecho divino. En esta época frecuentaba, sólo episódicamente, la *tertulia* de los futuros liberales, y sus polémicas con Quintana son bien conocidas. Su poco talento poético, del que se burló entre otros Galdós, es notorio. En cada acto oficial, nos dice el gran novelista, «Arriaza estampaba sus pobres versos de circunstancias» (sobra todo comentario). Basta con leer sus poesías para descubrir una vena que se emparenta lejanamente con la de Béranger. Esto no le impidió, llegado el caso, mostrar algún talento en poemas como *La noria triste, El Dos de Mayo en 1808, Terpsícore o las gracias del baile,* en algunas de sus *Anacreónticas* y, sobre todo, en *El ciprés o el llanto de una madre* y en *La cavilación solitaria.*

(10) Nicasio Alvarez de Cienfuegos (1764-1809), del que ya hemos hablado, amigo y condiscípulo de Juan Meléndez Valdés, y maestro de las jóvenes generaciones, estuvo muy unido a Quintana. Era conocido, no sólo por sus poesías —románticas «avant la lettre»—, sino

que nuestros autores estaban por aquellos días divididos en dos bandos, que se profesaban y mostraban uno a otro enemistad ardorosa y enconada. El uno, capitaneado por Moratín, Estala y Melón, a los cuales daban sus contrarios por apodo el nombre de *El Triumvirato*, contaba con el patrocinio del Príncipe de la Paz (11), y siendo Melón juez de Imprentas, ejercía con sus adversarios la tiranía más dura (12). En el otro, en cuyas

---

también por sus tragedias, donde las nuevas tendencias liquidaban los imperativos y las viejas normas neoclásicas: *Zoraida, La Condesa de Castilla* y, aunque inferiores, *Idomeneo* y *Pítaco*. Quintana le dedicó el volumen de sus *Poesías* de 1813, y consagró un largo Prólogo de alabanzas a su amigo y maestro. Entre otras cosas decía las siguientes: «De ti aprendí a no hacer de la literatura un instrumento de opresión y de servidumbre; a no degradar jamás ni con la adulación ni con la sátira la noble profesión de escribir...» Alcalá Galiano insiste mucho sobre la personalidad y la actuación de Cienfuegos, porque éste es uno de los precursores del futuro «romanticismo» español, y uno de los promotores del nuevo espíritu que soplará sobre las letras y la política.

(11) Las huellas de esta encarnizada querella entre Quintana y Moratín, y entre sus partidarios correspondientes, son innumerables. Era sobradamente conocido que Moratín gozaba del apoyo oficial de Godoy, y que, por el contrario, Quintana y sus amigos luchaban para derrocar el régimen arbitrario del Príncipe de la Paz y de la familia real. Moratín, temperamento irascible y celoso, empleó todos los recursos de su talento —que eran numerosos— para intentar desacreditar a su rival, llegando a anotar las palabras y expresiones «impropias» de las *Vidas de españoles célebres* (1807). Quintana, de temperamento igualmente orgulloso, pero más noble, sólo alude en términos velados a esta querella permanente en su *Memoria sobre el proceso y prisión...*, de 1814, o en sus cartas personales. Supo admitir las cualidades —indudables— del autor de *El sí de las niñas*, pero sin hacer de él el genio que amigos excesivamente benévolos querían hacer.

Pedro Estala, *afrancesado* también en su momento, era cura, como Melón, lo que no es motivo suficiente para justificar su escaso talento (1740-1820). Fue, sin embargo, un erudito valioso y tuvo, al menos, el mérito de crear una de las primeras grandes colecciones bibliográficas, la famosa serie «de Ramón Fernández» (cf. supra), que se proponía dar a conocer mejor a Góngora, a la poesía sevillana del siglo XVI, y los *cancioneros* y *romanceros*.

(12) Juan Antonio Melón, responsable del «Juzgado de Imprentas», estaba encargado de examinar las obras de teatro y censurarlas si era preciso, es decir, de prohibir su representación. Este tribunal de censura era, en efecto, temible, y Melón ejerció su cargo lleno de pasión y de prejuicios. Bien es verdad que sus amigos Tineo, Gómez Hermosilla y Capmany no lo hicieron mejor. Su preocupación esencial era la de incensar al maestro Moratín, condenar al silencio a sus rivales y glorificar al Príncipe de la Paz.

últimas filas podía mirárseme como entrado, llamándome a ellas todas mis inclinaciones, predominaban las doctrinas reformadoras y filosóficas, debiéndosele considerar como constituido en vehemente oposición al Gobierno, aunque la oposición de entonces sólo se conocía en desahogos privados, en expresivo silencio, sobre todo en punto a abstenerse del elogio o, cuando más, en tímidas insinuaciones. Era, pues, de extrañar que Arriaza, no sólo elogiador constante del privado (13), sino unido en relaciones estrechas con los suyos y enemigo de innovaciones, así como imparcial de la monarquía antigua, anduviese entre gentes de que debía alejarle, sino nuestra aversión, nuestra desconfianza.

Recibióseme bien entre aquella gente, dando golpe verme allí con tan poca edad, y representando yo menos aún que la que tenía. Mi presentador Quilliet pareció hombre muy extraño, y por eso mismo fue más notado. El amo de la casa, el señor Quintana, comenzó a mirarme con afecto por largos años continuado, si bien trocado en alejamiento y hasta enemiga: ¡tan fatal es el afecto que causan las discordias civiles! (14). Y ya que a esto aludo, añadiré una desabrida verdad: y es que los odios políticos, así como los religiosos, son más vivos en aquellos en quienes hay *fe,* siendo la tolerancia hija, cuando no de la duda, a lo menos de la tibieza. Razón es la que acabo de expresar no bastante a disculpar la ferocidad de costumbres, ni a ella encaminada, pues, al contrario, sirve para probar que en materias políticas aun la *fe,* por tantos ensalzada a costa del escepticismo, es punto en que cabe y aun hay exceso, soliendo ser productora de daños cuando tiene la calidad de firme y profunda.

---

(13) Godoy.

(14) Alcalá Galiano fue uno de los «corifeos» —como entonces se decía— de los «exaltados». *La Fontana de Oro,* de Pérez Galdós, nos ha dejado el recuerdo. De allí sus riñas con un liberal bien visto como Quintana. Pero el autor de las *Memorias* evolucionó con el tiempo, y terminó su vida como uno de los partidarios más ardientes del sistema reaccionario. Durante cierto tiempo fue un notorio francmasón, y toda su carrera es la de un hombre versátil y oportunista. Nos ofrece el modelo de una trayectoria política que hubiera podido ser brillante, pero que, desgraciadamente, estuvo supeditada a los acontecimientos, y a un carácter de una inestabilidad patológica. Incluso su teoría de la «fe», que desarrolla a continuación, es imposible que convenza a un observador razonable.

MANUEL JOSE QUINTANA

Al armamento de las Provincias españolas
contra los Franceses

Julio de 1808 (1)

«Eterna ley del mundo aquesta sea:
en pueblos o cobardes o estragados,
que ruede a su placer la tiranía;
mas si su atroz porfía
osa insultar a pechos generosos
donde esfuerzo y virtud tienen asiento,
estréllese al instante,
y de su ruina brote el escarmiento» (2).
Dijo así Dios: con letras de diamante
su dedo augusto lo escribió en el cielo,
y en torrentes de sangre a la venganza
mandó después que lo anunciase al suelo.

Hoy lo vuelve a anunciar. En justa pena
de tu vicioso y mísero abandono
en ti su horrible trono
sentó el Numen del mal, Francia culpable;
y sacudiendo el cetro abominable,
cuanto sus ojos ven, tanto aniquila.

---

(1) Esta oda que tanto éxito tuvo, y despertó tanto entusiasmo en la opinión pública, fue publicada en el *folleto* anónimo *España libre,* en la primavera de 1808, y luego en las *Poesías patrióticas* ya mencionadas, al igual que otra oda, *A España después de la Revolución de Marzo.*

(2) Este tipo de declaración retumbante no es la única. Encontramos otras en la tragedia *Pelayo,* e incluso en otra anterior, *El Duque de Viseo* (1801):

«Y que el débil poder de mi enemigo,
si aquí intenta insultarme, aquí se estrelle» (II, 8).

Es una condenación de cualquier tipo de tiranía, sea interior o exterior.

El genio atroz del insensato Atila,
la furia que el mortífero estandarte
llevaba de Timur, mandan al lado
de tu feroz sultán; ellos le inspiran,
y ya en su orgullo a esclavizar se atreve
cuanto hay del mar de Italia a los desiertos,
faltos siempre de vida y siempre yertos,
do reina el polo engendrador de nieve.

Llega, España, tu vez; al cautiverio
con nefario artificio
tus príncipes arrastra, y en su mano
las riendas de tu imperio
logró tener, y se ostentó tirano.
Ya manda, ya devasta; sus soldados
obedeciendo en torpe vasallaje
al planeta de muerte que los guía,
trocaron en horror el hospedaje
y la amistad en servidumbre impía.
¿Adónde, pues, huyeron,
pregunta el orbe estremecido, adónde
la santa paz, la noble confianza,
la no violada fe? Vanas deidades,
que sólo ya los débiles imploran.
Europa sabe, de escarmientos llena,
que la fuerza es la ley, el Dios que adoran
esos atroces vándalos del Sena (3).

Pues bien, la fuerza mande; elle decida;
nadie incline a esta gente fementida
por temor pusilánime la frente,
que nunca el alevoso fue valiente.
Alto y feroz rugido
la sed de guerra y la sangrienta saña
anuncia del león; con bronco acento,
ensordeciendo el eco en la montaña,
a devorar su presa

---

(3) La fórmula hizo fortuna en la época para designar a los franceses. Se la encuentra idéntica en varios manifiestos de la Junta Central de 1808 y 1809, y sobre todo en *A la Nación española* (Aranjuez, 26 de octubre de 1808) y en *A la Europa* (noviembre de 1808), ambas debidas a la pluma de Quintana, secretario entonces del gobierno.

las águilas se arrojan por el viento.
Sólo la sierpe vil, la sierpe ingrata,
al descuidado seno que la abriga
callada llega y ponzoñosa mata.
Las víboras de Alcides
son las que asaltan la adorada cuna
de tu felicidad. Despierta, España,
despierta, ¡ay, Dios! Y tus robustos brazos,
haciéndolas pedazos
y esparciendo sus miembros por la tierra,
ostenten el esfuerzo incontrastable
que en tu naciente libertad se encierra.

Ya se acerca zumbando
el eco grande del clamor guerrero,
hijo de indignación y de osadía.
Asturias fue quien le arrojó primero:
¡honor al pueblo astur! Allí debía
primero resonar. Con igual furia
se alza, y se extiende adonde en fértil riego
del Ebro caudaloso y dulce Turia
las claras ondas abundancia brotan;
y como en selvas estallante fuego
cuando las alas de Aquilón le azotan,
que de pronto a calmar ni vuelto en lluvia
Júpiter basta, ni los anchos ríos
que oponen su creciente a sus furores,
los ecos libradores
vuelan, cruzan, encienden
los campos olivíferos del Betis,
y de la playa Cántabra hasta Cádiz
el seno azul de la agitada Tetis.

Alzase España, en fin: con faz airada
hace a Marte señal, y el Dios horrendo
despeña en ella su crujiente carro;
al espantoso estruendo,
al revolver de su terrible espada,
lejos de estremecerse, arde y se agita,
y vuela en pos el Español bizarro.
«¡Fuera tiranos!», grita
la muchedumbre inmensa. ¡Oh, voz sublime,
eco de vida, manantial de gloria!

Esos ministros de ambición ajena
no te escucharon, no, cuando triunfaban
tan fácilmente en Austerlitz y en Jena.
Aquí te oirán y alcanzarás victoria;
aquí te oirán, saliendo
de pechos esforzados, varoniles;
y la distancia medirán, gimiendo,
que de hombres hay a mercenarios viles.

Fuego noble y sublime, ¿a quién no alcanzas?
Lágrimas de dolor vierte el anciano,
porque su débil mano
el acero a blandir ya no es bastante;
lágrimas vierte el ternezuelo infante,
y vosotras también, madres, esposas,
tiernas amantes; ¿qué furor os lleva
en medio de esas huestes sanguinosas? (4).
Otra lucha, otro afán, otros enojos
guardó el destino a vuestros miembros bellos,
deben arder en vuestros negros ojos.
«¿Queréis, responden, darnos por despojos
a esos verdugos? No: con pecho fuerte
lidiando a vuestro lado,
también sabremos arrostrar la muerte.
Nosotras vuestra sangre atajaremos;
nosotras dulce galardón seremos,
cuando, de lauro y de floridos lazos
la vencedora frente coronada,
reposo halléis en nuestros tiernos brazos.»

¿Y tú callas, Madrid? Tú, la señora
de cien provincias, que cual ley suprema
adoraban tu voz, ¿callas ahora?
¿Adónde están el cetro, la diadema,
la agusta majestad que te adornaba?
«No hay majestad para quien vive esclava;

---

(4) En el *Semanario patriótico,* gran periódico político de la Guerra de la Independencia, que inaugura un modo de expresión que hará fortuna en el siglo XIX al servicio de una ideología de clase, Quintana explicará con todo detalle lo que entiende por «patria» y «patriotismo» (núm. 3, del 15 de septiembre de 1808), e ilustrará su teoría con frases que son a la poesía patriótica lo que las estampas de Goya al arte militante.

ya la espada homicida
en mí sus filos ensayó primero.
Allí cayó mi juventud sin vida:
yo, atada al yugo bárbaro de acero,
exánime suspiro,
y aire de muerte y de opresión respiro.»

¡Ah! Respira más bien aura de gloria,
¡oh, corona de Iberia! Alza la frente,
tiende la vista; en iris de bonanza
se torna al fin la tempestad sombría.
¿No oyes por el oriente y mediodía
de guerra y de matanza
resonar el clamor? Arde la lucha,
retumba el bronce, los valientes caen,
y el campo, de humor rojo hecho ya un lago,
descubre al mundo el espantoso estrago.
Así sus llanos fértiles Valencia
ostenta, así Bailén, así Moncayo;
y es fama que las víctimas de mayo
lívidas por el aire aparecían;
que a su alarido horrendo
las francesas falanges se aterraban;
y ellas, su sangre con placer bebiendo,
el ansia de venganza al fin saciaban.

Genios que acompañáis a la victoria,
volad y apercibid en vuestras manos
lauros de Salamina y de Platea,
que crecen cuando lloran los tiranos.
De ellos ceñido el vencedor se vea
al acercarse al capitolio ibero:
ya llega, ¿no le véis? Astro parece
en su carro triunfal, mucho más claro
que tras tormenta el sol. Barred las calles
de ese terror que las yermaba un día;
que el júbilo las pueble y la alegría.
Los altos coronad, henchid los valles,
y en vuestra boca el apacible acento,
y en vuestras manos tremolando el lino,
«¡Salve, exclamad, libertador divino,
salve!», y que en ecos mil lo diga el viento,
y suba resonando al firmamento.

Suba, y España mande a sus leones
volar rugiendo al alto Pirineo,
y allí alzar el espléndido trofeo,
que diga: *Libertad a las naciones.*
Tal es, ¡oh pueblo grande!, ¡oh pueblo fuerte!,
el premio que la suerte
a tu valor magnánimo destina.
Así resiste la robusta encina
al temporal; arrójanse silbando
los fieros huracanes,
en su espantoso vértigo llevando
desolación y ruina; ella resiste.
Crece el furor, redoblan su pujanza,
braman, y tiembla en rededor la esfera:
¿qué importa que a la verde cabellera
este ramo y aquél falte, arrancado
del ímpetu del viento, y luego muera?
Ella resiste; la soberbia cima
más hermosa al Olimpo al fin levanta,
y entretanto, meciéndose en sus hojas,
céfiro alegre la victoria canta.

DECRETO SOBRE LAS REPRESALIAS DURANTE LA GUERRA DE LA INDEPENDENCIA

7 de febrero de 1809 (1)

Considerando S. M. que los Franceses no guardan principio alguno de derecho de gentes en la guerra injusta y bárbara que hacen a España; que faltan descaradamente a las convenciones más solemnes, como se ha verificado con la capitulación de Madrid, donde a pesar de los artículos estipulados en ella encarcelan, persiguen y expatrían a ciudadanos pacíficos y respetables magistrados, imponiendo también el más infame suplicio a otras personas infelices por la más leve sospecha o el pretexto más frívolo: viendo que siguen en todas partes atropellando el sagrado de los templos, los fueros del honor doméstico y los derechos de la humanidad; que cada día se oyen cosas horribles que estremecen a la naturaleza, como la muerte de una religiosa que se arrojó a un pozo por huir de la brutalidad francesa, el desastre de una madre a quien dando de mamar a su hijo cortaron estos monstruos los pechos y dividieron después al niño a sablazos, y otros muchos casos de igual atrocidad, dolorosos de escribirse, espantosos de leerse y abominables de sufrirse; atendiendo en

(1) Se trata de una de las innumerables proclamas publicadas por la Junta Central a fin de alertar a la opinión pública y animar a los españoles a resistir al invasor. Está firmada por el marqués de Astorga, y posiblemente redactada por Quintana. En este texto se ve hasta qué punto la literatura, el grabado y la pintura, denuncian las atrocidades de la guerra. Más de un ejemplo de los que el autor cita evoca a tal o a cual lámina de los *Desastres de la Guerra* de Goya.

fin S. M. a que observar todavía las leyes de la equidad natural con quien no observa ninguna, más que moderación o justicia sería culpable indiferencia y vileza miserable; ha resuelto contener y castigar estos horrores, y haciendo a la Europa toda testigo de la terrible necesidad que le fuerza a tomar esta medida, volver a estos bandidos sanguinarios violencia por violencia y estrago por estrago.

A este fin decreta y manda:

1.º Que no se dé cuartel a ningún soldado, oficial o general francés que sea hecho prisionero en pueblo o paraje donde se hayan cometido por los enemigos atentados contrarios a las leyes de la guerra; pasándolos al instante por las armas para escarmiento de sus semejantes y satisfacción de la humanidad indignamente agraviada.

2.º Que el presente decreto sea impreso, publicado y distribuido por los ejércitos españoles a fin de que tenga su debida ejecución.

DECLARACIONES DEL GOBIERNO ESPAÑOL DESPUES DE LA CAPITULACION DE ZARAGOZA

9 de marzo de 1809 (1)

Zaragoza rendida.

Españoles: La única gracia que pidió Zaragoza a nuestro infeliz monarca cuando en Vitoria la excitó a que usase de su beneficencia real fue la de ser la primera ciudad que se sacrificase en su defensa. No necesitáis vosotros, no necesita la Europa que se recuerde este rasgo generoso para añadir motivos de interés y admiración en favor de aquel insigne pueblo. Pero al ver consumado el grande sacrificio en las aras de la lealtad y de la patria, el espíritu se engrandece contemplando la terrible y admirable carrera que ya desde entonces se abría Zaragoza a la inmortalidad y a la gloria.

Eran pasados más de dos meses de un sitio el más encarnizado y cruel; casi todos los edificios estaban destruidos y los demás minados; apurados los víveres, las municiones consumidas; más de dieciséis mil enfermos luchaban con una epidemia mortal y aguda que arrebataba al sepulcro centenares de ellos al día; la guarnición se veía reducida a menos de una sexta parte; el general, moribundo del contagio; muerto de él O'Neylle, su segundo; Saint-Marc, en quien a falta de los dos había recaído el mando, ya también doliente y postrado por la fiebre; tanto era necesario, Españoles, para que Zaragoza

(1) Se trata de otro texto que emana de la Junta Central y del mismo redactor. Fue publicado en el *Suplemento* de la *Gaceta del Gobierno*, del 10 de marzo. El decreto, que aquí no publicamos, cubre de alabanzas y honores a la capital de Aragón y a sus gloriosos defensores.

cediese al rigor del destino y se dejase ocupar del enemigo. Verificóse la rendición el día 20 del pasado a las condiciones mismas con que han entrado los Franceses en otros pueblos, bien que cumplidas como lo acredita la experiencia. Así han podido ocupar aquel glorioso recinto, escombrado todo de casas y templos deshechos, y poblado solamente de muertos y moribundos; donde cada calle, cada ruina, cada pared, cada piedra está diciendo mudamente a los que la contemplan: *Id, y decid a mi Rey que Zaragoza fiel a su palabra se ha sacrificado gustosa por mantenerse leal.*

Una serie de acontecimientos tan tristes como notorios ha frustrado todos los esfuerzos que se han hecho para socorrerla; pero la imaginación de todos los buenos, fijada siempre en su suerte, acompañaba a sus defensores en los peligros, se agitaba con ellos en los combates, los compadecía en privaciones y fatigas y los seguía en todas las terribles vicisitudes de la fortuna; y cuando por fin les han faltado fuerzas para seguir una resistencia que ellos han prolongado más allá de lo creíble, la nueva de su desastre ha entristecido el corazón de tal modo que en el primer momento del dolor se ha creído ver apagada de una vez la antorcha de la libertad y derribada la columna de la independencia.

Mas todavía, Españoles, está Zaragoza en pie, y vive para la imitación y el ejemplo; vive todavía para el espíritu público que en tan heroicos esfuerzos estará siempre bebiendo lecciones de valor y de constancia. Porque, ¿cuál es el Español, que preciándose de tal, quisiera ser menos que los valientes Zaragozanos, y no sellar la libertad proclamada de su patria y la fe prometida a su rey a costa de los mismos riesgos y de las mismas fatigas? Atérrense de ellos en buen hora los viles egoístas o los hombres sin valor; mas no se aterrarán los otros pueblos aragoneses que están prontos a imitar y a conquistar su capital; no los firmes y leales patriotas que ven en aquel pueblo sublime un modelo que seguir, una venganza que tomar, el único camino de vencer. Cuarenta mil Franceses que han perecido delante de la frágil tapia que defendía a Zaragoza hacen llorar a la Francia el estéril y efímero triunfo que acaba de conseguir y manifiestan a España que tres pueblos de igual tesón y resistencia salvarán la patria y desconcertarán a los tiranos. Nace el valor del valor, y cuando los infelices que allí han sufrido y las víctimas que allí han muerto oigan que sus conciudadanos siguiéndolos en el sendero de la gloria les han aventajado en la fortuna, entonces bendecirán mil veces su suerte, aunque rigurosa, y contemplarán gozosos nuestros triunfos.

La Europa, considerando todas las circunstancias de este acontecimiento singular, midiendo los medios de defensa con los de agresión y comparando la resistencia que ha hecho Zaragoza a los devastadores del mundo con la que les hicieron hasta aquí las plazas del primer orden, decidirá a quién corresponde la palma del valor y si son los vencidos los que la han arrancado a los vencedores. Andará el tiempo y vendrán los días en que, sosegada la agitación funesta con que ahora el Genio de la iniquidad está atormentando la tierra, los amigos de la virtud y de la lealtad vengan a las orillas del Ebro a visitar estas ruinas majestuosas y, contemplándolas con admiración y con envidia: «Aquí fue, dirán, aquel pueblo que en los siglos modernos realizó o más bien superó los prodigios antiguos de consagración y constancia apenas creídos en la historia; sin tener un regimiento, sin más defensa que una débil pared, sin otros recursos que su esfuerzo, osó el primero provocar las iras del tirano y por dos veces contuvo el ímpetu de sus legiones vencedoras. La rendición de esta plaza abierta y sin defensa costó a la Francia más sangre, más lágrimas y más muertes que la conquista de reinos enteros. No fue el valor francés quien la rindió. Un contagio mortífero y general postró las fuerzas de sus defensores, y los enemigos al entrar en ella triunfaron de unos pocos enfermos moribundos, mas no conquistaron ciudadanos, ni vencieron a guerreros.»

IGNACIO GARCIA MALO

Memoria sobre las críticas circunstancias en que se halla la Patria y el Gobierno y medidas de precaución que ellas mismas dictan

4 de diciembre de 1809 (1)

1.º *Defensa general* (2)

Medios.

No empeñarse desde aquí adelante en batallas campales, sino en combates de posición y parciales.

Fortificar todos los puntos y pueblos susceptibles de defensa, abasteciéndolos de comestibles para algunos meses.

---

(1) Se trata de una época en que España se encuentra, en efecto, en una situación crítica. Derrotada militarmente, mal organizada políticamente, poco sostenida por sus aliados e incierta de la ayuda y fidelidad del continente americano, llama en su ayuda a todas las buenas voluntades. En esta situación García Malo, miembro de la Secretaría de la Junta Central, transmite al Gobierno sus reflexiones: «Son innumerables —dice a modo de preámbulo— los males que rápida y sucesivamente se han agolpado sobre nuestra desgraciada patria. Esta se halla en el mayor peligro. No debemos hacernos ilusión a nosotros mismos, sino extender la vista y encontraremos más riesgos que probabilidad para escapar de la tormenta. En tal estado, todo ciudadano debe manifestar al Gobierno sus temores y sus esperanzas para que se adopten las medidas de precaución que convienen a nuestro estado actual, sin perder de vista el fin sagrado de nuestra heroica revolución.» Su larga *Memoria* (que no reproducimos) va seguida de un resumen de sus puntos esenciales, según el propio autor. Este es el texto que ofrecemos para su lectura y análisis.

(2) La lección de año y medio de guerra comienza a dar sus frutos. García Malo preconiza aquí la guerra de guerrilla, que será adoptada, relativamente tarde, durante la lucha antinapoleónica.

Cortar y destruir algunas leguas de todos los caminos y parajes por donde el enemigo pueda dirigirse a ellos con artillería y penetrar en las Provincias que están libres de su dominación.

Destruir igualmente todas las avenidas por donde a costa de poco trabajo pudiera abrir camino, ya fortificando montañas y sierras, o ya otros puntos que se consideren defendibles.

Establecer además partidas que bajo buena dirección se ocupen sólo en dificultar al enemigo las subsistencias, interceptar sus convoyes, correspondencias, etc.

Extraer de las Provincias ocupadas o próximas a ser invadidas todos los víveres, ganados, etc., que no sean absolutamente necesarios para la subsistencia de los pueblos.

Excitar a las partidas levantadas en las Provincias limítrofes a la Francia a que destruyan los caminos de comunicación con ella, si no para impedir, a lo menos para retardar la entrada de refuerzos.

Promover la emigración de todos los hombres capaces de llevar las armas que hay en las Provincias ocupadas (3).

2.º *Necesidad de que el Gobierno salga pronto de esta Ciudad* [*Sevilla*] *y punto de seguridad donde debe situarse*

Medios.

Sin pérdida de tiempo y consiguiente al Real Decreto ya publicado, preparar la salida de la Junta Suprema de esta Ciudad para la Isla de León, viaje poco costoso y fácil, anunciándolo sin misterio y como medida de precaución persuadiendo lo conveniente que es para retardar la invasión del enemigo en Andalucía, desvanecer

(3) Los juiciosos consejos de García Malo serán mirados con alguna suspicacia por el Estado Mayor, que verá en ellos una ruptura con las leyes inmutables de la guerra, y especialmente de las batallas campales.

su esperanza de disolver o trastornar el Gobierno, y haciendo todos los preparativos del viaje sin aquella precipitación que indica siempre estar próximo el riesgo, y con la publicidad que exige su dignidad y que persuade que sólo es una medida dictada por la prudencia y por la precaución.

3.º *Necesidad de asegurarse el Gobierno de que la Inglaterra protegerá su traslación a América y el resto de la lealtad española, en caso de que los acontecimientos manden esta medida*

Medios.

Entablar desde luego o cuando se crea más oportuno una negociación indirecta con la Inglaterra que asegure su protección para este caso, negociación delicada, pero de inevitable precaución que conviene no se dilate hasta el punto extremo y que debe ser manejada con sagacidad y destreza, sin dar a entender que es nacida de desconfianza, para la cual no hay más fundamentos que el que es consiguiente a los negocios políticos, en los cuales no debe jamás la previsión dejar ninguna duda, ni abandonarse a la buena fe de los Gabinetes; principio observado generalmente por todos, cuando lo exigen los grandes intereses del Estado.

4.º *Necesidad de precaver desde luego la independencia de las Américas y sus convulsiones intestinas y de preparar la recepción del Gobierno* (4)

Medios útiles en cualquiera evento próspero o adverso.

Abolir sin pérdida de tiempo en todas partes aquella

(4) García Malo se interesa por el problema de las colonias americanas, dándose cuenta de que se trata de una cuestión crucial. Los consejos que da en este dominio son diplomáticos y razonables, pero sin llegar al fondo del problema. Da prueba de una clarividencia mayor que muchos liberales, pero aún estamos lejos de la actitud de un Blanco-White.

clase de contribuciones, cargas o trabas onerosas que más les incomodan y repugnan.

Repetir con instancia las órdenes para que vengan luego los Diputados al Cuerpo Soberano.

Conceder gracias y mercedes honoríficas a los que hayan manifestado más adhesión a la Metrópoli y al Gobierno.

Reemplazar lo más pronto posible los jefes y empleados con quienes aquellos naturales estén disgustados por su carácter duro, injusto, avaro y despótico, con otros de cualidades opuestas.

Dar a entender a los Americanos con hechos ciertos y positivos que la intención decidida del Gobierno es estrechar más los lazos de la unión y proporcionarles la mayor prosperidad.

Enviar pronto a todos los puntos de América Comisionados de probidad, de moderación conocida, de principios liberales y de educación, de talento y de conocimientos, con doble objeto: el primero público y ostensible dirigido a reconocer todos los ramos de administración pública y proponer directamente al Gobierno todas las mejoras de que sean susceptibles; y el secreto y reservado a mantener la unión con la Metrópoli, a conciliar a favor del Gobierno en cualquier acontecimiento los ánimos de aquellos naturales, a precaver toda novedad que pueda dirigirse a la independencia y división, y a persuadir lo mucho que interesa a toda clase de gentes evitar los horrorosos efectos de las convulsiones políticas, pudiendo y debiendo esperar la reforma de todos los abusos por los medios prudentes que necesariamente deben nacer de las actuales circunstancias. Comprendida la idea en abstracto, las *Instrucciones* de estos Comisionados pueden ser muy extensas y dirigidas a precaver cuantos acontecimientos puedan estar en la esfera de lo posible y ser contrarios al bien del Estado.

... ...

En el periódico intitulado *Journal de l'Empire* de 16 de noviembre último, en capítulo de Inglaterra, se lee el artículo siguiente:

El Statesman contenía ayer el artículo siguiente:

Examen de esta cuestión: ¿La emancipación de la América española sería ventajosa a la Inglaterra? (5).

(5) Cuatro días más tarde, García Malo, inquieto por las pretensiones inglesas por las colonias españolas, y consciente de las intenciones políticas de Napoleón, traduce un artículo del periódico inglés *Statesman,* que apareció en la prensa oficial francesa. Dirige esta traducción al Gobierno, precisando que: «La copia de este artículo, literalmente traducido, que incluyo, manifestará claramente a V. E. cuán fundados eran mis recelos y cuán urgente es la necesidad de precaver sus resultas.» Está convencido de que Inglaterra, nación «calculadora», tiene planes precisos a los que España debe oponerse urgentemente por razones de dependencia económica y política, razones que el autor defiende, ya que para él los desórdenes americanos tienen su origen en la política de provocación del Gabinete británico: «Unos pueblos tan leales que sólo desatendidos y olvidados podrán ser seducidos por las intrigas de otros Gobiernos (atentos cada uno de por sí, en estas circunstancias, a pillar la parte que pueda de tan rica presa) con el engañoso atractivo de la independencia, comprando al fin después de los horrores de la anarquía la esclavitud más vergonzosa...»

PROCLAMA A LOS ESPAÑOLES DE AMERICA

6 de septiembre de 1810 (1)

A los Españoles vasallos de Fernando VII en las Indias.

El Supremo Consejo de Regencia de España e Indias injustamente se atribuiría este último timbre, tan grande y glorioso, si no tuviese por objeto de sus paternales desvelos el bien y conservación de esos preciosos dominios y de la Metrópoli juntamente. Sus obligaciones son muchas y de difícil cumplimiento en las críticas circunstancias en que la primera necesidad de rechazar al enemigo orgulloso le fuerza a no poder atender, tan prontamente como desea, a los votos y última prosperidad de esos leales vasallos del Rey, cuya autoridad

(1) Fue redactada por el Consejo de Regencia que, después de la Junta Central (septiembre de 1808-enero de 1810), y en espera de la reunión de las Cortes (24 de septiembre de 1810), asumió el gobierno provisional de España. Esta proclama, redactada por Quintana como otros muchos manifiestos, proclamas, proyectos y decretos de la Junta Central, pretendía invitar a los «americanos» a defender la causa de la metrópoli y a no seguir ellos mismos el camino de la rebelión. También publicada en el periódico de Londres, *El Español*, el texto iba acompañado de comentarios cuyo autor era, según parece, el propio Simón Bolívar. Se podrá apreciar a través de estos comentarios las hirientes respuestas que los revolucionarios dan a las virtuosas admoniciones de la metrópoli.

El tono general de esta proclama es el de un paternalismo benévolo, aliado en ocasiones con amenazas. Se ve al liberalismo español lanzado a una política abiertamente colonialista en un momento en el que España no tiene ni dinero, ni barcos, ni hombres ni poder de ninguna especie para defender sus posesiones americanas. En un momento, sobre todo, en que los movimientos independentistas han tomado un giro decisivo e irreversible.

soberana representa y cuyos sagrados derechos defiende en ambos mundos, que componen el indisoluble imperio español y su grande y poderosa familia.

Cada noticia que llega a España de la constancia, fidelidad o entusiasmo patriótico de esos buenos vasallos y hermanos es de una inexplicable satisfacción al Supremo Gobierno que rige la Monarquía, combatido en medio de la mayor tormenta que ha padecido una nación y han visto los siglos y un júbilo universal de gratitud y de esperanzas en los corazones españoles. Grandes prendas tiene ya y nunca desconfió de tan nobles pruebas en los faustos avisos y auténticos oficios que desde su instalación ha recibido sucesivamente del reconocimiento y obediencia de diferentes Provincias de las que componen esa España ultramarina, sintiendo que la gran distancia que la separa de esta Península no les haya dejado llegar juntos en un mismo día. Estas demostraciones solemnes de amor y fidelidad a su legítimo Rey y Señor Don Fernando VII, y de respeto y obediencia a los representantes de su soberana autoridad, son el testimonio más insigne y glorioso de que la Nación española en uno y otro hemisferio es una sola (2) y que lo será eternamente en cualesquiera casos de la fortuna.

Pero en medio de este gozo tan puro y tan macizo, ha sabido con sumo dolor y sobresalto que en alguna ciudad y territorio de este Continente, como si no fuesen hijos de una misma madre (3), se han experimentado conmociones de descontento y desobediencia, bajo el falso velo de seguridad y buen gobierno, promovidas por almas inquietas, ambiciosas o alucinadas con doctrinas y máximas políticas de libertad, que han conver-

---

(2) «...La América no abandonará la buena causa de España si la España, conociendo lo que es, lo que vale y lo que merece la América, no se obstina en apurar su moderación con medidas violentas y subversivas, ya que no puede seguir usando de la fuerza que la ha desacreditado tanto como ha justificado nuestra Revolución...» (Nota de Simón Bolívar, según *El Español,* de Londres. Las notas que reproducimos a continuación tienen la misma procedencia.)

(3) «A nosotros nos compete esta queja más bien que a los que la producen. Trescientos años ha pretendido la España ser nuestra madrastra, y cuando la necesidad la obliga a llamarnos sus hijos, se exaspera porque no queremos continuar siendo sus esclavos. Por esto es que nos bloquea, etc.» (*Nota de S. B.*)

tido a los que las predicaban en Europa en esclavos del tirano Napoleón. Se había creído, en tales engañados países, que con la invasión de las Andalucías quedaba extinguido el Gobierno Supremo, y aun que España no existía. Estas primeras noticias, abultadas por el temor o la ignorancia, o falsificadas por la malignidad, fueron creídas por hombres revoltosos o impacientes, a quienes convenía creerlas para turbar el sosiego de los buenos y levantarse al soberbio título de reformadores, bajo la hipócrita salva de leales vasallos. El exceso de Caracas es tan escandaloso que su misma enormidad acabará de enajenarle los países de su comprehensión y de abrir los ojos a los incautos y de arrepentirse a los mismos promovedores de tan osada novedad, de un hecho tan antipolítico y tan antinacional. En Buenos Aires ha obrado más la ignorancia del verdadero estado de la península o la perplejidad y el temor que la malignidad o indiscreción de un nuevo sistema. Ya habrán salido del error aquellos vacilantes ánimos y habrá amanecido la luz de la verdad y de la esperanza.

Estos hechos inesperados han cubierto de amargura y espanto a todos los Españoles que con pecho de acero sufren imponderables trabajos, peleando por la libertad y felicidad de todos, y que no esperaban este pesar, sobre tantos, cuando más necesitaban de algún consuelo para soportar con el nuevo aliento que ahora les anima la calamidad que tan largo tiempo resisten por salvar la común Patria. Espera la afligida y heroica España, que tiene vueltos los ojos y el corazón a esas felices regiones, y se promete el Supremo Gobierno, que tiene el cuidado de todos, que un ejemplo tan abominable será detestado de todos los habitantes de ese hemisferio español, sofocado por sus propias manos si fuese necesario, y borrada para siempre hasta su memoria. A esto ayudará el poder y fuerza de las potestades superiores e inferiores que en nombre del Rey gobiernan esas Provincias, para hacer respetar las leyes, el buen orden y la justicia vulneradas y conservar la unión, concordia y felicidad, mantenidas dichosamente tantos siglos.

¿Qué importa que suenen los juramentos y las voces más generales de execración contra el tirano de la Europa, si con semejantes excesos le sirven indirectamente, acaso sin conocerlo, los mismos que abominan su nombre? Para la Europa usa este hombre infernal de una guerra; para la América se ha de servir de otra; sin costarle un hombre, ni poner en ello sus manos, sino las vuestras, ¡amados Españoles! La libertad que os conviene en este momento es de liberar vuestro país de semejantes perturbadores, que bajo el velo de reformas, erigiéndose en legisladores, quieren precipitaros en una anarquía, antes que lleguen los remedios de la Metrópoli, que tiene librada su salud en el próximo Congreso nacional, a cuya participación estáis llamados.

La independencia de una nación se funda en no depender de otra: por ella peleamos. Su libertad consiste en conservar sus derechos contra toda tiranía doméstica y extranjera. Para conseguir este bien están convocadas las Cortes (4). Pues aquí hace la nación estos sacrificios por nosotros y por vosotros, ¿podrá haber quien no agradezca la grandeza de estos servicios con la paciencia, aconsejada de la esperanza de mejor fortuna? Los males que la nación sufre tantos años hace en ambos mundos no han sido obra de un día; y así tampoco podía serlo el remedio. Imitadnos en la moderación y confianza, mientras que entre el estruendo de las armas se preparan los medios para el bien común de todos. La impaciencia y la violencia nada edifican, mas sí destruyen; y la primera felicidad es tener paz los hombres. Vosotros gozáis de este inestimable bien, que ha perdido la mal avenida Europa.

Si os llamáis hijos de la madre España (5), ¿cómo podréis dejar de amar y obedecer a vuestra madre y evitarle todo pesar en ocasión en que más necesita de vuestros socorros? No basta que seáis Españoles, si no sois de España. Nunca es nuestra madre más digna de nuestro amor, de nuestro reconocimiento y de nuestra concordia que en el trance en que trabaja derramando su última sangre por la salud de todos sus hijos. Os alabáis de obedecer a *Fernando,* de defender sus derechos y de hacer parte de su Corona; y *Fernando* os dice que quien no reconoce y respeta al Gobierno que representa

---

(4) «¿Por qué la América no ha de poder reclamar este axioma político?...» (*Nota de S. B.*)

(5) «Es demasiado abusar de la moral querer hacer valer a todo trance la maternidad política de la España con respecto a la América...» (*Nota de S. B.*)

su real persona y soberana autoridad no le ama sino de boca.

Nunca ha estado más encendido ni más extendido el fuego de nuestra sagrada guerra en esta Península que ahora; nunca más arraigadas la ira nacional, el odio y la venganza, como después que se han derramado los enemigos por las Andalucías y han pisado más terreno. La tierra parece que brota patriotas armados; y las tropas de los ejércitos se han vuelto veteranas con los reveses y la experiencia y con la nueva disciplina dictada por la necesidad y el desengaño. Apurados están los recursos del erario de Napoleón para continuar la guerra en España; desde que introdujo con la más detestable perfidia sus tropas en la Península, ha perdido más de 200.000 hombres. Inventa nuevos planes y nuevos arbitrios para sostener y reforzar sus legiones; y nunca ha sido más declarado el descontento en ellas ni más frecuente la deserción, que va propagándose en la oficialidad. ¿Y cuál es la fuerza que ha conservado y conserva a la España en esta guerra tan terrible y en una lucha tan desigual? La unidad del Gobierno soberano generalmente reconocido y la unión de las voluntades conspiradas contra los enemigos en defensa de una misma causa. Sirvaos, pues, Españoles ultramarinos, esta unánime conformidad y firmeza de vuestros hermanos, rodeados del formidable aparato de las armas del más poderoso enemigo, de lección, admiración y ejemplo. Nunca ha tenido otra esperanza el gran tirano de dominar esta Península que la de la desunión entre las partes que la componen; sólo éste sería su último triunfo; pero han quedado frustradas sus trazas (6). Esta unión, como de dura peña, es la que teme en España, y la que desea que se deshiciese en América.

No pudiendo desunir las voluntades que contra sus armas es una sola, ha trabajado por todos los medios más atroces y abominables de sumergir la Nación en una absoluta anarquía; y en esta empresa han sido también burladas sus esperanzas. En España nunca ha faltado la autoridad de un Gobierno Supremo reconocido

---

(6) «Es necesario que se convenzan los seductores y los seducidos que la suerte de la América se ha pronunciado ya de un modo irrevocable» (*Nota de S. B.*)

por la Nación, el cual no ha tenido otra mudanza que la de mudar de nombre, de manos y de lugar. Las Provincias no vacilaron un momento en reconocer al Consejo de Regencia y cada Español, deponiendo su particular opinión e intereses, ha abrazado el general, porque en esta concordia ha visto afianzada la existencia de la Nación, su poder y su salud. Y ¿quién puede dudar en las Indias de la existencia y legítima autoridad suprema de un Gobierno (7), no sólo obedecido por los vasallos de *Fernando VII,* a quien representa, sino reconocido por el Rey de la Gran Bretaña, por el Rey de las Dos Sicilias, por el Regente de Portugal, y cerca del cual residen sus respectivos ministros y enviados? ¿De un Gobierno que conserva con la Puerta Otomana, con el Rey de Marruecos y con las Regencias berberiscas sus relaciones diplomáticas y buena amistad? Y afectando la no existencia de un centro común de Gobierno en España y la necesidad de gobernarse por su capricho, cubiertos con la máscara de seguridad, ¡proclaman la Independencia una porción de cabezas turbulentas, destrozando los vínculos eternos de unión universal entre unos y otros Españoles, sin negarnos, como dicen, la hermandad, para hacer menos detestable su atentado!

Vosotros debíais apreciar la dicha, que acaso no conocéis debidamente, de que el monstruo de iniquidad y ambición, que se hace llamar omnipotente por los Franceses, nada puede en esas remotas y vastas regiones. Debíais también lisonjearos de que aquel a quien la Europa llama el tirano del Continente nunca lo será de la América, si no le abrís las puertas a sus depravados designios, rompiendo vuestra firme unión. Esta es la gran libertad, la verdadera, la incomparable que jamás debéis perder. Pero ¿qué importaría que tuvieseis vuestra tierra feliz libre del furor de sus armas si no la tuvieseis del estrago de sus asechanzas y maquinaciones? Esta fiera, lo que no puede tragarse lo destroza; y lo que no puede alcanzar con sus garras, lo apesta con su aliento. Jamás este perturbador de las naciones tendrá poder en los mares, mientras exista la Inglaterra.

---

(7) «Caracas, Cumaná, Barinas, Margarita, Mérida, Trujillo, Santa Fe, Cartagena, Buenos Aires, Chile, La Florida, y quizá Méjico...» (*Nota de S. B.*)

Esta aliada y amiga nuestra protegerá el pabellón español en todas partes en la mar y en la tierra, mientras vivamos unidos: esta universal unión de la Monarquía española no interesa menos a ella que a nosotros. El país que se desuniese de este gran cuerpo quedaría desamparado y enemigo de todos, se consumiría dentro de sí mismo, y sus recursos y esperanzas serían anonadadas.

La Regencia os convida con paternal solicitud a uniros desde hoy más estrechamente con la Metrópoli, pues a los vínculos de la sangre, de la religión y del sistema político, el interés de ambos países quiere que se añadan los de la representación nacional en las Cortes generales, para consolidar el bien y prosperidad de todos.

DIEGO MUÑOZ TORRERO

Discurso sobre la libertad de la prensa

14 de octubre de 1810 (1)

La materia que tratamos tiene dos partes: la una de justicia, la otra de necesidad. La justicia es el principio vital de la sociedad civil e hija de la justicia es la libertad de imprenta. El derecho de traer a examen los actos del Gobierno es un derecho imprescriptible, que ninguna nación debe ceder sin dejar de ser nación. ¿Qué hicimos nosotros en el memorable decreto de 24 de septiembre? Declaramos los decretos de Bayona ilegales y nulos. Y ¿por qué? Porque el acto de renuncia se había hecho sin el consentimiento de la nación. ¿A quién

(1) Fue el primer gran debate de las Cortes. Intervinieron Gallego, Antonio Oliveros, Mejía, Pérez de Castro, García Herreros, Luján y Fernández Golfín, cuya actuación fue la más apreciada. Los liberales vencieron con facilidad. Se beneficiaban del entusiasmo general y daban con ello la prueba de que rompían con una de las tradiciones más funestas de los regímenes despóticos anteriores. Muñoz Torrero (1761-1829) es un eclesiástico. Liberal influyente, lo encontramos al frente de todos los debates, siendo muy escuchado en las Cortes. Al regreso de Fernando VII, en 1814, fue perseguido como todos sus amigos liberales. Después de 1823 tuvo que refugiarse en Portugal, donde murió. Era un político honesto cuya dignidad provocaba la admiración general. Ordinariamente se le aplican los adjetivos de «ilustre», «insigne», «egregio», «fecundo», «respetable», etc. Detalle curioso: el 14 de octubre, día en el que se iniciaron los debates sobre el proyecto de ley, era precisamente el cumpleaños de Fernando VII. No creemos que el rey haya apreciado con un entusiasmo particular este tipo de celebración.

ha encomendado hasta ahora esta nación su causa? A nosotros: nosotros somos sus representantes, y según nuestros usos y antiguas leyes fundamentales, muy pocos pasos podríamos dar sin la aprobación de nuestras constituyentes; más cuando el pueblo puso el poder en nuestras manos. ¿Se privó por esto del derecho de examinar y criticar nuestras acciones? ¿Por qué decretamos en 24 de septiembre la responsabilidad de la potestad ejecutiva, responsabilidad que cabrá sólo a los ministros cuando el rey se halle entre nosotros? ¿Por qué nos aseguramos la facultad de inspeccionar sus acciones? Porque poníamos poder en manos de los hombres.

Los hombres abusan fácilmente de él, si no tienen freno alguno que los contenga, y no había para la potestad ejecutiva freno más inmediato que el de las Cortes. Mas, ¿somos acaso infalibles? ¿Puede el pueblo, que apenas nos ha visto reunidos, poner tanta confianza en nosotros que abandone toda precaución? ¿No tiene este pueblo respecto de nosotros el mismo derecho que nosotros respecto de la potestad ejecutiva, en cuanto a inspeccionar nuestro modo de pensar y censurarle? Y el pueblo, ¿qué medio tiene para esto? No tiene otro sino el de la imprenta; pues no supongo que los contrarios a mi opinión le den la facultad de insurreccionarse, derecho el más terrible y peligroso que puede ejercer una nación; y si no se concede al pueblo un medio legal y oportuno para reclamar contra nosotros, ¿qué le importa que le tiranice uno, cinco, veinte o ciento?

El pueblo español ha detestado siempre las guerras civiles, pero quizá tendría desgraciadamente que venir a ellas. El modo de evitarlo es permitir la solemne manifestación de la opinión pública. Todavía ignoramos el poder inmenso de una nación, para obligar a los que gobiernan a ser justos. Empero, prívese al pueblo de la libertad de hablar y escribir, ¿cómo ha de manifestar sus opiniones? Si yo dijera a mis poderdantes de Extremadura que se establecía la previa censura de la imprenta, ¿qué me dirían al ver que para exponer sus opiniones tenían que recurrir a pedir licencia?

Es, pues, uno de los derechos del hombre en todas las sociedades modernas el gozar de la libertad de imprenta, sistema tan sabio en la teoría como confirmado por la experiencia. Véase Inglaterra: a la imprenta libre debe principalmente su libertad política y civil y su prosperidad. Inglaterra conoce lo que vale esta arma tan poderosa; Inglaterra, por tanto, ha protegido la imprenta; pero en cambio la imprenta ha conservado la Inglaterra.

Si la medida de que hablamos es justa en sí y conveniente, no es menos necesaria en el día de hoy. Empezamos una carrera nueva; tenemos que lidiar con un enemigo poderoso, y fuerza nos es recurrir a todos los medios que afianzan nuestra libertad y destruyen los artificios y mañas del enemigo. Para ello indispensable parece reunir los esfuerzos de toda la nación, e imposible sería no concentrando su energía en una opinión unánime, espontánea e ilustrada a lo que contribuiría muy mucho la libertad de la imprenta y en la que están mancomunados, no menos los intereses del pueblo, que los del monarca. La libertad sin la imprenta libre, aunque sea el sueño del hombre honrado, será siempre un sueño. La diferencia entre mí y mis contrarios consiste en que ellos conciben que los males de la libertad son como un millón y los bienes como veinte; yo por lo opuesto, creo que los males son como veinte y los bienes como un millón. Todos han declarado contra sus peligros.

Si yo hubiera de reconocer ahora los males que trae consigo a la sociedad los furores de la ambición, los horrores de la guerra, la desolación de los hombres, la devastación de las pestes, llenaría de horror a los circunstantes. Mas, por horrible que fuese esta pintura, ¿se podrían olvidar los bienes de la sociedad civil a punto de decretar su destrucción? Aquí estamos, hombres falibles, con toda la mezcla de bueno y malo que es propio de la humanidad, y sólo por la comparación de ventajas e inconvenientes podemos decidirnos en las cuestiones. Un prelado de España, y lo que es más, Inquisidor general, quiso traducir la *Biblia* al castellano. ¿Qué torrente de invectivas no se desató contra él? ¿Cuál fue su respuesta? Yo no niego que tiene inconveniente; pero ¿es útil, pesados unos con otros? En este mismo caso estamos. Si el prelado hubiera conseguido su objeto, a él deberíamos el bien, el mal a nuestra naturaleza.

Por fin, creo que haríamos traición a los deseos del pueblo, y daríamos armas al gobierno arbitrario que hemos empezado a derribar si no decretásemos la libertad de imprenta. La previa censura es el último asidero de la tiranía, que nos ha hecho gemir por siglos. El voto de las Cortes va a desarraigar éste, o a confirmarle para siempre (2).

---

(2) Este discurso, lógico y preciso, fue aplaudido calurosamente. Los debates duraron cinco días, al término de los cuales el proyecto de ley fue aprobado por 68 votos contra 32. El texto decía: «Todos los cuerpos y personas particulares de cualquiera condición y estado que sean tienen libertad de escribir y publicar sus ideas políticas, sin necesidad de licencia, revisión o aprobación alguna anteriores a la publicación, bajo las restricciones y responsabilidades que se expresarán en el presente decreto.»

ABATE D. M. A. DE LA GANDARA

Apuntes sobre el bien y el mal de España, escritos de orden del Rey

1811 (1)

Los frutos nacionales (excepto algunos pocos casos) siempre deben girar por el interior de las provincias y salir del reino libremente.

La libertad es el alma del comercio: es el cimiento de todas las prosperidades del Estado; es el rocío que riega los campos; es el sol benéfico que fertiliza las monarquías; y el comercio, en fin, es el riego universal de todo (2).

Su contrario son los estancos, murallas y tasas.

Siempre que hubiere tasas, se disminuirán los frutos y las especies de las cosas. Libertad y esperanza hacen laboriosos a los hombres; opresión, tasas y desconfianzas convierten en holgazanes a los más industriosos. Este es el carácter de la naturaleza humana.

La Nación de suyo no es holgazana, su desidia es un desmayo necesario, que le han hecho adquirir (3).

Labranzas, crianzas, pastoría, fábricas, artes, comer-

---

(1) El rey al que el título alude es Carlos III. Estos *Apuntes* figuran en el *Almacén de frutos literarios inéditos de los mejores autores*, publicado en Valencia en 1811. Se podrá apreciar su «actualidad» y la continuidad de un sistema a otro. El manuscrito de los *Apuntes* existe en la Biblioteca Nacional de Madrid, número 9.466.

(2) Esta será, evidentemente, la doctrina que defenderán los primeros liberales en las Cortes de Cádiz. Uno de sus portavoces, Juan Alvarez Guerra, lo repite incansablemente en las columnas del *Semanario patriótico*, el gran periódico político de los años 1808-1812.

(3) En otra rúbrica de los *Apuntes*, el abate D. M. A. de la Gándara muestra claramente que una mejor repartición de la tierra se impone, es decir, que es preciso repensar el problema agrario para que cada ciudadano tenga su parte de riqueza y esté, por consiguiente, interesado en la prosperidad del Estado.

cio e industria, todo pasa al país de la libertad: de estas transmigraciones están llenas las edades.

La abundancia abarata los frutos; la escasez los encarece. Y es razón que en todas fortunas saque cada pobre su cuenta; todos son vasallos, y no se ha de arruinar a unos por consultar demasiado a la prosperidad o conveniencia de otros.

Las tasas ocultan los granos. Los labradores se desazonan con ellas, y faltos también de libertad para extraer del reino el sobrante de sus cosechas, oprimidos de contribuciones, impuestos, alcabalas y cientos, para comerciarlos por dentro, agobiados de tributos, anegados en miseria, faltos de dinero y depósito en los pueblos para hacer sus sementeras, escasos de ganados para fomentar el estiércol, engrasar y calentar las tierras, los víveres caros, los jornales altos, y las mulas por las nubes, si habían de sembrar ocho, no siembran más que cuatro y dejan lo restante inculto. Si habían de dar cuarenta vueltas a la tierra, no dan más que dos; en lugar de arar, arañan; y si habían de estercolar como diez, no estercolan más que como uno.

Hasta su mismo número se disminuye anualmente, porque la pobreza acaba con todo; y de un oficio ingrato ¿quién no se separa?

Multiplicados pues estos daños por espacio de más de dos siglos enteros, claro estaba que habíamos de venir a parar en las escaseces que padecemos.

Y veis aquí cómo nace más la esterilidad o la hambre, aun en medio de la abundancia de los años buenos.

Y es preciso que nazca porque quien siembra poco y lo beneficia mal jamás puede coger mucho, por más abundante que venga el año. Ara bien, y cogerás. El que no siembra, no coge, y sea el año como fuere.

Estas, señores, son las razones verdaderas y principales causas del atraso de nuestra agricultura, de la decadencia del estado secular, de la despoblación y del incultivo de tantos terrenos eriales, yermos y otros desiertos. No hay que atribuirlo a otros principios.

Cuando reinaba entre nosotros el revés de esta medalla, España sola daba granos para sí, para Italia y para otros reinos; y España tenía entonces muchos millones más de bocas que ahora. La especie humana era más que triplicada, y la de los animales cuadrúpedos y volátiles de la misma manera en su respecto, ¿cuántos millones de veces más compondría esto?

Volviendo el cuadro al revés volverán las cosas a su derecho; millones de habitantes tenía España en era de César; veinte escasos en la época de los Reyes Católicos, y que hoy no llega a nueve. Entonces era abundante, ahora escasa: ¡ved qué trastorno éste!

Cuando los Romanos dominaron a España, la primera diligencia que hizo aquel gran Senado, tan sabio como el de Atenas, fue levantar cuantas tasas de granos halló en las provincias. Tan antigua es la enseñanza que nos dieron. El que dudare, lea a Ambrosio de Morales.

¿Qué justicia distributiva se encuentra tampoco en poner tasas a los infelices labradores y dejar libertad a todos los demás artesanos y comerciantes?

Los frutos que salen del sudor de los agricultores son de primera necesidad (4). Los otros son de segunda, tercera o cuarta; y a las veces son de lujo y de delicia solamente.

Pero sin embargo al labrador, porque necesitamos de él, atarle corto, y a estos otros, de quienes hay menor necesidad respecto de los otros, déjeseles libertad larga cuanta ellos quieran: ¿no es esto trastornar las ideas y ofender la distribución de la justicia?

Por otra parte, los accidentes de las cosechas despreciadas y el vil precio de las muy abundantes ¿no han de dar derecho al triste labrador para irse recompensando en las de aquellos años que le ofrecen precios altos?

Si en el año fértil no le pagan a él su tasa, ¿por qué en el estéril ha de venderle a ella? (5).

---

(4) La idea, quizá banal, que defiende el autor, denota, sin embargo, una gran lucidez para su tiempo. Para él, sólo la tierra es fuente de prosperidad. El hecho de que sea progresivamente abandonada por causa de la incuria del Estado es lo que explica el «mal» de España. Que estas reflexiones se hayan puesto de moda en 1811 es revelador de una mentalidad y de un estado de opinión. Ya las *Variedades de Ciencias, Literatura y Artes* desarrollaban entre 1803 y 1805 la misma teoría en artículos escritos por J. Alvarez Guerra e I. García Malo, entre otros.

(5) Este razonamiento ocupa el total del párrafo XX. La obra comprende CXXXIX y termina con consideraciones filológicas y literarias, estrechamente emparentadas con las reflexiones económicas.

ANTONIO ALCALA GALIANO (1)

Representaciones que hizo a Su Majestad, el Augusto Congreso Nacional... sobre la «Gaceta de Madrid»

1811-1812 (2)

Los publicistas han considerado los magistrados civiles como los medianeros entre los conquistadores y los pueblos conquistados, les imponen varias obligaciones, y aun es de su deber el exponer su vida para aliviar la suerte de los desgraciados que viven bajo el yugo del opresor; con este objeto, en muchas de las capitulaciones, uno de sus artículos es que los pueblos continúen gobernándose por sus magistrados. Justo será, Señor, examinar la conducta de éstos y ver si debiendo ser sus padres y aliviarles les han vejado más o contribuido a su opresión. El magistrado, que sin orden de su gobierno legítimo abandona su puesto, ínterin vea puede ser útil a los pueblos oprimidos, debe compararse con el soldado que abandona una plaza por el temor de ser prisionero. Si los magistrados se han arreglado a estos principios, ¿podrá imputárseles algún crimen? Y si algún gobierno intenta variarlos, ¿podrá dar a la ley que promulgue una fuerza retroactiva? Quedando como debe quedar el magistrado, si el conquistador exige al pueblo juramento de obediencia y le presta, debe hacerlo como los demás vecinos, sin que por esto pierda de

(1) Tío del célebre orador.

(2) Los pasajes que copiamos están extraídos de un *Folleto* que lleva este título y que comprende además un «Extracto de sus procedimientos en la causa del conde de Tilli, con algunas reflexiones, y otros documentos» (Madrid, Imprenta de Repullés, 1812, pp. 19 y 34, respectivamente).

vista el cumplimiento de los deberes expresados: querer lo contrario es exigir injusticias, de las cuales no resulta ningún bien a la sociedad, y sí males incalculables (3).

... ...

Antes de pasar a probar esta proposición, permítaseme hacer un dilema a los que tanto vociferan contra los magistrados, llamándoles arbitrarios, sujetos al capricho del favorito, tiranos y otras voces equivalentes. O tenían los que tanto declaman las ideas que ahora publican, y las callaban, o las tenían y las publicaban. Si las tenían y las publicaban, y no han sido castigados por los magistrados, es una prueba de que éstos no eran satélites del despotismo, perseguidores de las luces y de las buenas ideas; y si las tenían y callaban, que es lo más cierto, conozcan que han hecho lo que los demás y que sin causa se les calumnia. Creo que me sea permitido más que a ningún otro hacer este dilema, pues habiendo estado a mi cargo en los últimos diez y ocho meses del influjo de Godoy la comisión reservada de alta policía (4), ninguno ha sido castigado por este juzgado, a pesar de las muchas delaciones que tuve, particularmente desde que principió la causa del Escorial (causa que hará honor siempre a la magistratura española, pues conservó la opinión que de tiempo inme-

---

(3) La frase de Alcalá Galiano, escrita en noviembre de 1811, tiene doble sentido. Trata de justificarse como magistrado, que ha desempeñado el primer papel en el asunto del conde de Tilly, uno de los antiguos miembros de la Junta Central. Pero el alcance de esta reflexión es también más general: el magistrado debe conservar su integridad —o su puesto, que para él es lo mismo— a despecho de las agitaciones de la historia. Es una forma de legitimar el *afrancesamiento,* es decir, la colaboración española con el invasor francés. En efecto, muchos magistrados, oficiales superiores y personalidades de todas clases —comenzando por el clero— concedieron su complicidad benévola al sistema de José I. Para Alcalá Galiano esta actitud se justifica en la medida en que la intransigencia queda a salvo, cualesquiera que puedan ser las convicciones profundas de cada uno.

(4) Como puede verse, Alcalá Galiano es el magistrado de todos los sistemas políticos. En cierto modo su actitud es significativa y ejemplar. Este pasaje completa el texto precedente de noviembre de 1811. Muestra que, a despecho de las apariencias, el magistrado obra por el bien individual y el de la patria. En este orden de ideas, la última frase es lo menos ambigua posible. Un Gonzalo O'Farril no razona de otro modo.

morial gozan en la Europa sus individuos de justos y rectos) exponiendo mi existencia política a cada instante por no tomar providencias, y si alguna tomé, fue valiéndome de medios suaves y ocultos, como pueden informar muchas personas a quienes evité la ruina. Si hubiera tenido otra conducta, acaso no hubiesen ocurrido muchas de las cosas del mes de marzo de 1808, que no han contribuido poco a inflamar la Nación (5)...

---

(5) El sobrino del magistrado que se trata de justificar aquí —el orador Alcalá Galiano— aprecia en los siguientes términos la situación en sus *Memorias* (ed. cit., p. 388, *a-b*, cap. XVII): «Procuró deslustrar su reputación, así como la de mi otro tío y su hermano don Antonio, la calumnia, achacándoles haber sido voluntarios servidores del Gobierno intruso. Esta acusación es de todo punto falsa, aunque en algo se haya tirado a fundar la fábrica de su falsedad. Es cierto que mi tío fue a Bayona, llevado por su antes amigo Azanza, antes que las Provincias de España se hubiesen levantado contra el poder francés. No es menos cierto que la firma de mi tío está, entre las de otros muchos que después sirvieron con celo y lealtad la causa de la nación, al pie de la Constitución de Bayona y de otros asuntos de la Junta allí celebrada. Pero llegado mi tío a Madrid, desde luego manifestó sus pensamientos de abrazar la causa del pueblo español, resuelto a sustentar su independencia. Su hermano, de quien también he hablado, era lo que se llamaba patriota hasta rayar en fanático, y en la defensa de Madrid, cuando se presentó Napoleón delante de sus muros, no sólo anduvo activo como magistrado, siendo aún alcalde de Casa y Corte, sino que en las puertas, como si fuese militar, expuso su vida. Bien es verdad que ambos hermanos, ganado Madrid por los franceses, continuaron sirviendo por algún tiempo sus destinos...»

A la vista de estas líneas difícilmente se puede hablar de justificación. De hecho, la actitud de la familia Alcalá Galiano ha sido tan ambigua como la carrera política del mismo autor de los *Recuerdos de un anciano*. Nadie se dejará convencer ni un solo instante por los argumentos «históricos» alegados: además, a estos se mezclan auténticas mentiras (Bayona, Madrid). Todo denuncia el oportunismo del personaje.

ANTONIO IGNACIO DE CORTABARRIA

Proclama a los insurrectos de las Provincias de Venezuela

20 de julio de 1811 (1)

A los vecinos y habitantes de las Provincias de Caracas, Barinas, Cumaná y Nueva-Barcelona.

Todavía os llama la madre patria, y lejos de olvidaros entre los brillantes sucesos que ha concedido el Dios de los ejércitos a su religiosidad y constancia, o de usar desde luego de medios de coacción para reparar el escándalo que causó vuestra inconsideración, desea los prevengáis con una sumisión espontánea.

Creisteis en abril de 1810 *que la España europea estaba próxima a caer bajo el yugo tiránico de sus conquistadores y que este pueblo generoso, conducido de uno en otro infortunio, iba a ser borrado del catálogo de las*

---

(1) Es el momento en que se multiplican los movimientos por la independencia. El Gobierno español intenta canalizarlos por todos los medios. No tiene otra solución que enviar Comisarios especiales (Comisionados regios) para la pacificación. Es el caso de A. I. Cortabarría. Este se esforzará por emplear con los insurrectos el mismo lenguaje que utilizan las proclamas del Gobierno español: llamamiento a los buenos sentimientos, fidelidad a la «madre patria», unión de destinos, comunidad de intereses, etc.

Este texto apareció en la *Gaceta de la Regencia de España e Indias*, el 5 de octubre de 1811. Poco después se conocían nuevas sublevaciones dirigidas por Miranda (Caracas), el cual cortaba todos los lazos con la monarquía española. El movimiento fue imitado en otros puntos.

La *Gaceta* española intenta razonar, pero como nadie ignora, sus virtuosas admoniciones no serán escuchadas porque ya no basta con denunciar «tales excesos de una anarquía loca y desenfrenada»: el problema es más grave y ya no puede resolverse con palabras.

naciones, para no existir sino en la memoria de los hombres y en los fastos del heroísmo. Así se explicaban vuestros pretendidos directores en aquella azarosa época; y aun después que el transcurso de muchos meses había desmentido felizmente tan funesta predicción, ni esta demostración irresistible, ni las heroicas proezas con que vuestros hermanos de la península fijaban en este largo período la expectación y admiración del mundo, han bastado a hacer que desistiesen del empeño de sostenerla... Víctimas de su hipócrita conducta y de vuestra falta de previsión y energía, habéis experimentado una parte de las calamidades que se os anunciaron; y podéis reconocer fácilmente la extensión y enormidad de las que os esperan, cuando corrido ya el velo que ocultaba sus pérfidos designios, os excitan abiertamente a romper todos los vínculos más sagrados.

Comparad la dirección que intentan dar en el día a vuestra opinión con las pomposas ideas de la conservación de los derechos de Fernando VII y de la defensa de su monarquía, con que fue sorprendida vuestra lealtad, y acabad de resolver entre la unión de vuestra suerte a la de unos hombres que fijan su felicidad en la subversión total del orden, y de la adhesión vigorosa a la religión y leyes de vuestros padres y a una patria que, elevada con sus trabajos mismos a un grado de consideración superior al que logró aun en sus más felices tiempos, os llama desde él a su seno para que participéis de la gloria que ha adquirido con tantos sacrificios y de las ventajas que os prepara la sabiduría de su actual gobierno.

... ...

Confrontad estos hechos (2) con las impudentes imposturas con que constantemente ha sido engañada vuestra sencillez... La *Gaceta de Caracas* ha reunido con el más capcioso estudio cuantas especies podían inspiraros la idea de que no serían duraderos ni eficaces los auxilios de la Gran Bretaña. Las insinuaciones de los periódicos que forman el contraste de la opinión en aquel imperio, insignificantes para quien sepa los resor-

---

(2) El autor alude a los triunfos ocasionales de los ejércitos españoles y a la organización de la resistencia, así como a la exterminación de la rebelión en América.

tes de su gobierno; cartas particulares escritas por sujetos conocidos por sus principios, o amañadas fácilmente con este fin; deducciones maliciosamente forjadas, todo ha sido empleado con este objeto.

Según ellas, *las valientes tropas de aquella generosa nación sólo trataban de buscar un asilo en el Océano, y debía mirarse como una grande felicidad que la barra del Tajo no se lo impidiese, y el que la entrada del príncipe heredero en la Regencia proporcionase la subrogación de ministros despreocupados e incapaces de adoptar el funesto error de creer posible la salvación de la península, en que habían incurrido los actuales. El formidable ejército de Massena había llenado, sólo con presentarse, todo el objeto que se había propuesto su feroz dueño. No sólo no podía oponer ya la España resistencia eficaz a la pujanza de los ejércitos enemigos; pero ni aun era dable lo procurase su gobierno, pues vendido vilmente al tirano, dirigía todos sus conatos a entregarle las Américas. Estaba demostrado que las tropas españolas no podían hacer frente a las francesas, aun con mucha superioridad en el número, y eran vil juguete de las huestes enemigas.*

Fueron vencidas en la desgraciada jornada de Talavera. *La disolución de la Junta Central hizo conocer a los Americanos a la luz de la evidencia que la España no podía ya salvarse, pues su mismo Gobierno era sospechado de traición... Y no pudieron menos de mirar la formación de Regencia como un nuevo lazo para la dominación de las Américas en favor de Bonaparte. Ningún progreso ha hecho la España en su defensa desde aquella época, en la cual quedó perdida casi decididamente. Su situación es de día en día más deplorable. No queda ya a los Españoles otro recurso que el de tributar adoraciones o inciensos a su nuevo dueño, y sólo aspiran a aumentar el número de sus esclavos, como para disculpar la infamia o encubrir la afrenta de haber abandonado y vendido a su legítimo monarca, de cuyo nombre quieren aún revestir sus traiciones para sorprender, engañar y cautivar la América.*

Así os habla la *Gaceta de Caracas*... Cuando Castaños, general en jefe del quinto ejército, renueva en la Albuhera los dulces recuerdos de Bailén y contribuye tanto al feliz éxito de aquella célebre batalla con su inteligencia y valor como con su prudente moderación, le suponen vuestros directores encarcelado como criminal, igualmente que a los demás ilustres individuos de la Regencia anterior. De Blake, miembro de la actual, que elegido para este eminente cargo, hallándose al frente del ejército del Centro, pasó a la Isla de León a desempeñarlo, y llamado ahora nuevamente al mando de las tropas, las ha conducido a tan importante victoria con su insigne denuedo y sabia dirección, nos dijo la *Gaceta* de 5 de marzo que, batido en aquella ocasión por Sebastiani, había escapado en una fragata inglesa. Al tiempo en que la nobilísima México presente a su virrey Venegas los laureles que le han adquirido su actividad y acierto en la administración de aquel grande imperio y la gran cruz de la distinguida orden de Carlos III, con que a solicitud suya ha premiado el Gobierno supremo tan importantes servicios, asegura la *Gaceta* de 22 de abril que, expelido de él, se ha retirado a La Habana, así como dijo la de 18 de enero, hablando de su llegada, que había sido detenido en la Puebla de los Angeles, porque aquella capital resistía su admisión. Según los últimos avisos de Montevideo de principios de abril, acababa de llegar a aquella plaza la fragata *Resolución* con medio millón de pesos y 500 quintales de pólvora, que enviaba a ella el virrey de Lima, Abascal: lo que prueba no sólo la inalterable lealtad de aquella ciudad, sino que el vigoroso celo con que sostiene y protege la causa del rey y de la patria se extiende a todas partes. Pero vuestra *Gaceta* de 9 del mismo mes la supone envuelta en agitaciones sangrientas; dice que se aguardaban en ellas las tropas de Buenos Aires para organizar su gobierno y que el resultado de la situación en que se hallaba habrá sido la prisión o fuga del virrey y la libertad del Perú.

Sería fácil demostrar con toda la serie de los papeles públicos que se han escrito en Caracas desde el 19 de abril de 1810, que nada hay que la falta de delicadeza y aun positiva mala fe de sus autores no haya viciado, nada en que no haya sido burlada vuestra buena fe; pero ni es posible haya dejado de convenceros de esta verdad sencilla su confrontación con los sucesos, ni la importancia de llamar vuestra atención a otros objetos permite que yo me detenga más en esta parte.

Comparad el punto de que partisteis en aquel funesto día con el estado a que habéis sido conducidos, y examinad de buena fe si se han verificado las tristes predicciones con que os representé en mi exhorto de 14 de noviembre la horrorosa sima en que íbais a ser sumergidos.

La conservación de los derechos del rey que tenéis jurado; la defensa de la religión, leyes y patria de vuestros padres; la protección de vuestros hermanos europeos; el odio eterno al nombre francés; y un gobierno provisional hasta que se restableciese en la metrópoli el legítimo: éstos fueron los objetos que os presentó en aquella época el artificio de vuestros seductores. Sus proclamas y apologías, sus invectivas sobre la vigilancia del gobierno de la península, al que no se pudieron esconder sus miras insidiosas, las exhortaciones de los pastores y demás ministros del santuario que lograron deslumbrar y por cuyo medio procuraron interesar vuestras conciencias mismas; todo procedió bajo este supuesto. Ved si lo ha acreditado su conducta sucesiva y si son conformes a él las ideas que procuran inspiraros actualmente con tanto empeño.

Sufristeis que calumniasen en el modo más inicuo y grosero a la Junta Central y al primer Consejo de Regencia, y que después de tantas protestas de reconocer el gobierno que estableciesen las Cortes generales de la Nación lo ultrajasen sacrílegamente luego que lo vieron formado, sin detenerse siquiera en explorar vuestra voluntad ni la de los diputados que teníais ya nombrados; y dado impunemente este atrevido paso, han creído que nada hay que no puedan emprender sin riesgo por vuestra parte. Se empezó a oir tímidamente entre vosotros la voz de *independencia,* cuyo solo eco debió inflamar toda vuestra lealtad y excitar toda vuestra indignación. Se os habla ya sin rebozo de una declarada rebeldía contra vuestro legítimo rey y vuestra patria. Se forman, para cegaros sobre el horror de este abominable conato, asociaciones dirigidas por personas cuya admisión sola en vuestro seno pudo haceros conocer los misterios de iniquidad que se ocultaban bajo el mentido velo de precaución; y se os anuncian periódicos que deben generalizar entre vosotros doctrinas sediciosas, proscritas mil veces por la iglesia con los anatemas más terribles y que han inundado de sangre a la Europa. Y para que no quede a esta triste perspectiva aspecto alguno que no deba afligiros, veis que después de haber apurado todos los resortes de la malignidad para haceros odioso el gobierno legítimo, suponiéndolo capaz de inteligencia con sus irreconciliables enemigos los Franceses, son éstos admitidos en vuestro recinto indiferentemente y aun distinguidos, y que os manifiesta vuestro llamado congreso haber acordado en 28 de marzo que sus emisarios residentes en Londres pasen a Francia en calidad de parlamentarios con previo aviso y conocimiento (dice) de aquel Gabinete, a examinar la situación natural y política de Fernando VII e inquirir lo que haya de cierto sobre su matrimonio y la resolución que tenga de permanecer o no ligado bajo la influencia de Bonaparte; haciéndoos así entrever de cuánto es capaz el despecho y la posibilidad de planes que ni os deben parecer inverosímiles por monstruosos, si examináis los principios de los que han podido sugerirlos y la progresión de los medios, ni dejarían de consumar vuestra ruina por impracticables.

Preguntad ahora a vuestros pastores y directores espirituales si encuentran todavía doctrinas con que adormecer sus conciencias y las vuestras... La Nación ha jurado conservar la independencia, libertad e integridad de todos sus dominios, la religión católica apostólica romana, el Gobierno monárquico del reino, y restablecer en el trono a su amado rey Fernando VII de Borbón; y no soltará las armas de las manos hasta que haya asegurado estos grandes objetos... *Leales isleños* establecidos en Caracas, acabad de reconocer vuestra situación y alejad de vosotros el cargo que se os haría algún día de que, pudiendo, no defendisteis los derechos de vuestros hermanos. *Gentes de color,* no os dejéis alucinar con ofertas de hombres incapaces de sostenerlas y cuyos sentimientos hacia vosotros os deben ser además bien conocidos; esperad a que fije vuestro estado civil la sabiduría del augusto Congreso nacional, que ha anticipado ya tantas pruebas de la liberalidad de sus principios y de la rectitud de sus ideas. *Clases todas del Estado:* reuníos a la patria, que desea abrigaros en su seno, entregando a un eterno olvido vuestro extravío y errados conceptos... Os hablo a nombre da una nación, a la que entre tantas nobilísimas cualidades principalmente caracterizan la generosidad y la fidelidad en el cumplimiento de los empeños que contrae; y si importan algo mis sentimientos personales, reconvenidme si he faltado a lo ofrecido con alguno de los que desengañados han vuelto a su deber, y si no he sido benigno, tal vez excesivamente, aun con los que la suerte ha puesto en mi poder como delincuentes, sin embargo de que toda la conducta de vuestro llamado gobierno, y señaladamente su bárbaro decreto de 12 de marzo, inserto en la *Gaceta* de 12 de abril, debía obligarme a adoptar otros principios.

Acábense de una vez infaustas divisiones, que nunca debieron existir, y para las que ni aun pretexto queda ya después que desaparecieron felizmente para siempre todos los motivos de rivalidad y las infundadas distinciones que, producidas por la condición de las circunstancias, han conservado hasta nuestros días un interés mal entendido.

Si aspiráis a la libertad civil y a un gobierno exento de los riesgos y defectos del anterior, no es otro después del exterminio del tirano, de la defensa de nuestra santa religión y del restablecimiento de nuestro amado rey en su trono, el objeto de sus penosas tareas y vigilias. Por estos altos fines pelean vuestros valientes hermanos; y habiendo de ser ya la misma en todo la suerte de unos y otros, lograréis sin sacrificios tan dolorosos el fruto de la sangre que derraman.

Puerto Rico, 20 *de julio de* 1811.

JUAN NICASIO GALLEGO

Discurso sobre la Constitución

20 de agosto de 1811 (1)

Después de la solemne declaración que las Cortes hicieron el 24 de septiembre de que residía en ellas la soberanía de la nación española, es doloroso verse en la necesidad de probar que esta nación es soberana y que esencialmente le compete esta calidad, que todas las provincias y pueblos han reconocido y jurado. Las cláusulas que se añaden en el proyecto de Constitución, de que a la nación toca *exclusivamente* establecer sus leyes fundamentales, y sobre todo la palabra *esencialmente* puesta en el primer miembro de este artículo, han hecho vacilar a varios diputados que, sin duda, por no haber meditado bien la materia, han confundido la soberanía con el ejercicio de ella y el derecho de establecer las leyes fundamentales con el derecho de gobernar el Estado con arreglo a estas mismas leyes. Todos estos señores confie-

---

(1) La intervención tiene como objeto el artículo 3 de la Constitución: «La soberanía reside esencialmente en la nación, y por lo mismo le pertenece el derecho de establecer sus leyes fundamentales y de adoptar la forma de Gobierno que más le convenga.» J. N. Gallego (1777-1853) fue hombre de letras, poeta y político. Eclesiástico perteneciente al partido liberal, del que es uno de los puntales en las Cortes. Ha dejado una obra interesante en la cual los discursos políticos ocupan un puesto preeminente. Los más notables son los que pronunció en los debates en torno a la Constitución y sobre la supresión de la Inquisición. También fue uno de los pilares de la Real Academia Española.

san que, suponiendo a la nación *inconstituida*, le corresponde esencialmente la soberanía; pero creen que, habiéndose ya dado una Constitución, por la cual ha contraído consigo misma ciertas obligaciones, se ha desprendido ya de este poderío esencial. Voy a manifestar, si puedo, brevísimamente, que la soberanía no puede ser enajenada por más que se confíe su ejercicio en todo o en parte a determinadas manos. Demostrado esto, resultará que si antes de constituirse la nación fue soberana esencialmente, lo es en el día, y lo será siempre, aun cuando haya pasado por una, dos o diez constituciones. Una nación, antes de establecer sus leyes constitucionales y adoptar una forma de Gobierno, es ya una nación; es decir, una asociación de hombres libres que se han convenido voluntariamente en componer un cuerpo moral, el cual ha de regirse por leyes que sean el resultado de la voluntad de los individuos que lo forman, y cuyo único objeto es el bien y la utilidad de toda la sociedad. Esta nación, por las leyes constitucionales que luego establece, contrae ciertas obligaciones consigo misma; pero como voluntariamente las contrae y el objeto de ellas es la felicidad general de sus individuos, puede derogarlas o reformarlas desde el momento en que vea que se oponen a dicha felicidad, que es el único fin de su formación. De aquí se sigue que nunca puede desprenderse de la soberanía esencial que tuvo, pues de lo contrario se privaría espontáneamente de los medios de promover el único objeto para que fue congregada, lo cual es contradictorio e inconcebible. Por lo mismo, esta sociedad, a pesar de haberse dado una Constitución, y cualesquiera que sean los privilegios, condecoraciones y facultades que por la utilidad de todos haya concedido en ella a alguno o algunos de sus individuos, cuando esta utilidad de todos exija que se le revoquen o disminuyan, tiene por necesidad derecho para hacerlo. Estas prerrogativas las concedió por el bien común *voluntariamente*, y por consecuencia puede coartarlas por el bien común *voluntariamente*. He aquí porque, no pudiendo realizarlo, si no conservase esencialmente la soberanía, se demuestra que es inalienable y que en otros tiempos y ocasiones reside en la nación.

Señor, causa fastidio tener que exponer estas verdades, que son el abecé del derecho público y clarísimas para los que han saludado esta ciencia. Sin embargo, como para aquellos que no se han dedicado a ella pueden por mi mala explicación aparecer aún con alguna oscuridad, presentaré un ejemplo que dará alguna luz a esta materia. Para ello me servirá este Congreso nacional, a quien consideraré con respecto a solos sus individuos. Aquí nos juntamos al pie de doscientos sujetos con obligación e intención de formar un cuerpo que, para llenar sus deberes con método y unidad, había de gobernarse por unas leyes que aún no existían. Este es el estado de una sociedad cuando va a establecer sus leyes fundamentales. Eramos entonces dueños de darnos las que quisiéramos, y nos convenimos en las que contiene el reglamento interior de las Cortes. Este, pues, es nuestra actual Constitución con respecto a nosotros mismos. Por ella se estableció que hubiese un presidente con varias facultades, como indicar el asunto de la disensión, dar principio y fin a las sesiones, poner en la barra a un individuo, etcétera, etcétera.

Pregunto ahora: ¿se dirá que, dada esta Constitución, se desprendió para siempre el Congreso del derecho de reformarla, aun cuando vea que perjudica al buen orden y gobierno interior del cuerpo, que es su objeto? El presidente, que sin más derecho que nuestra voluntad recibió del Congreso esas facultades, ¿tendrá alguno para quejarse si la utilidad pidiera que se retoque la Constitución de que dimanan? No, porque el Congreso, antes de darse su reglamento constitucional, y después de dado, conserva *esencialmente* la facultad *soberana* de reformar las leyes fundamentales de su gobierno interior, siempre que sea preciso para el mejor orden, que es el objeto de ellas. Contra estas verdades, ¿qué podrán las autoridades que ayer se han citado? ¿Ni a qué conduce el ejemplo de otras naciones, deducido de simples hechos aislados y relativos todos al gobierno de las mismas, y no a los primitivos derechos que les competen? Los escritores de que se ha hecho mención serán muy respetables, pero nunca prevalecerá su opinión en estas materias contra las convincentes razones de los publicistas. Y los mismos Santos Padres (cuya sabiduría venero y cuyas opiniones en asuntos pertenecientes a nuestra santa religión tienen autoridad canónica, como que sus dichos forman una de las fuentes del Derecho eclesiástico) no pudieron en las ciencias profanas rayar más alto de lo que daban de sí las luces del siglo en que vivieron, ni sus dictámenes en tales puntos tienen más fuerza que la de las razones en que van fundados (2).

---

(2) En este punto de su discurso Gallego fue interrumpido por el diputado Alcaína, indignado de que se hablase de la Iglesia en términos parecidos. Este debate anuncia el tono de las discusiones que se desarrollarán sobre la Inquisición y los bienes temporales de la Iglesia, frente a los tradicionalistas, decididos partidarios de la integridad de la monarquía católica, y los liberales, deseosos de separar las responsabilidades de la Iglesia y del Estado sobre ciertos puntos. La «soberanía popular» fue la manzana de la discordia: las sarcásticas reflexiones del *Manifiesto de los Persas,* en 1814, nos lo recuerdan.

EUGENIO DE TAPIA

El Censor angustiado

1812 (1)

ESCENA UNICA

Alzase el telón y se descubre al Censor sentado con abatimiento en un sillón de vaqueta; delante tiene una mesa llena de cartapacios, y sobre ellos un espadín. La orquesta rompe con una obertura estrepitosa, que acabará en fandango; mientras dura la música el Censor toma varias veces la pluma, y otras tantas la suelta desfallecido; de tiempo en tiempo hace ademanes de loco; luego vuelve a su natural estado de simpleza, y comienza a declamar con ternura, acompañado de una chirimía (2).

---

(1) El título alude al periódico *El Censor,* publicado en esta época, y cuyos autores defendían a la Inquisición y al poder arbitrario (cf. la nota del autor: «Nombre de un periódico que se publicaba en Cádiz el año de 1812 y cuyo editor era uno de los partidarios más acérrimos de la Inquisición y del despotismo.») La obra lleva como subtítulo *Soliloquio trágico-bufo que este periodista pronunció al tiempo de publicarse en Cádiz la Constitución.* El autor, E. de Tapia (1776-1860) es, ante todo, poeta, y, como muchos otros, intervino en la vida pública de su tiempo. En el momento de las Cortes de Cádiz fue director de la *Gaceta,* participando en la carrera de todos los liberales: honores y represalias, según los avatares de la historia.

(2) La promulgación de la Constitución dividió a España en dos, y exacerbó las luchas políticas entre los partidarios del antiguo régimen y los del liberalismo. Para convencerse basta con leer los debates de las Cortes tal como nos han sido fielmente transmitidos por los *Diarios de sesiones de Cortes.*

Se pueden comparar la indignación y el miedo del Censor con los mismos sentimientos que experimentaban los franceses en la misma época. En una «comedia original» en tres actos, intitulada *El sitio del Empóreo gaditano por las tropas del monstruo más tirano,* debida a la pluma de un «ingenio español» (1812, Cádiz), se ven en escena generales y soldados, y también diputados a Cortes, los «padres de la patria». El Congreso nacional es una especie de entidad suprema de la que todos esperan mil milagros. Por lo demás, en

No hay remedio, vencieron; en las calles
resuenan ya los gritos de alegría
con que el indócil pueblo sin cadenas
su triunfo y mi vergüenza solemnizan.
Vencieron: ¿y yo solo, abandonado,
ludibrio de los viles periodistas,
de pluma en pluma iré, de lengua en lengua,
al reino del olvido y la ignominia?...
¡Fatal Constitución! ¡Oh, quién pudiera
volverte en Alcorán! ¡Quién esa tinta,
que en imprimirte se gastó trocara
en ponzoñosa hiel o amargo acíbar!
¿De qué valieron, ¡ay!, tantos afanes?
¿De qué tantos sudores y vigilias
para dar a la estampa mis cuadernos
que el noble despotismo defendían?
¡Oh, cuadernos perdidos! Caras prendas,
dulces un tiempo, cuando Dios quería,
todas yacéis en almacenes hondos,
todas iréis a las especias finas.

Música lúgubre como de réquiem: timbales roncos, sordinas y piporros, que acabarán en un plano muy suave y amoroso. El Censor prosigue con expresiva languidez.

¿Con que gasté el dinero inútilmente?
¿Con que en vano un doctor en teología
y un bachiller en artes a destajo
trabajaban por mí, por mí comían?
Nada, nada, alquilones, ha servido
tratar de libertinos y ateístas
a los rivales nuestros (ignorando

---

estos tres actos de gran interés político, el autor pone mucho cuidado en mostrarnos cómo los diputados están cerca del pueblo y comparten con él los momentos de angustia. Es una ocasión para celebrar la más hermosa de las victorias: la Constitución de marzo de 1812. El presidente de la Junta de Cádiz lo deja claramente entender en una larga tirada. Como se ve esta preocupación capital invade todos los ánimos; para el país que descubre su existencia política es más importante hacer leyes que ganar batallas. Y las palabras de despecho que pronuncia el general Soult prueban que los franceses son sensibles a esta derrota que acaban de sufrir. Otra tirada aprecia claramente esta situación.

si ayunan en cuaresma y oyen misa).
Vedlos, vedlos triunfantes, orgullosos,
correr las calles, con amarga risa
al Censor motejar, y aplaudir luego
a su Congreso en resonantes vivas.
Nosotros entre tanto avergonzados,
roído el corazón de negra envidia,
sin fama literaria, sin pesetas,
huimos de la plebe enloquecida.
¿Qué imprimiremos ya? ¿Qué suscriptores
honrarán nuestra empresa? ¿En las esquinas
osaremos fijar los cartelones
que de aviso y libelo nos servían?
¿El pueblo sufrirá que le usurpemos
su poder soberano? ¿Que en Castilla
la Inquisición encienda sus hogueras,
el despotismo afile sus cuchillas?
¡Ay!, no: pasó ya el tiempo; entronizada
la detestable libertad domina,
y con ceñuda frente me amenaza,
y mis obras desgarra vengativa.
¡Oh, cuánto de rubor está presente!
¡Oh, cuánto de sudor y de fatiga
al que escribe periódicos serviles,
al que imprime calumnias e invectivas
a legos y doctores juntamente!...
¿Oís? Ya nos persiguen, ya nos silban;
y mujeres, y ancianos, y muchachos
A la jaula el Censor furiosos gritan.
¿Jaula? ¿A mí? ¡Santo Dios! ¿A un sabio ilustre?
No; por mi sangre juro, regicidas,
no me habéis de encerrar; con este acero
castigaré tan bárbara osadía.

Andante furioso: el Censor toma el espadín que tiene sobre la mesa y acuchilla las paredes a imitación de Don Quijote, hasta que, rendido de tanto afán, se sienta y, limpiándose el sudor, prosigue con serenidad.

Todo ha sido ilusión; nadie me sigue;
nadie asirme pretende; las vigilias,
el trasnochar, la corrección de pruebas
desecan mi cerebro y le extravían.

¿Si estaré loco? ¿Si tendrán que atarme?
¡Oh, cuánto esta aprensión me martiriza!
¿No poder yo escribir? ¿No ir a la imprenta?
¡Antes me caiga el Redactor encima;
antes un Semanario me atosigue,
o se hunda San Felipe en mis costillas!
¡Triste recuerdo! Aún suenan en mi oído
los murmullos de la alta galería,
cuando un valiente campeón osaba
insultar a la plebe libertina.
Aún se presenta a mis turbados ojos
de feroces patriotas la cuadrilla,
amenazando con hercúleo puño
al bello rosicler de mis mejillas.
¡Ay! ¡Qué mortales sustos desde entonces
han cercado mi lecho! ¡Qué abatida
encuentro mi facción! ¡Y yo, no obstante,
escribo sin cesar, pues mi divisa
es vencer o morir! Pero, ¡ay!, en cambio,
¡qué de discursos contra mí publican!
¡Qué sátiras, qué críticas! ¡Oh, pícaros!
Este dice que orejas como a Midas
asomándome van de cerril pelo;
aquél, que no he estudiado la cartilla;
estotro, que mi estilo es tabernario;
todos, que me parió la tiranía.
Yo contra todos, pues; guerra y más guerra.
Suden las prensas; incansable esgrima
sus plumas mi legión; vuelen papeles,
crúcense los dicterios e invectivas;
tiemblen las musas; compañeros míos,
en sangre convertid la negra tinta.

Música marcial: de cuando en cuando tocará un clarín a degüello. El Censor arrebatado toma el espadín y estoquea a los papeles que están sobre la mesa.

Muere, impío y odioso Semanario (3);
muere, Constitución aborrecida;

---

(3) *El Semanario Patriótico,* periódico que mereció tanta aceptación en aquella época. (*Nota del autor.*) Añadamos que Tapia participó en la redacción del periódico.

y tú, Natanael (4), recibe el premio
que merece tu herética porfía.
Mil átomos haré cuantos escritos
pugnan con mi escolástica doctrina;
perseguiré feroz a sus autores;
y mientras no se abrasen y derritan
en pez hirviendo mis rivales todos,
juro ser familiar y periodista.

Cae el telón.

(4) Bajo este nombre se publicó una apreciable obra intitulada *La Inquisición sin máscara.* (*Nota del autor.*)

AGUSTIN ARGÜELLES

Discurso sobre la milicia nacional

16 de enero de 1812 (1)

Los principios en que se fundó la comisión para establecer la milicia nacional son bien conocidos. El objeto de esta institución es la defensa del Estado cuando las circunstancias lo requieren y la protección de la libertad en el caso de que se conspire abiertamente contra la Constitución. Es tanto más necesaria la milicia nacional bajo ambos aspectos cuanto el sistema universal de ejércitos permanentes exige que nosotros tengamos, aun en tiempo de paz, una fuerza respetable en pie para acudir con prontitud y buen éxito a cualquiera invasión o amenaza que pudiera hacerse por parte de los enemigos exteriores. Como éstos pueden acometer con fuerzas muy numerosas y aguerridas a la nación, ya por sí, ya en virtud de una coalición o liga de varias potencias, preciso es tener dis-

(1) Argüelles (1776-1844) es considerado, a justo título, como el gran orador de las asambleas políticas españolas. Llamado «El Divino» por sus admiradores, sabía despertar el entusiasmo de las masas, sobre todo con ocasión de algunas discusiones apasionadas (abolición de la tortura, de la trata de negros, de la esclavitud, de la Inquisición; limitación de los bienes y privilegios del clero; libertad de prensa; Constitución liberal, etc.). Fue uno de los grandes jefes del liberalismo. De ideas relativamente avanzadas en comparación con las de sus amigos moderados, dirige el primer ministerio del Trienio Constitucional, lo que le valió el odio declarado de Fernando VII. Perteneció a todas las legislaturas hasta su muerte.

En esta intervención, bastante breve, lo vemos justificar la existencia y la autonomía de la milicia nacional. En este punto encontraba la hostilidad de muchos de los que veían en la milicia una amputación suplementaria del poder real. Las justas oratorias con Argüelles eran delicadas, lo que bien sabían sus enemigos, ya que vacilaban en afrontar en combate singular su verbo insinuante y su dialéctica implacable.

puesto de antemano un medio capaz de aumentar nuestra fuerza de línea con proporción a las circunstancias. Dado caso que la fuerza que declaren las Cortes para tiempo de paz sea suficiente para conservar la planta, o por decir así, el cuadro de un ejército respetable y susceptible de un aumento progresivo y proporcional, es necesario que en su reemplazo se combinen diferentes circunstancias, que siempre no pueden conciliarse en los simples reclutas, trasladados de repente a los cuerpos veteranos y aun a depósitos. Aunque los cuerpos de milicias no pueden ser considerados tropa de línea por la diversa naturaleza de su institución, sin embargo, sus individuos tienen más analogía con la vida militar que no si fuesen sacados repentinamente del arado u otras profesiones. La sola circunstancia de ser soldado de milicia, la obligación de tener y conservar armas, los ejercicios a que pueda estar sujeto, por más simplificados que éstos sean, siempre le aproximan algo más al carácter militar. Y declarado a todo español de tal a tal edad incluido en la milicia nacional, no hay duda que se lograría el objeto de la comisión bajo el aspecto mismo militar. Una sabia constitución de milicia nacional podrá proporcionar al ejército permanente un aumento útil siempre que lo requieran las circunstancias, sin perjudicar a las diferentes ocupaciones de la vida civil. En esta parte podrá considerarse la milicia nacional como el plantel de los ejércitos, y en algunos casos como tropa auxiliar, siempre que obre en cuerpos de milicias organizados; esto es, podrá considerarse en los movimientos de apuro como un suplemento a la fuerza de línea. Uno y otro pende de la organización respectiva que se dé a ambas fuerzas.

Bajo el aspecto doméstico, hay que considerar varias cosas. La necesidad de conservar en tiempo de paz un ejército en pie más o menos numeroso no hay duda que pone en conocido riesgo la libertad de la nación. El soldado, por el rigor de la disciplina, queda sujeto a la más exacta subordinación; su obligación es obedecer; y este principio tan esencial de la institución militar es cabalmente el que tiene una tendencia al abuso por parte de los jefes o de la autoridad que manda la fuerza. Al ejército ni le toca ni puede tocarle examinar la razón de la orden que le pone en movimiento. Su obediencia lo exige por constitución. La menor deliberación acerca del objeto de su destino destruiría en sus fundamentos la institución militar. Por lo mismo, es un axioma que la fuerza armada es esencialmente obediente. Mas ¿quién no percibe el peligro que envuelve esta teoría? Por una parte, el soldado no debe ni puede examinar el objeto que se propone el que le manda, a no destruir el principio de la subordinación. Por otra, siendo el soldado, como ciertamente lo es, un ciudadano en proteger a su patria y no en oprimirla, no debe prescindir de la justicia de la causa que defiende; de lo contrario, sería un vil estipendiario de quien se sirviesen los ambiciosos para sus perversos fines. De aquí se sigue la grande dificultad de conciliar los perjuicios y las ventajas de una institución que, debiendo ser por su naturaleza obediente, queda expuesta a verse convertida en instrumento de opresión contra su propia voluntad, y siempre contra sus verdaderos intereses. El origen del mal existe en el funesto sistema de ejércitos permanentes, y la comisión no tiene influjo ni autoridad para obligar a las naciones a que renuncien a tan absurdo establecimiento. Si los hombres se desengañaran y si los Gobiernos quisieran dirigirse por los principios de la verdadera filosofía, la comisión habría seguido otro rumbo en toda su obra. Fue necesario acomodarse a las circunstancias y, por decirlo así, capitular o hacer treguas con los delirios de los hombres, que han hecho del sistema militar el instrumento de exterminio de la especie humana.

El derecho exclusivo que se reservan las Cortes de otorgar contribuciones y levantamientos de tropas, la reunión anual con las demás precauciones tomadas en la Constitución pueden, hasta cierto punto, evitar los inconvenientes de un ejército permanente. Para afianzar estas precauciones se ha ideado la milicia nacional.

Compuesta ésta de los ciudadanos de todas clases y profesiones, de tal a tal edad, resultará necesariamente el cuádruplo o más de la fuerza de línea que se conserve en pie. Los que formen la milicia nacional han de tener no sólo una tendencia natural a que se conserve la paz y la tranquilidad interior, sino que, hallándose sus intereses promovidos y protegidos por las instituciones constitucionales, serán muy vigilantes y estarán muy dispuestos a contrarrestar la misma fuerza con que se intentase apoyar una usurpación. Cuando un país carece de libertad, nada más fácil que usar de un ejército para decidir la disputa entre dos ambiciosos. La nación permanece tranquila espectadora de la contienda. Su esclavitud es en cualquier trance la misma; la mudanza sólo alcanza al déspota que la oprime y a sus inmediatos agentes. Mucho de esto pasó entre nosotros en la Guerra de Sucesión; pero en la actual revolución sucedió todo lo contrario. El interregno que hubo desde la salida de los reyes para Bayona hasta el 2 de mayo facilitó a la nación el medio de reflexionar sobre su suerte futura. No había gustado aún de la libertad, pero reconoció la innata disposición de su generoso carácter; y así se vio que el ejército fue el primero a abandonar aquellos jefes que intentaron servirse de su autoridad para extraviarle.

Este ejemplo tan señalado debe escarmentar a los ambiciosos. Un usurpador podrá por un momento alucinar a los militares con promesas y honores. Los colmará de beneficios a ejemplo del opresor de la Francia. ¿Y qué? Será por un momento, como sucede a los mariscales franceses; pero estarán, como ellos, expuestos a todos los desaires, humillaciones y genialidades de un carácter brutal, feroz o infame. Sin seguridad, sin tranquilidad, penderán de sólo su capricho; serán alternativamente el juguete de sus pasiones, el vil instrumento de sus voluntariedades, y deshonrados, ultrajados y aun proscritos, se verían expuestos a sufrir la suerte de nuestros más beneméritos militares en los últimos reinados, quienes después de señalados servicios iban a acabar sus días en la fortaleza de Pamplona, la Alhambra de Granada u otro encierro semejante.

Estos golpes de despotismo sólo se contienen con una Constitución, y los militares están igualmente interesados en protegerla, para no ser los instrumentos de una opresión que, al fin, los destruye como a las demás clases de los ciudadanos. Si, a pesar de estas obvias reflexiones, todavía se olvidase la benemérita clase militar de sus primeras obligaciones, y aun de sus verdaderos intereses; si, como dice la comisión en su discurso preliminar, se expusiese a la nación a que contrarrestase con una insurrección los fatales efectos de un mal consejo, la milicia nacional sería el baluarte de nuestra libertad. Así como la insurrección fue en el mes de mayo de 1808 un golpe eléctrico que se sintió simultáneamente en todas las provincias; así como la entrega de las plazas y la presencia de más de 100.000 hombres extranjeros, acostumbrados a vencer ejércitos numerosos y aguerridos, no fueron parte para sofocarla tampoco, ¿serán capaces de triunfar el arrojo y la ambición contra una masa enorme de milicia nacional organizada, que a una señal sola de alarma se pondría en movimiento para defender la libertad de su patria? La comisión sólo debía sentar la base de la institución; una ordenanza análoga perfeccionará la obra, y el sistema general de la Constitución y de los establecimientos que se forman y que habrán de crearse para contenerla darán a nuestra libertad toda la seguridad que cabe en las obras de los hombres. Sobre todo, el rey jamás podrá usar de la milicia para operaciones de momento sin consentimiento de las Cortes. Esta base es el principio sobre que reposa la independencia de la milicia nacional del poder del Gobierno.

CONSTITUCION POLITICA DE LA MONARQUIA ESPAÑOLA. PROMULGADA EN CADIZ A 19 DE MARZO DE 1812

1812 (1)

Don Fernando VII, por la gracia de Dios y la Constitución de la Monarquía española, Rey de las Españas, y en su ausencia y cautividad la Regencia del Reino, nombrada por las Cortes generales y extraordinarias, a todos los que las presentes vieren y entendieren, sabed: Que las mismas Cortes han decretado y sancionado la siguiente

CONSTITUCION POLITICA DE LA MONARQUIA ESPAÑOLA

En el nombre de Dios Todopoderoso, Padre, Hijo y Espíritu Santo, autor y supremo legislador de la sociedad.

Las Cortes generales y extraordinarias de la Nación española, bien convencidas, después del más detenido examen y madura deliberación, de que las antiguas leyes fundamentales de esta Monarquía, acompañadas de las oportunas providencias y precauciones, que aseguren de un modo estable y permanente su entero cumplimiento, podrán llenar debidamente el grande objeto de promo-

(1) Fue precedida de largas discusiones, y luego de un *Proyecto* distribuido profusamente y estudiado por los diputados. La votación, el 19 de marzo de 1812, consagraba el triunfo de la monarquía constitucional, que en adelante ya sólo sería atacada por la monarquía arbitraria y de derecho divino hasta la Primera República de 1873.

ver la gloria, la prosperidad y el bien de toda la Nación, decretan la siguiente Constitución política para el buen gobierno y recta administración del Estado (2).

TITULO PRIMERO

DE LA NACION ESPAÑOLA Y DE LOS ESPAÑOLES

CAPÍTULO PRIMERO

De la Nación española

Artículo 1.º La Nación española es la reunión de todos los españoles de ambos hemisferios.

Art. 2.º La Nación española es libre e independiente, y no es ni puede ser patrimonio de ninguna familia ni persona.

Art. 3.º La soberanía reside esencialmente en la Nación, y por lo mismo pertenece a ésta exclusivamente el derecho de establecer sus leyes fundamentales.

Art. 4.º La Nación está obligada a conservar y proteger por leyes sabias y justas la libertad civil, la propiedad y los demás derechos legítimos de todos los individuos que la componen.

... ...

---

(2) Sobre muchos puntos tiene rasgos comunes con la *Constitution française du 3 septembre 1791*, e incluso en ciertos aspectos con la *Déclaration des Droits de l'Homme et du Citoyen* (Art. 3: «El principio de toda soberanía reside esencialmente en la Nación. Ningún cuerpo ni ningún individuo puede ejercer cualquier tipo de autoridad si no emana expresamente de ella.») Las diferencias más notables son con el artículo 10 de la Declaración: «Ninguno debe ser inquietado por sus opiniones, incluso las religiosas...», y el artículo 11: «La libre comunicación de pensamientos y opiniones es uno de los derechos más preciosos del hombre; por tanto, todo ciudadano puede hablar, escribir e imprimir libremente...» También hay diferencias con algunos de los derechos fundamentales del «Título Primero» de la Constitución:

- — Todos los ciudadanos pueden aspirar a cualquier empleo sin otra distinción que la de la virtud y el talento.
- — Los mismos delitos serán castigados con las mismas penas.
- — Libertad de ejercer un culto religioso.
- — Libertad de asociación y derecho de reunión.
- — Libertad de dirigir peticiones a las autoridades.
- — Instrucción pública común y gratuita.

Capítulo II

De la religión

Art. 12. La religión de la Nación española es y será perpetuamente la Católica, Apostólica, Romana, única verdadera. La Nación la protege por leyes sabias y justas y prohíbe el ejercicio de cualquiera otra.

Capítulo III

Del Gobierno

Art. 13. El objeto del Gobierno es la felicidad de la Nación, puesto que el fin de toda sociedad política no es otro que el bienestar de los individuos que la componen.

Art. 14. El Gobierno de la Nación española es una Monarquía moderada hereditaria.

Art. 15. La potestad de hacer las leyes reside en las Cortes con el Rey.

Art. 16. La potestad de hacer ejecutar las leyes reside en el Rey.

Art. 17. La potestad de aplicar las leyes en las causas civiles y criminales reside en los tribunales establecidos por la ley.

... ...

Capítulo VII

De las facultades de las Cortes

Art. 131. Las facultades de las Cortes son:

Primera. Proponer y decretar las leyes e interpretarlas y derogarlas en caso necesario.

Segunda. Recibir el juramento al Rey, al Príncipe de Asturias y a la Regencia, como se previene en sus lugares.

Tercera. Resolver cualquiera duda, de hecho o de derecho, que ocurra en orden a la sucesión a la Corona.

Cuarta. Elegir Regencia o Regente del Reino cuando lo previene la Constitución y señalar las limitaciones con que la Regencia o el Regente han de ejercer la autoridad real.

Quinta. Hacer el reconocimiento público del Príncipe de Asturias.

Sexta. Nombrar tutor al Rey menor, cuando lo previene la Constitución.

Séptima. Aprobar antes de su ratificación los tratados de alianza ofensiva, los de subsidios y los especiales de comercio.

Octava. Conceder o negar la admisión de tropas extranjeras en el Reino.

Novena. Decretar la creación y supresión de plazas en los tribunales que establece la Constitución e igualmente la creación y supresión de los oficios públicos.

Décima. Fijar todos los años, a propuesta del Rey, las fuerzas de tierra y de mar, determinando las que se hayan de tener en pie en tiempo de paz y su aumento en tiempo de guerra.

Undécima. Dar ordenanzas al Ejército, Armada y Milicia nacional en todos los ramos que los constituyen.

Duodécima. Fijar los gastos de la Administración pública.

Decimotercera. Establecer anualmente las contribuciones e impuestos.

Decimocuarta. Tomar caudales a préstamo en casos de necesidad sobre el crédito de la Nación.

Decimoquinta. Aprobar el repartimiento de las contribuciones entre las provincias.

Decimosexta. Examinar y aprobar las cuentas de la inversión de los caudales públicos.

Decimoséptima. Establecer las aduanas y aranceles de derechos.

Decimoctava. Disponer lo conveniente para la administración, conservación y enajenación de los bienes nacionales.

Decimonovena. Determinar el valor, peso, ley, tipo y denominación de las monedas.

Vigésima. Adoptar el sistema que se juzgue más cómodo y justo de pesos y medidas.

Vigésimo primera. Promover y fomentar toda especie de industria y remover los obstáculos que la entorpezcan.

Vigésimo segunda. Establecer el Plan General de Enseñanza Pública en toda la Monarquía y aprobar el que se forme para la educación del Príncipe de Asturias.

Vigésimo tercera. Aprobar los reglamentos generales para la policía y sanidad del Reino.

Vigésimo cuarta. Proteger la libertad política de la imprenta.

Vigésimo quinta. Hacer efectiva la responsabilidad de los secretarios del Despacho y demás empleados públicos.

Vigésimo sexta. Por último, pertenece a las Cortes dar o negar su consentimiento en todos aquellos casos y actos para los que se previene en la Constitución ser necesario.

... ...

TITULO IV

DEL REY

CAPÍTULO PRIMERO

De la inviolabilidad del Rey y de su autoridad

Art. 168. La persona del Rey es sagrada e inviolable, y no está sujeta a responsabilidad.

Art. 169. El Rey tendrá el tratamiento de Majestad Católica.

Art. 170. La potestad de hacer ejecutar las leyes reside exclusivamente en el Rey, y su autoridad se extiende a todo cuanto conduce a la conservación del orden público en lo interior y a la seguridad del Estado en lo exterior, conforme a la Constitución y a las leyes.

Art. 171. Además de la prerrogativa que compete al Rey de sancionar las leyes y promulgarlas, le corresponden como principales las facultades siguientes:

Primera. Expedir los decretos, reglamentos e instrucciones que crea conducentes para la ejecución de las leyes.

Segunda. Cuidar de que en todo el Reino se administre pronta y cumplidamente la justicia.

Tercera. Declarar la guerra y hacer y ratificar la paz, dando después cuenta documentada a las Cortes.

Cuarta. Nombrar los magistrados de todos los tribunales civiles y criminales, a propuesta del Consejo de Estado.

Quinta. Proveer todos los empleos civiles y militares.

Sexta. Presentar para todos los obispados y para todas las dignidades y beneficios eclesiásticos de real patronato, a propuesta del Consejo de Estado.

Séptima. Conceder honores y distinciones de toda clase, con arreglo a las leyes.

Octava. Mandar los ejércitos y armadas y nombrar los generales.

Novena. Disponer de la fuerza armada, distribuyéndola como más convenga.

Décima. Dirigir las relaciones diplomáticas y comerciales con las demás potencias y nombrar los embajadores, ministros y cónsules.

Undécima. Cuidar de la fabricación de la moneda, en la que se pondrá su busto y su nombre.

Duodécima. Decretar la inversión de los fondos destinados a cada uno de los ramos de la Administración pública.

Decimotercera. Indultar a los delincuentes, con arreglo a las leyes.

Decimocuarta. Hacer a las Cortes las propuestas de leyes o de reformas que crea conducentes al bien de la Nación, para que deliberen en la forma prescrita.

Decimoquinta. Conceder el pase o retener los decretos conciliares y bulas pontificias con el consentimiento de las Cortes, si contienen disposiciones generales; oyendo al Consejo de Estado, si versan sobre negocios particulares o gubernativos; y si contienen puntos contenciosos, pasando su conocimiento y decisión al Supremo Tribunal de Justicia, para que resuelva con arreglo a las leyes.

Decimosexta. Nombrar y separar libremente los secretarios de Estado y del Despacho.

Art. 172. Las restricciones de la autoridad del Rey son las siguientes:

Primera. No puede el Rey impedir bajo ningún pretexto la celebración de las Cortes en las épocas y casos señalados por la Constitución, ni suspenderlas, ni disolverlas, ni en manera alguna embarazar sus sesiones y deliberaciones. Los que le aconsejasen o auxiliasen en cualquiera tentativa para estos actos son declarados traidores y serán perseguidos como tales.

Segunda. No puede el Rey ausentarse del Reino sin consentimiento de las Cortes; y si lo hiciere, se entiende que ha abdicado la Corona.

Tercera. No puede el Rey engañar, ceder, renunciar o en cualquiera manera traspasar a otro la autoridad real, ni alguna de sus prerrogativas. Si por cualquiera causa quisiere abdicar el trono en el inmediato sucesor, no lo podrá hacer sin el consentimiento de las Cortes.

Cuarta. No puede el Rey enajenar, ceder o permutar provincia, ciudad, villa o lugar, ni parte alguna, por pequeña que sea, del territorio español.

Quinta. No puede el Rey hacer alianza ofensiva, ni tratado especial de comercio con ninguna potencia extranjera, sin el consentimiento de las Cortes.

Sexta. No puede tampoco obligarse por ningún tratado a dar subsidios a ninguna potencia extranjera sin el consentimiento de las Cortes.

Séptima. No puede el Rey ceder ni enajenar los bienes nacionales sin consentimiento de las Cortes.

Octava. No puede el Rey imponer por sí, directa ni indirectamente, contribuciones, ni hacer pedidos bajo cualquiera nombre o para cualquier objeto que sea, sino que siempre los han de decretar las Cortes.

Novena. No puede el Rey conceder privilegio exclusivo a persona ni corporación alguna.

Décima. No puede el Rey tomar la propiedad de ningún particular, ni corporación, ni turbarle en la posesión, uso y aprovechamiento de ella; y si en algún caso fuere necesario para un objeto de conocida utilidad común tomar la propiedad de un particular, no lo podrá hacer sin que al mismo tiempo sea indemnizado y se le dé el buen cambio a bien vista de hombres buenos.

Undécima. No puede el Rey privar a ningún individuo de su libertad, ni imponerle por sí pena alguna. El secretario del Despacho que firme la orden y el juez que la ejecute serán responsables a la Nación y castigados como reos de atentado contra la libertad individual. Sólo en el caso de que el bien y seguridad del Estado exijan el arresto de alguna persona podrá el Rey expedir órdenes al efecto; pero con la condición de que dentro de cuarenta y ocho horas deberá hacerla entregar a disposición del tribunal o juez competente.

Duodécima. El Rey, antes de contraer matrimonio, dará parte a las Cortes para obtener su consentimiento, y si no lo hiciere entiéndase que abdica la Corona.

Art. 173. El Rey, en su advenimiento al trono, y si fuere menor cuando entre a gobernar el Reino, prestará juramento ante las Cortes bajo la fórmula siguiente:

«N. (aquí su nombre), por la gracia de Dios y la Constitución de la Monarquía española, Rey de las Españas: juro por Dios y por los santos Evangelios que defenderé y conservaré la Religión Católica, Apostólica, Romana, sin permitir otra alguna en el Reino; que guardaré y haré guardar la Constitución política y leyes de la Monarquía española, no mirando en cuanto hiciere sino al bien y provecho de ella; que no enajenaré, cederé ni desmembraré parte alguna del Reino; que no exigiré jamás cantidad alguna de frutos, dinero ni otra cosa, sino las que hubieren decretado las Cortes; que no tomaré jamás a nadie su propiedad y que respetaré sobre todo la libertad política de la Nación y la personal de cada individuo; y si en lo que he jurado, o parte de ello, lo contrario hiciere, no debo ser obedecido: antes aquello en que contraviniere sea nulo y de ningún valor.

Así Dios me ayude y sea en mi defensa. Y si no, me lo demande.»

MANUEL GARCIA HERREROS

Discurso sobre la abolición de la Inquisición

9 de enero de 1813 (1)

Señor, habiendo Vuestra Majestad (2) sancionado en la Constitución que la Religión Católica, Apostólica, Romana es la única de la Nación y que ésta la protegerá por leyes sabias y justas (3), propone la comisión en su primera proposición que estas leyes sabias y justas hayan de ser conformes en un todo a la Constitución: propuesta de tanta justicia que seguramente no necesita discusión. Sin embargo, para mayor ilustración de la materia, conviene que se hable de ella.

Las leyes serán sabias y justas mientras no se opongan a la Constitución, en el supuesto de ser justos y sabios los principios en que ésta se funda, siendo indudable que de otra manera el Congreso no la hubiera aprobado. Del análisis que se haga de esta aserción resultará más y más su certeza. La nación debe proteger la religión por leyes sabias y justas. Esta protección, que debe circunscribirse a sus facultades, se verifica de dos modos: el uno, dejando expeditas las facultades que Jesucristo concedió a su Iglesia para que las ejerza con toda la amplitud que quiera; y el otro, corrigiendo los súbditos que delinquen contra la religión, porque siendo ella una ley del Estado, no se le puede disputar a Vuestra Majestad

(1) Esta intervención se inscribe en el largo debate que ocupó a las Cortes y que contribuyó a dividir a los diputados y a exaltar las pasiones. M. García Herreros es un diputado liberal, amigo de Argüelles y del conde de Toreno. Será varias veces ministro durante los períodos liberales, sobre todo durante el Trienio Constitucional y en 1835.

(2) Este título se dirigía a las Cortes, representantes del rey durante su ausencia. No dejó de haber espíritus puntillosos que se indignaban de esta «usurpación» pomposa.

(3) Artículo 12 de la Constitución de 1812.

la facultad de castigar su infracción con las penas que estime proporcionadas a la gravedad del delito, aun en el caso de que por el reconocimiento y arrepentimiento del error la Iglesia le remita al infractor las penas espirituales que están en su potestad. Como Vuestra Majestad tiene esta facultad, que nadie le ha disputado ni puede disputársele, la proposición que presenta la comisión únicamente se dirige a que Vuestra Majestad dé unas leyes sabias y justas que protejan de este modo la religión y que estas leyes sabias y justas sean conformes a la Constitución. Si se hubiese probado que las leyes, con arreglo a la Constitución, no eran suficientes para proteger la religión, vendría bien que se dijese que era menester salir del círculo de ella; pero mientras no se demuestre que la religión queda abandonada si no se toma esta medida, no hay razón alguna para proponerla. Así que la proposición de que la religión debe protegerse por leyes arregladas a la Constitución equivale a decir que la religión católica queda bien protegida con los tribunales protectores de ella, que, conforme propone la comisión, hayan en adelante de conocer de los delitos de fe, limitándose la autoridad civil a la parte que le toca.

... ...

Este es el Tribunal de la Inquisición; aquel Tribunal que de nadie depende en sus procedimientos; que en la persona del Inquisidor general es soberano, puesto que dicta leyes sobre los juicios en que se condena a penas temporales; aquel Tribunal que en la oscuridad de la noche arranca al esposo de la compañía de su consorte, al padre de los brazos de sus hijos, a los hijos de la vista de sus padres, sin esperanza de volverlos a ver hasta que sean absueltos o condenados, sin que puedan contribuir a la defensa de su causa y la de la familia y sin que puedan convencerse que la verdad y la justicia exigen su castigo. Entre tanto, tienen que sufrir desde el principio, además de la pérdida del esposo, del padre, del hijo, el secuestro de los bienes y, por último, la confiscación y la deshonra de toda la familia. ¿Y será compatible con la Constitución, por la cual han sido restablecidos el orden y la armonía en las autoridades supremas y en que los españoles ven la égida que ha de preservarlos de los ataques de la arbitrariedad y despotismo?

La Inquisición es incompatible con la soberanía e independencia de la Nación

Primeramente, no es compatible ni con la soberanía ni con la independencia de la Nación. En los juicios de la Inquisición no tiene influjo alguno la autoridad civil, pues se arresta a los españoles, se les atormenta, se les condena civilmente, sin que pueda conocer ni intervenir de modo alguno la potestad secular; se arreglan, además, los juicios; se procede en el sumario, probanzas y sentencias por las leyes dictadas por el Inquisidor general. ¿De qué modo ejerce la nación la soberanía en los juicios de la Inquisición? De ninguno. El Inquisidor es un soberano en medio de una nación soberana o al lado de un príncipe soberano, porque dicta leyes, las aplica a los casos particulares y vela sobre su ejecución. Los tres poderes que las Cortes han regulado en la sabia Constitución que han dado para la felicidad de los españoles se reúnen en el Inquisidor general, si se quiere con el Consejo, y le constituyen un verdadero soberano, sin las modificaciones establecidas para el ejercicio de la soberanía nacional; cosa la más monstruosa que puede concebirse y que destruye en sus principios la soberanía y la independencia de la Nación.

... ...

La Inquisición es opuesta a la libertad individual

¿Y de qué libertad gozan los españoles en los tribunales de la Inquisición? Son conducidos a la prisión sin haber antes visto a sus jueces; se les encierra en aposentos oscuros y estrechos, y hasta la ejecución de la sentencia jamás están en comunicación; se les pide la declaración cuando y del modo que parece a los inquisidores; en ningún tiempo se les instruye ni del nombre del acusador, si lo hubiere, ni de los testigos que deponen contra ellos, leyéndoles truncadas las declaraciones y poniéndose en tercera persona los dichos de aquellos mismos que lo han visto u oído. En el Tribunal de la fe de un Dios que es la misma verdad se falta a la verdad, a fin de que el reo no venga en conocimiento de quién puede calumniarle y perseguirlo como enemigo. El proceso nunca llega a ser público y permanece sellado en el secreto de la Inquisición; se extracta de él lo que parece a los inquisidores, y con ello sólo se hace la publicación de probanzas y se invita al tratado como reo a que haga por sí, o por el abogado que se le ha dado, su defensa y ponga tachas a los testigos. Mas ¿qué defensa puede hacer con unas declaraciones incompletas y truncadas? ¿Qué tachas poner a unas personas cuyos nombres ignora? Pierde el juicio el desgraciado reo en pensar, recordar, sospechar, o sea, adivinar; forma juicios verdaderos, falsos o temerarios; lucha con su propia conciencia, con su honradez y con las afecciones de la amistad, por ver si descubre al codicioso que le ha vendido, al ambicioso que le ha sacrificado, al falso amigo que le ha entregado con ósculo de paz, al lascivo que no pudo saciar libremente su brutal pasión.

... ...

Añádase a todo lo dicho que los calificadores del hecho no son los inquisidores, sino tres o cuatro personas que elige el Inquisidor general, o los inquisidores en su nombre, para censurar las proposiciones o escritos que forman como el cuerpo del delito de los tratados como reos; de la ciencia o preocupación, de la probidad o mala fe de estas personas, cuyos nombres ignora el reo, depende el juicio de los inquisidores, que arreglan sus decisiones a la censura de los calificadores; la ignorancia de estos hombres ha producido esos autillos de fe, que al mismo tiempo que insultan a la razón deshonran nuestra santa religión; otro arbitrio para dejar indefensos a los reos que no pueden probar la envidia y mala fe de sus enemigos. Además, ¿no es repugnante, no sólo a la Constitución, que por sus disposiciones camina a procurar la ilustración sólida de los españoles, sino también a la razón y sentido común, el que las opiniones de cuatro hombres resuelvan las cuestiones más abstractas y difíciles? Así se ha visto confundir lo político con lo religioso y tratar de anticatólicas las verdades de filosofía, física, náutica y geografía que la experiencia y los ojos han demostrado. ¿Es posible que se ilustre una Nación en la que se esclavizan tan groseramente los entendimientos?

Cesó, Señor, de escribirse desde que se estableció la Inquisición; varios de los sabios que fueron la gloria de

España en los siglos XV y XVI o gimieron en las cárceles inquisitoriales o se les obligó a huir de una patria que encadenaba su entendimiento; la libertad civil individual y la justa y racional libertad de pensar y escribir perecieron con la Inquisición. Es evidente, pues, la incompatibilidad de la Constitución política de la Monarquía, que ha restablecido la soberanía e independencia de la Nación, la libertad civil de los españoles y la facultad justa de enunciar sus ideas políticas, con el Tribunal de la Inquisición, que a todo se opone y cuyo sistema está en manifiesta contradicción con las disposiciones liberales de la Constitución (4).

---

(4) La Comisión a la que en las páginas siguientes hace alusión el autor de este discurso es a la Preparatoria, que las Cortes designaban siempre en todos los casos. La componían Diego Muñoz Torrero (presidente), Argüelles, José de Espiga, Mariano Mendiola, Andrés de Jáuregui y Antonio Oliveros.

FRANCISCO SANCHEZ BARBERO

El patriotismo.
A la nueva Constitución.
25 de febrero de 1814 (1)

¿Quién es bastante a reprimir el llanto
y quién a contener en su hondo pecho
el oprobio y despecho,
si contempla al furioso despotismo
que, cercado de ruinas y de espanto,
y de muertes y horror no satisfecho,
por tantos siglos humillarnos pudo?
Con semblante sañudo
por el hispano imperio
el sangriento pendón al aire dando,
error y esclavitud le acompañaban;
error y esclavitud nos perseguían,
procaces dominaban
y en densa ceguedad nos envolvían.
A su carro opresor en cautiverio
gimió amarrada la verdad. En vano

---

(1) Esta oda fue leída por Sánchez Barbero en los «Estudios de San Isidro», de Madrid, el día de la inauguración solemne de la «Cátedra de Constitución política de la Monarquía española». Augusto de Cueto, marqués de Valmar, colector de los *Poetas líricos del siglo XVIII* (B. A. E., t. LXIII, p. 567) dice que le fue comunicada por Mesonero Romanos, que la había aprendido de memoria y retenido durante cincuenta y siete años. En esta poesía vemos que Sánchez Barbero, muy avanzado para su tiempo, nos recuerda que «el furioso despotismo» y el «fanatismo sangriento» han muerto después de haber causado daños multiseculares. Saluda la asunción de la Verdad, de la Libertad y de las Leyes. Ve en las Cortes (1810-1814) la consagración de un progreso político, y proclama la soberanía de la nación española. Considerando que el antiguo régimen ha caducado, declara que desde ahora el «prócer» ya no aplastará al «plebeyo» bajo una «opresión violenta». Los españoles son «libres» e «iguales». La Constitución de 1812 ha consagrado el triunfo de los «ciudadanos».

sus férvidos clamores
los celestes alcázares hirieron,
en vano, que sus dignos defensores,
¡Dios! a tu nombre, ¡qué impiedad!, en sangre,
llamas, oprobio sepultados fueron.
¿Hasta cuándo tus hijos?... Y le plugo
que sublimes alzásemos la frente,
sacudiendo con ánimo valiente
el afrentoso yugo.
La suspirada aurora
amaneció por fin; la triunfadora
Verdad, exenta del enorme peso
del fanático error, ufana vuela,
vuela la libertad, las leyes mandan
y ¡gloria y prez al español Congreso!
del uno al otro sol su imperio agrandan.
Entonces fuera cuando,
entre el ronco tronar de los cañones,
su augusta voz imperturbable alzando,
hablara así la majestad hispana:
La española nación es soberana.
(Un grito horrible el despotismo dando,
sus negras alas volador agita
y a vengarle feroz al Galo incita.)
¡Soberana!, responde el más distante
confín del cerco hesperio.
¡Soberana!, las últimas regiones
que por siempre cortó de este hemisferio
la inmensidad del piélago sonante.
¡Soberana!... Estremécese el tirano;
sus bárbaras legiones
en miedo cambian el valor y encono;
se estremece, y con él su infame trono.
¿Qué español, si de serlo se gloría,
al oír este acento;
qué español, al nombrar *Soberanía,*
inflamarse no siente, engrandecerse,
en patriotismo arder, en ardimiento
aventajarse, y en rencor temible,
contra el vil opresor del continente?
No se llame español si no lo siente.
Salga, vuele. ¿Qué tarda? La fragura
traspase del nervoso Pirineo;

allá incline su frente,
y la cadena dura
en perennal empleo
arrastre, y gima, y su dolor aumente.
Allá marcada su deshonra vea;
vuele, y esclavo del *esclavo* sea.
Que aquí nosotros los sagrados dones
de independencia y libertad gozamos,
y monarca, no déspota, juramos.
¡Gloria y honor al español Congreso!
Indócil hombre, que al querer expreso
de la nación frenético te opones,
ante ella te provoco,
y el presto rayo que la ley despide
contra tu cuello criminal invoco.
Ni sólo te persigo,
¡oh, parricida!, que a una voz conmigo
tu sangre España pide...
¿Oyes? «Con sangre la traición expía,
muere; lo decretó la patria mía.»
Esta patria que, libre, independiente,
a par su amor que su poder ostenta,
y al prócer no consiente
con opresión violenta
al plebeyo agobiar; que todos, todos,
españoles leales,
en religión y ley somos iguales.
Nuestra seguridad... si antes se viera
triste ludibrio del poder tirano,
cual nave sin timón entre la fiera
borrasca y a merced del viento insano
quieta en el seno de la ley reposa;
bien así, de cerviz majestuosa
cual peña agigantada,
que al volver de los tiempos desafía,
en sus bases inmóvil afirmada.
¿Qué español, si de serlo se gloría,
no bendice la mano protectora
que tantos bienes pródiga le envía?
Y ¿cuál código santo,
cuál código atesora
tan gran felicidad, riqueza tanta?
En pindárico canto

a la inmortal *Constitución* levanta,
bienhadado español; tú, que el renombre
por ella ya de ciudadano adquieres;
por ella libre y hombre,
hombre, no siervo de tirano, eres.
¡Hijos de España, juventud dichosa!
Si en aqueste liceo (2)
el grito retumbó del despotismo,
en aqueste, con fuerza victoriosa
derrocado su altar, el patriotismo
levanta su magnífico trofeo;
el fanático error vencido cede
y la sin par *Constitución* sucede.
Constitución resuena
doquiera ya; *Constitución* inflama
los españoles pechos
y contra el crimen espantosa truena.
Ven, ven, ¡oh, juventud! Ella te llama
tus sagrados derechos
a revelarte fiel. ¡Cómo desdeña
al déspota y tirano!
¡Cómo a ser ciudadano
y a conocer enseña
tu excelsa dignidad y poderío!
Las ominosas trabas
con que hasta aquí, de la opresión esclavas,
sus agraviadas artes lamentaron,
con invencible brío
desbarata y destroza
y en la común felicidad se goza.
¡Oh, jóvenes! Venid y el ornamento
de nuestra patria sed; la patria os llama
y ya en vuestro saber y heroico aliento
su gloria y su baluarte
mirando está; mirando
en cada cual un denodado Marte,
y al tirano y al déspota doblando
a vuestros pies sus trémulas rodillas,
y animarse en vosotros
a los Lanuzas ve y a los Padillas.

(2) «Los Estudios de San Isidro. Celebrábase la solemnidad en la capilla llamada *de los Redondos*.» (*Nota del colector.*)

SESION SECRETA DE LAS CORTES DEL DIA 2 DE FEBRERO DE 1814 EN MADRID. PUBLICADA DE ORDEN DE LAS CORTES

1814 (1)

Decreto

«Deseando las Cortes dar en la actual crisis de Europa un testimonio público y solemne de perseverancia inalterable a los enemigos, de franqueza y buena fe a los aliados y de amor y confianza a esta Nación heroica, como igualmente destruir de un golpe cuantas asechanzas y ardides pudiese intentar Napoleón en la apurada situación en que se halla, para introducir en España su pernicioso influjo, dejar amenazada nuestra independencia, alterar nuestras relaciones con las potencias amigas y sembrar la discordia en esta Nación magnánima, unida en defensa de sus derechos y de su legítimo Rey el Señor Don Fernando VII, han venido en decretar y decretan:

1.° Conforme al tenor del decreto dado por las Cortes generales y extraordinarias en primero de enero de 1811, que se circulará de nuevo a los generales y autoridades que el Gobierno juzgare oportuno, no se reconocerá por libre al Rey ni, por lo tanto, se le prestará obediencia hasta que en el seno del Congreso nacional preste el juramento prescrito en el artículo 173 de la Constitución (2).

---

(1) Es la famosa sesión consagrada al retorno del rey Fernando VII, al final de la Guerra de la Independencia. El Acta está firmada por todos los diputados del Congreso. El rey estaba prisionero de Napoleón en Francia, en Valençay. Los diputados a Cortes no dejaban de temer este regreso, del que esperaban lo peor. En efecto, no ignoraban que Fernando VII no aceptaría de buen grado prestar juramento a la Constitución de 1812. El rumor venía de Francia. Los temores que alimentaban eran legítimos porque, en este dominio, la esperanza excedió todo lo previsto.

(2) Se trata de la fórmula que ya hemos citado.

2.º Así que los generales de los ejércitos que ocupan las provincias fronterizas sepan con probabilidad la próxima venida del Rey, despacharán un extraordinario ganando horas para poner en noticia del Gobierno cuantas hubiese adquirido acerca de dicha venida, acompañamiento del Rey y tropas nacionales o extranjeras que se dirijan con S. M. hacia la frontera, y demás circunstancias que puedan averiguar concernientes a tan grave asunto; debiendo el Gobierno trasladar inmediatamente estas noticias a conocimiento de las Cortes.

3.º La Regencia dispondrá todo lo conveniente y dará a los generales las instrucciones y órdenes necesarias a fin de que, al llegar el Rey a la frontera, reciba copia de este decreto y una carta de la Regencia con la solemnidad debida, que instruya a S. M. del estado de la Nación, de sus heroicos sacrificios y de las resoluciones tomadas por las Cortes para asegurar la independencia nacional y la libertad del Monarca.

4.º No se permitirá que entre con el Rey ninguna fuerza armada; en el caso que ésta intentare penetrar por nuestras fronteras o las líneas de nuestros ejércitos, será rechazada conforme a las leyes de la guerra (3).

5.º Si la fuerza armada que acompañare al Rey fuere de españoles, los generales en jefe observarán las instrucciones que tuvieren del Gobierno, dirigidas a conciliar el alivio de los que hayan padecido la desgraciada suerte de prisioneros con el orden y seguridad del Estado.

6.º El general del ejército que tuviere el honor de recibir al Rey le dará de su mismo ejército la tropa correspondiente a su alta dignidad y honores debidos a su Real persona.

7.º No se permitirá que acompañe al Rey ningún extranjero, ni aun en calidad de doméstico o criado.

8.º No se permitirá que acompañen al Rey, ni en su servicio, ni en manera alguna, aquellos españoles que hubiesen obtenido de Napoleón o de su hermano Josef em-

---

(3) ¿Qué se teme más? ¿Al círculo de Fernando VII formado con absolutistas convencidos y dispuestos a un eventual golpe de mano, o a los últimos sobresaltos de una guerra agotadora? La primera hipótesis parece ser la buena: la continuación del decreto, es cierto que ataca a los *afrancesados*, pero se ven aparecer otras inquietudes. Los artículos siguientes lo prueban, ya que en ellos se intenta ejercer un control sobre el itinerario del rey.

pleo, pensión o condecoración, de cualquiera clase que sea, ni los que hayan seguido a los franceses en su retirada.

9.º Se confía al celo de la Regencia el señalar la ruta que haya de seguir el Rey hasta llegar a esta capital, a fin de que en el acompañamiento, servidumbre, honores que se le hagan en el camino y a su entrada en esta Corte, y demás puntos concernientes a este particular, reciba S. M. las muestras de honor y respeto debidas a su dignidad suprema y al amor que le profesa la Nación.

10. Se autoriza por este decreto al presidente de la Regencia para que, en constando la entrada del Rey en territorio español, salga a recibir a S. M. hasta encontrarle y acompañarle a la capital con la correspondiente comitiva.

11. El presidente de la Regencia presentará a S. M. un ejemplar de la Constitución política de la Monarquía, a fin de que, instruido S. M. en ella, pueda prestar con cabal deliberación y voluntad cumplida el juramento que la Constitución prescribe.

12. En cuanto llegue el Rey a la capital vendrá en derechura al Congreso a prestar dicho juramento, guardándose en este acto las ceremonias y solemnidades mandadas en el reglamento interior de Cortes.

13. Acto continuo que preste el Rey el juramento prescrito en la Constitución, treinta individuos del Congreso, de ellos dos secretarios, acompañarán a S. M. a palacio, donde, formada la Regencia con la debida ceremonia, entregará el Gobierno a S. M., conforme a la Constitución y al artículo 2.º del decreto de 4 de septiembre de 1813. La Diputación regresará al Congreso a dar cuenta de haberlo así ejecutado, quedando en el archivo de Cortes el correspondiente testimonio.

14. En el mismo día darán las Cortes un decreto con la solemnidad debida, a fin de que llegue a noticia de la Nación entera el acto solemne por el cual, en virtud del juramento prestado, ha sido el Rey colocado constitucionalmente en su trono. Este decreto, después de leído en las Cortes, se pondrá en manos del Rey por una diputación igual a la precedente, para que se publique con las mismas formalidades que todos los demás, con arreglo a lo prevenido en el artículo 140 del Reglamento Interior de Cortes...»

MANUEL MARIA DE ARJONA

Al Rey, Nuestro Señor, en 28 de abril de 1814

1814 (1)

Ven, oh deseado
príncipe clemente,
llena el voto ardiente
del pueblo español.
Tras de los terrores
de feroz tormenta,
sus rayos ostenta
más gallardo el sol.

---

(1) Arjona, poeta, economista, pedagogo y filósofo de ocasión, glorifica en este poema el advenimiento de la libertad. Después de enumerar los sufrimientos y sacrificios de la nación española, saluda en Fernando VII —como todo buen monárquico— la llegada de un rey liberal, tal como él lo desea. No es excepcional ver que la poesía se hace el vehículo de este tipo de preocupaciones. En otra poesía, del 8 de enero de 1814, *España restaurada en Cádiz. Oda dedicada a la memoria de Juan de Padilla,* aplica las lecciones del pasado al presente en un juego de hábiles símbolos: es la ocasión para decir verdades intrépidas y pedir una revisión de la noción de la realeza tradicional. En otra, *A la nobleza española,* Arjona llega a escribir:

«Ya tú, nobleza, al lujo abandonada,
fiera de un vano honor, de oro sedienta,
cual mercenaria a Marte se presenta,
con laurel otra vez sólo premiada.»

Pone emoción desusada al presentar a Pelayo, héroe simbólico de la Reconquista, es decir, de la Independencia, y, por tanto, de la libertad. Hace un paralelo severo entre los reyes y los héroes antiguos y la actual nobleza, ignorante y entregada al lujo, «fiera de un vano honor», «de oro sedienta», inútil al Estado. Arjona subraya esta decadencia y deja entender que esta clase ya no es desde hace mucho tiempo la depositaria de las cualidades propias de la verdadera aristocracia.

Ven, abraza al pueblo
que por ti se inmola,
ve en sangre española
los ríos brillar.
De escombros cubiertas
ve las dos Españas;
ve yermas campañas
de uno al otro mar.

Los ínclitos huesos
de los esforzados,
¡ay!, mira sembrados
por tu libertad.
Huérfanos y viudas
en torno te claman
y *padre* te llaman
en su soledad.

Ve la España vuelta,
desde que te fuiste,
en sepulcro triste
de lo que antes fue.
No hay remota aldea
que, por rescatarte,
del carro de Marte
hollada no esté.

Sólo tu palabra,
oh dulce Fernando,
ve de ti esperando
a tu pueblo ya.
De tus labios pende
darle nueva vida,
y España abatida
luego brillará.

Y de las cadenas
de tu cautiverio
saldrá un nuevo imperio
cual jamás se vio.
Y su nueva vida
será más dichosa
que cuando gloriosa
dos orbes domó.

Digno de dar eres
un bien tan preciado,
príncipe educado
por la adversidad.
En la escuela dura
de tu desconsuelo
te ha enseñado el cielo
a odiar la maldad.

De todos los monstruos
sabes que un tirano
es el más insano,
es el más traidor.
A su torpe aliento
mueren con presteza
glorias y riqueza,
virtudes y honor.

Padre de la patria
serás, oh Fernando,
eterna afianzando
su felicidad.
Que en la edad futura
no puedan los reyes
romper de tus leyes
la estabilidad.

De siglos en siglos
tu gloria eclipsando
del tercer Fernando
irá el esplendor;
y será en los pechos
de tu pueblo grato
eterno el retrato
de su rey mejor.

MANIFIESTO DE LOS «PERSAS»

12 de abril de 1814 (1)

Manifiesto que al Señor Don Fernando VII hacen en 12 de abril del año de 1814 los que suscriben como diputados en las actuales Cortes ordinarias de su opinión acerca de la soberana autoridad, ilegitimidad con que se ha eludido la antigua Constitución española, mérito de

---

(1) El título exacto es: *J. M. J. Representación y manifiesto que algunos diputados a las Cortes ordinarias firmaron en los mayores apuros de su opresión en Madrid, para que la Majestad del señor Don Fernando el VII a la entrada en España de vuelta de su cautividad se penetrase del estado de la nación, del deseo de sus Provincias y del remedio que creían oportuno; todo fue presentado a S. M. en Valencia por uno de dichos diputados y se imprime en cumplimiento de real orden* (Madrid, Imprenta de Ibarra, 1814). Los pasajes elegidos corresponden a los artículos 1, 2, 80-87, 94, 123, 129, 134 y conclusión general.

Se trata de un largo manifiesto (143 artículos), que firmaron sesenta y nueve diputados a Cortes, pidiendo la restauración de la monarquía arbitraria en España al retorno de Fernando VII. Refleja los intereses de las clases tradicionales privilegiadas, que por todos los medios intentaban derrocar al gobierno. Fue un valioso apoyo para el rey (le probaba que en el seno de las Cortes existía una importante fracción que deseaba abolir el orden constitucional), como también lo fue la actitud del general Elío en Valencia, que, al precio de un golpe militar, ofreció a Fernando el apoyo del ejército: «No olvidéis los beneméritos ejércitos... Confían en que Vos, Señor, les haréis justicia...»

El manifiesto fue entregado al rey en Valencia por B. Mozo Rosales, que más tarde desempeñaría un importante papel político. La idea directriz del Manifiesto es el reconocimiento del poder arbitrario y absoluto del monarca. Comporta también un resumen de los acontecimientos que tuvieron lugar entre 1808 y 1814, así como el de las luchas políticas que nacieron en el seno de las Cortes. Ataca violentamente al liberalismo, del que se esfuerza en subrayar sus taras esenciales.

ésta, nulidad de la nueva y de cuantas disposiciones dieron las llamadas Cortes generales y extraordinarias de Cádiz, violenta opresión con que los legítimos representantes de la nación están en Madrid impedidos de manifestar y sostener su voto, defender los derechos del Monarca y el bien de su patria, indicando el remedio que creen oportuno.

Artículo 1.° Era costumbre en los antiguos persas pasar cinco días en anarquía después del fallecimiento de su rey, a fin de que la experiencia de los asesinatos, robos y otras desgracias les obligase a ser más fieles a su sucesor. Para serlo España a V. M. no necesitaba igual ensayo en los seis años de su cautividad, del número de los españoles que se complacen al ver restituido a V. M. al trono de sus mayores, son los que firman esta reverente exposición con el carácter de representantes de España; mas como en ausencia de V. M. se ha mudado el sistema que regía al momento de verificarse aquélla, y nos hallamos al frente de la nación en un Congreso que decreta lo contrario de lo que sentimos y de lo que nuestras provincias desean, creemos un deber manifestar nuestros votos y circunstancias que los hacen estériles, con la concisión que permita la complicada historia de seis años de revolución.

Art. 2.° Quisiéramos olvidar el triste día en que V. M. fue arrancado de su trono y cautivo por la astucia en medio de sus vasallos, porque desde aquel momento, como viuda sin el único amparo de su esposo, como hijos sin el consuelo del más tierno de los padres, y como casa que de repente queda sin la cabeza que la dirigía, quedó España cubierta de luto, inundada de tropas extranjeras (cuyo sistema era vencer por el terror y atraer voluntades por la intriga), errante toda clase de personas por los campos, sujetos a la intemperie y a las desgracias, degollados en los pueblos, sumergidos en la mendicidad, ardiendo los edificios y asoladas las provincias, formaban de la hermosa España el cuadro más horroroso del que en los pasados siglos causó la envidia por la fertilidad de este suelo (2). Esta amarga escena hacía recordar a

(2) Los «Persas» son discretos sobre la partida de Fernando VII, que no tuvo nada de «forzada». Sabido es que fue con su pleno consentimiento como el monarca partió para encontrarse con su «aliado» y «amigo» Napoleón, de quien buscaba una corona, un matrimonio

cada paso que todo nos sería más llevadero, si al menos tuviésemos la compañía y dirección de nuestro amado soberano; mas faltando éste, ocurrió la desesperación al remedio, y cual enfermo que lucha con la espantosa presencia de la muerte, se olvidó España de su estado y fuerzas y, animada de un solo sentimiento, se vieron a un tiempo sublevadas todas las provincias para salvar su Religión, su Rey y su Patria. Pero en las juntas que se formaron en cada una de ellas al primer paso de esta revolución, aparecieron al frente algunos que en ningún otro caso hubieran obtenido el consentimiento del pueblo, sino en un momento de desorden, confusión y abatimiento en que miraban con indiferencia quién fuese la cabeza, con tal que hubiese alguna (3).

... ...

Art. 82. En 11 de agosto de 1812 principiaron los decretos contra los empleados que, habiéndolo sido por los señores Reyes, toleró su continuación el intruso sin despedirlos. Este paso, que ha arruinado miles de familias, suponía delito el no haber emigrado a Cádiz, donde la puerta no estuvo franca y se olvidó que con estar en sus casas han evitado mayores males; han ayudado a la reconquista y dado lugar a que exista nación que V. M. vuelva a gobernar. Fue paso por su generalidad injusto y, por las circunstancias, antipolítico, capaz de resfriar el patriotismo y añadir fuerzas a los franceses (4).

... ...

---

y un apoyo. También los liberales son igualmente discretos, aunque a veces se nota en sus escritos algún malestar. Ver, por ejemplo, el comienzo del *Manifiesto de la nación española a la Europa*, en noviembre de 1808.

(3) En cada provincia nacieron espontáneamente Juntas locales para organizar la lucha contra el invasor, y para asumir una parte del poder desaparecido. Es el principio del resquebrajamiento del antiguo régimen, que será consumado cuando a fines de septiembre de 1808 se cree la Junta Central. Estas Juntas provinciales rechazan la monarquía impuesta por Napoleón. En ellas encontramos, aparte de elementos puramente tradicionalistas, generalmente minoritarios, representantes de la clase media, cuya actividad política —reflejo de sus intereses económicos y de su actitud ideológica— alterará profundamente la estructura de la monarquía tradicional y de la sociedad ligada a ella. El fenómeno ha sido analizado por los historiadores desde hace algunos años y ha sido subrayado detalladamente por recientes estudios.

(4) Curiosamente, el manifiesto reprocha a las Cortes su actitud

Art. 87. En 22 de febrero de 1813 se dictó la abolición de la Inquisición. El sistema adoptado en este papel y el deseo de no ocupar la soberana atención más de lo preciso nos impide indicar las muchas especies oportunas con que algunos sabios diputados impugnaron este proyecto. En cualquiera establecimiento debe mirarse primero su necesidad; y no es dudable que debe haber un protector celoso y expedito para mantener la religión, sin la cual no puede existir ningún gobierno. Si en las reglas adoptadas para hacer eficaz esta protección el ejercicio hubiese acreditado su impotencia o sus defectos, es justo se mediten y se reformen; pero ponerla segura en todo establecimiento no es modo de remediar males, sino quitar de la vista el que se cree, dejando la raíz para otros mayores. El medio que se subrogó es parecido a la sustanciación de juicios de que trata la Constitución, para que entre el juez eclesiástico y secular jamás llegue a castigarse el delito, que era objeto de la Inquisición extinguida. Y en verdad que desde la expedición de este decreto no hay noticia de una sentencia que haga intacta la religión católica; de lo que sí la hay es de multitud de papeles que han corrido impunes hablando con mofa hasta de los misterios más venerables, ser asunto de la crítica de los jóvenes (menos recomendados por sus costumbres) los misterios mismos y la doctrina más antigua y respetable de la Iglesia. Ha mucho tiempo, Señor, que los filósofos atacaron este baluarte de la religión bajo el pretexto de hacer observar las facultades de los obispos, queriendo emularlos con igualdades a la suprema cabeza de la Iglesia, para después de oprimir aquéllos, por nueva emulación de igualdades con los párrocos, llegar al término de reducir la verdadera religión a mero nombre (5).

... ...

estrechamente nacionalista y *antiafrancesada*. Es preciso hacer notar que Fernando VII, al ser restablecido en el ejercicio de sus prerrogativas absolutas, irá más lejos en este dominio, confundiendo en las mismas brutales represalias a los liberales y a los colaboracionistas, sistemáticamente considerados como responsables de todos lo males del país. Sólo más tarde los *afrancesados* mejoraron sensiblemente de condición, aunque al precio de múltiples humillaciones.

(5) Los «Persas» olvidan precisar que el artículo 12 de la Constitución dice expresamente: «La religión de la nación española es y será perpetuamente la católica, apostólica, romana, única y verdade-

Art. 94. Sorprendidos los españoles con estas noticias se preguntaban, no menos confusos que en el 2 de mayo de 1808: ¿qué nuevo torrente de males se despeña sobre nosotros? No ha levantado la suprema justicia el azote, pues que aún nos aprisiona con más pesada cadena de infortunios. Nuevo luto cubrió a las provincias y volvieron a suspirar por la presencia de V. M., que serenaría la borrasca. En este estado deseábamos indagar la causa y pudimos entender que algunos pocos de los que habían eludido las vejaciones francesas, insensibles al mal que no habían visto sus ojos, dormidos en delicias que para los demás eran desgracias y por casualidad entraron en las Cortes de Cádiz, se vieron sorprendidos (a pesar del mejor deseo) de las máximas con que los filósofos han procurado trastornar la Europa y, sin advertirlo, se hallaron contagiados de la animosidad emprendedora de aquéllos. Sí, Señor, se vieron engañados, por no advertir que tales filósofos son osados, porque miran con desprecio una muerte que no recela ulterior juicio; aman la novedad por ostentar la sabiduría de que no poseen más que el prospecto; preocupados de ideas abstractas, ignoran lo que dista la teórica de la ejecución, principal punto de la ciencia de mandar. Están poseídos de odio implacable a las testas coronadas, porque mientras existan no puede tener pase una filosofía revolucionaria, cuyo blanco es la libertad de costumbres, la licencia de insultar por escrito y de palabra, triunfar a costa del menos atrevido y vivir en placeres con el sudor del

---

ra.» Los liberales, anticlericales en apariencia, habían permitido esta mención pensando ganarse así al clero. Ya vimos los desastrosos resultados de este tipo de política conciliadora. Argüelles lo ha explicado perfectamente y ha asumido espontáneamente la responsabilidad de esta impolítica medida: lo paradójico de la situación es que el más anticlerical de las Cortes es el mismo Argüelles.

Sobre este punto, la Constitución española no seguía —como ya vimos— a la Constitución francesa, mucho más flexible y tolerante.

El Tribunal de la Inquisición, aunque debilitado, seguía representando una de las fortalezas levantadas por el antiguo régimen contra el sistema liberal. Lo que se jugaba era muy importante. El hecho de que las Cortes esperaron al 22 de febrero para decretar, después de largos meses de debates, «El Tribunal de la Inquisición es incompatible con la Constitución», es harto sintomático de tan difícil situación. Se volverá a ver, después de 1814, triunfar de nuevo a la Inquisición, que condenará con dureza excepcional a los presos políticos (*presos por opiniones*).

mísero vasallo, a quien se alucina con la voz de libre, para que no sienta los grillos con que se le aprisiona. Todo lo que produce la inquietud del Estado y, al fin, su total ruina (6).

... ...

Art. 123. ¿Por qué se ha de privar a V. M. del derecho que exclusivamente han tenido sus gloriosos antecesores de convocar las Cortes e intervenir en su disolución? ¿A qué piloto se le ha negado la dirección de su nave? ¿Si sólo el Papa puede convocar y presidir el Concilio general, que son las Cortes de la Iglesia, en que interesa el bien de las naciones y da norma a sus semejantes, por qué V. M. ha de quedar privado de lo que por tantos siglos ha querido la nación y su pueblo? La presidencia en el Congreso, la convocación a éste de los tres estados del Reino en el tiempo y lugar que designaban los soberanos, la asistencia de procuradores con facultades amplias, examinadas por encargados de los señores Reyes, y procuradores elegidos con libertad que llevaban la confianza de los pueblos, era ley constitucional, y hoy ley variada (7).

... ...

Art. 129. Son harto notorias en los publicistas las graves causas que pueden dictar al pueblo el deseo de tales novedades; pero de ellas ninguna ha concurrido en V. M. después de prestado el mutuo juramento y de la más solemne proclamación en su ausencia (8). Si consideramos a V. M. arrancado del trono por violencia, no emigrado por voluntad, no hallamos arbitrio para que

---

(6) «Los españoles» a los que se alude aquí son, evidentemente, los representantes de las clases privilegiadas, en cuyo nombre se expresan tan elocuentemente los «Persas». Su interpretación, en esto como en otras cosas, es tendenciosa. Sólo quieren manifestar la inquietud que sienten ante el hundimiento de los valores del Antiguo Régimen y su temor ante el gran dinamismo del capitalismo naciente.

(7) Recordemos la frase de Quintana, cuando en 1818 tuvo que afrontar las iras de la vindicativa Inquisición: «En España no ha habido más que dos partidos: uno de gentes que querían un gobierno monárquico, pero constitucional, y otros que querían el mismo gobierno, pero absoluto...»

(8) Del mismo modo que en el artículo primero, los sesenta y nueve signatarios están en contradicción flagrante con la realidad histórica, y esto con el fin de ocultar las maniobras del monarca.

los administradores o representantes de la soberana autoridad, que dejó en su ausencia, ni los que sucedieron en el mismo puesto (ora por derecho o como gestores de ausente), hubiesen innovado las leyes fundamentales, ni trocado el sistema en que V. M. dejó las cosas, al verificarse su cautividad; a más de que el voto general de la nación al verse invadida se contrajo sólo a equipar soldados y a buscar intereses que, salvándola del ataque, la restituyesen a su antigua libertad e independencia, no a desquiciar las bases en que éstas se apoyaron.

... ...

Art. 134. La monarquía absoluta (voz que por igual causa oye el pueblo con harta equivocación) es una obra de la razón y de la inteligencia; está subordinada a la ley divina, a la justicia y a las reglas fundamentales del Estado; fue establecida por derecho de conquista o por la sumisión voluntaria de los primeros hombres que eligieron sus reyes. Así que el soberano absoluto no tiene facultad de usar sin razón de su autoridad (derecho que no quiso tener el mismo Dios); por esto ha sido necesario que el poder soberano fuese absoluto, para prescribir a los súbditos todo lo que mira al interés común y obligar a la obediencia a los que se niegan a ella. Pero los que declaman contra el gobierno monárquico confunden el poder absoluto con el arbitrario, sin reflexionar que no hay Estado (sin exceptuar las mismas repúblicas) donde en el constitutivo de la soberanía no se halle un poder absoluto. La única diferencia que hay entre el poder de un rey y el de una república es que aquél puede ser limitado y el de ésta no puede serlo; llamándose absoluto en razón de la fuerza con que puede ejecutar la ley que constituye el interés de las sociedades civiles. En un gobierno absoluto las personas son libres, la propiedad de los bienes es tan legítima e inviolable que subsiste aun contra el mismo soberano que aprueba el ser compelido ante los tribunales y que su mismo Consejo decida sobre las pretensiones que tienen contra él sus vasallos. El soberano no puede disponer de la vida de sus súbditos, sino conformarse con el orden de justicia establecido en su Estado. Hay entre el príncipe y el pueblo ciertas convenciones que se renuevan con juramento en la consagración de cada rey; hay leyes, y cuanto se hace contra sus disposiciones es nulo en derecho. Póngase al lado de esta definición la antigua Constitución española, y medítese la injusticia que se le hace.

... ...

Señor: La divina providencia nos ha confiado la representación de España para salvar su religión, su Rey, su integridad y sus derechos a tiempo que opiniones erradas y fines menos rectos se hallan apoderados de la fuerza armada, de los caudales públicos, de los primeros empleos, de la posibilidad de agraciar u oprimir, ausente V. M., dividida la opinión de sus vasallos, alucinados los incautos, reunidos los perversos, fructificando el árbol de la sedición, principiada y sostenida la independencia de las Américas, y amagadas de un sistema republicano las provincias que representamos. Indefensos a la faz del mundo, hemos sido insultados, forzados y oprimidos para no hacer otro bien que impedir y dilatar la ejecución de mayores males, y no quedándonos otro recurso que elevar a V. M. el adjunto Manifiesto que llena el deseo de nuestras provincias, el posible desempeño de nuestros deberes, nuestros votos y la sumisión y fidelidad que juramos a V. R. P. y a nuestras antiguas leyes e instituciones.

Suplicamos a V. M. con todas las veras de nuestro corazón se digne enterarse y, con su soberano acierto, enjugar las lágrimas de las provincias que nos han elegido y de los leales españoles que no han cesado de pedir a Dios por la restitución de V. M. al trono y hoy por la dilatación de sus días para labrar su felicidad (9).

---

(9) Estamos en vísperas de la restauración absolutista. Las clases privilegiadas, sobre todo el clero, van a recuperar sus derechos y sus ventajas. De 1814 a 1820 asistimos a una brutal regresión. S. Cánovas Cervantes escribe en *Los seis años malditos*: «El poder de los frailes era mayor, si cabe, que antes. La Inquisición velaba porque la religión católica no sufriera el menor contacto con las herejías que circulaban por Europa... La nobleza seguía disfrutando sus privilegios.» Pero, a pesar de este cuadro pesimista, Fernando VII, su *camarilla,* y su sistema irán conociendo mayores dificultades hasta el día del golpe de estado de Riego, el 1 de enero de 1820. No era posible dar marcha atrás a la historia y restablecer de repente y artificialmente el Antiguo Régimen. La multitud de complots contra el despotismo arbitrario lo prueba. La evolución de la historia es irreversible, y la marcha progresiva hacia una mayor participación de las clases sociales en los asuntos públicos es un movimiento ineluctable.

JUAN BAUTISTA ARRIAZA

El regreso de Fernando.
A su primera aparición en su Real Palco
del Coliseo de la Cruz

1815 (1)

Introducción

Actor

Cielos, ¡qué miro!... ¡La española escena
de tanta majestad y gloria llena!...
Fernando, el deseado, el perseguido,
por quien todo español ha combatido
mostrando entre los bélicos enojos
rabia en el corazón, llanto en los ojos...
¡La joya que la España ha disputado
contra ella a todo el universo armado,
recuperada vuelve a nuestro seno!...
Gracias, eterno Dios, Señor del trueno
y el rayo justo que lanzó tu mano
para hacer polvo a un pérfido tirano;
gracias, pues tal valor, tanta constancia
conservaste en los hijos de Numancia
que, con desprecio al enemigo bando,
supieron responder: «Muerte o *Fernando.*»

---

(1) Se trata de una serie publicada con el título *Versos con que el Numen del autor saludó el primero la feliz restitución del Rey Nuestro Señor Fernando VII* (*que Dios guarde*) *a sus dominios,* publicados en 1815 en el volumen *Poesías patrióticas.* Arriaza (1770-1837) procede de una familia de militares, y su vida se desarrolló entre la política, la diplomacia y la poesía. Gran amigo y admirador de Fernando VII, fue llamado «el poeta oficial». En Madrid, sus versos de circunstancias (fiestas, aniversarios, matrimonios, nacimientos, defunciones reales) eran colgados de los monumentos y carrozas. Escritos con facilidad, resultaban en cierta medida «populares», pero no tienen otro interés que el de su adhesión incondicional a Fernando VII.

Volved los ojos, vedle si un momento
os lo permite el llanto del contento;
él es, el *Nieto* del augusto Abuelo
por quien las Bellas Artes nuestro suelo
vieron en mil prodigios floreciente;
la misma majestad brilla en su frente;
a nuestro amor conserva igual derecho,
igual beneficencia en su real pecho.
Aun ausente, mandó en los corazones;
y hasta el soberbio autor de sus prisiones,
al ver su porte y su semblante augusto,
decía exclamando entre despecho y susto:
«Mi poder en *Fernando* al fin se estrella,
pues España le adora y reina en ella.»
Pueblo, que le lloraste en tu memoria,
pues le llegaste a ver, canta su gloria.
Su gloria, que es guirnalda de la nuestra,
y con alegre luz también se muestra
en los ojos del caro augusto *Hermano*
y el real semblante de su *Tío* anciano.
Pero ¿qué versos a su nombre iguales,
de las Musas qué cantos inmortales
le dirán nuestro amor?... Señor, perdona
si, por laurel debido a tu corona,
repetimos los cantos militares
que hicieron al paisano en sus hogares
impávido arrostrar su adversa suerte,
cantando y peleando hasta la muerte.
Ellos entretuvieron la esperanza
de nuestra independencia y tu venganza;
y el eco del cañón fue el instrumento
con que dimos tu nombre augusto al viento.
Mas escuchad primero el dulce tono
con que de corazones en un trono
os volvéis a sentar. Y así haga el cielo,
Fernando, al fin, que del íbero suelo
aun la sombra del mal tu nombre ahuyente,
y que brille a los ojos de tu celo
como un prado anchuroso y floreciente,
cuando ni nubes, ni vecinos montes
estrechan los serenos horizontes,
donde el sol si se asoma en el oriente
de una cuna de flores se levanta,

en el calor de la ardorosa siesta
de flores un océano domina,
y cuando en occidente al fin declina
sobre un lecho de flores se recuesta.

(*Sigue inmediatamente el himno intitulado «Regreso de Fernando»*) (2)

Regreso de Fernando

Himno

Coro

Vuelve al trono, Fernando querido,
sube en brazos del pueblo más fiel.
Tú le harás tan feliz como has sido
sostenido y vengado por él.

Voz sola

Largo tiempo tu ausencia ha llorado
la constancia del pueblo español;
no es tan triste a la luna el nublado,
no es tan negro el eclipse en el sol.
Pero ya que tu vista descuella
de la guerra entre el luto y horror,
no es tan dulce en borrascas la estrella
no es tan grata en desiertos la flor.

Deja, deja esa tierra homicida
que con grillos tu gloria ultrajó,
vuelve, vuelve a esta patria querida
que con sangre tu injuria vengó.
Si ven ruinas al paso tus ojos,
bienes son que nos trajo el francés,
mas también son sus viles despojos
esos huesos que pisan tus pies.

---

(2) Muchas poesías compuestas por J. B. Arriaza lo fueron para ser cantadas: himnos, canciones, cantatas, coros, etc. Esto para mejor excitar el patriotismo y la fidelidad de los vasallos de Fernando VII. Nótese la pobreza de las rimas y la vanalidad del argumento, ambos motivos suficientes para que algunos críticos «bien pensantes» hayan visto en Arriaza al primer «poeta de la raza».

Cuando al margen del Ebro llegares
ten presente, al mirar su raudal,
que no daba el triunfo a los mares
sino en sangre enemiga o leal.
Zaragoza te dice humeando
que se supo abrasar, no rendir,
y aun de noche «Venganza, *Fernando*»
sordos ecos se escuchan gemir.

Mas del pueblo, a quien dio la fortuna
en su seno mirarte al nacer,
que de flores cubrió tu real cuna
y entre abrojos te ha visto crecer,
de Madrid tal será la alegría
cuanto fue de perderte el dolor;
mayo sólo te acuerda en un día
de Madrid la fineza en tu amor.

Al entrar por su puerta dichosa,
entre vivas y alegre efusión,
¡cuánta vista en el Prado azarosa
turbará tu leal corazón!
Aquí fue por *Fernando* el delirio,
por *Fernando* allí el pueblo lidió,
y allá fue de la gente el martirio
que muriendo a *Fernando* invocó.

Mas tu nombre triunfante sonando
ya destierra la antigua aflicción,
y a los timbres del quinto *Fernando*
va de nuevo a elevar la Nación.
Al Soldado, que sólo en tu nombre
fue terror de la pérfida grey,
nada habrá que en el orbe le asombre
cuando lleve por Jefe a su Rey.

Reina, premia y perdona en la tierra,
de quien eres el Iris gentil;
ven a dar nuevo aliento a la guerra
y a enfrenar la discordia civil.
Tú sabrás reprimir la anarquía,
pues en Francia admiraste su error;
tú odiarás la feroz tiranía,
pues sufriste a un tirano opresor.

Rompa, ya que tu esfuerzo ha probado,
la desgracia su adverso crisol,
y tu vista a su brillo eclipsado
restituya el imperio español.
Y a los rayos de gloria, que en tanto
se difundan del regio dosel,
que se enjuguen la sangre y el llanto
que han regado tu hermoso laurel.

Vuelve al trono, Fernando querido,
sube en brazos del pueblo más fiel.
Tú le harás tan feliz como has sido
sostenido y vengado por él.

MARTIN DE GARAY

Plan de Hacienda

18 de febrero de 1818 (1)

Desde que el Rey N. S. tuvo a bien establecer la contribución general del Reino, no cesó de dar providencias sabias y oportunas para que en los primeros repartimientos y pagos de cuotas señaladas a los pueblos se

---

(1) Martín de Garay (1760-1823) es economista y hombre de estado. Primero se destacó al servicio de la Junta Central, a comienzos de la Guerra de la Independencia, y, gracias a su carácter hábil y escurridizo, se pone espontáneamente, después de 1814, a disposición de Fernando VII. El 23 de diciembre de 1816 es nombrado ministro de Hacienda de una España totalmente arruinada. Ocupará este cargo poco menos de dos años. Se esforzará, sin éxito por otra parte, en hacer recaer los impuestos sobre las dos clases más ricas —clero y nobleza— y mejorar así la suerte de los otros contribuyentes.

Publica un *Plan original de Hacienda* el 6 de marzo de 1817, en el que revela el déficit monstruoso (453.950.653 reales), sin contar la deuda pública (alrededor de 120 millones). No vacila en enumerar los escandalosos beneficios eclesiásticos y los de las Ordenes militares y religiosas (*diezmos, décimas, primicias, encomiendas* y *maestrazgos*). Esto le valdrá las acerbas críticas de los más altos personajes del Estado: el infante don Carlos, el duque de San Fernando, Francisco Eguía y Juan Lozano de Torres.

Intenta, el 18 de febrero de 1818, en el texto cuyo preámbulo reproducimos (*Modelos para la contribución general del Reino*. Madrid, Imprenta Real, 1818) entrar en la era de las realizaciones. Esto provocará su pérdida. Presenta su dimisión el 14 de septiembre de 1818. El rey lo libera de su cargo (*exoneración*).

Lo volveremos a encontrar después del golpe de Estado de Riego —se acomoda a todos los regímenes— en el Consejo de Estado, cargo que ocupará, lo mismo que el de la presidencia de la «Sociedad Económica», de Zaragoza, hasta el 7 de octubre de 1822, fecha de su muerte.

Si bien el personaje político es poco recomendable, ha dejado el recuerdo, sin embargo, de un economista honesto. Consciente del papel que las masas han tenido durante la Guerra de la Independencia, cree que desde ese momento hay que tener en cuenta ese hecho y que sería cometer un grave error político desconocer la evolución de la historia.

minorasen los perjuicios y agravios que eran consiguientes al repentino cambio de un sistema todo de desigualdad a otro cuyo fundamento son la justicia y proporción de riqueza de contribuyentes. Pero satisfechos ya casi en todas las provincias los dos primeros tercios del año de 1817, estando pagándose en todas partes el último con el mayor celo por parte de los pueblos, y después de haberse comunicado la Real Orden de 12 de septiembre en que se señalaron reglas ciertas y sencillas para nivelar la contribución, hallándose formadas las Juntas de Repartimiento y Estadística que se crearon por Real Orden de 15 de agosto y constituyeron en 3 de noviembre del año próximo pasado, y habiéndose publicado diferentes declaraciones que no dejan la menor duda sobre el cumplimiento del Real Decreto de 30 de mayo e Instrucción de 1 de junio del mismo año de 1817, se llega el tiempo de que cada provincia, cada pueblo y cada contribuyente adquiera un íntimo convencimiento de que el Gobierno y las leyes establecen y ponen en sus manos los medios de igualarse entre sí por un método uniforme y exacto, según el cual todos los años se depurarán los errores y rectificarán los cupos de contribución; pudiendo asegurarse que sin enormes gastos, sin comisiones desordenadas y sin la infinidad de registros que se acumularon en otras naciones y comenzaron a acumularse inútilmente en España para la única contribución, se obtiene un resultado más cierto, de más eficacia y más conforme con la frecuente mudanza de la riqueza de unos a otros propietarios. Estos medios se manifestaron bien en el Real Decreto e Instrucción citados, y especialmente en la Real Orden de 12 de septiembre, pues por el artículo 25 de aquélla se declaró que todos los contribuyentes podían solicitar la medición general de tierra, tasación de edificios, y generalmente de todas las propiedades de cada término, y en la última se determinó la base de la valuación por precios dados, y se fijaron reglas para nivelar después con tal graduación las cuotas respectivas según la riqueza valuada, procediendo de contribuyentes a pueblos, de éstos a partido, y partido a provincias, sin perjuicio de pagar la cuota repartida que las provincias, los partidos, los pueblos y los contribuyentes deben ser igualados en el siguiente repartimiento según los datos que resulten.

Con todo eso, los diferentes recursos que se llevaron a S. M. prueban que no puede dejarse a discreción de los pueblos y particulares el uso arbitrario de los medios que tienen en su poder para hacerse justicia, pues siendo natural la tendencia a la inacción, muy pocos buscan con eficacia los que son ciertos y están determinados después del más prudente examen; y casi todos quieren para sus pretendidos o verdaderos agravios un remedio milagroso, que no puede dar el paternal Gobierno del Rey sin conocimiento de causa, por la misma justicia que debe a todos sus vasallos. Y así sucedió que pasadas algunas quejas de agravio a la Dirección General de Rentas, y sucesivamente a los intendentes y Juntas principales de Contribución, de partido y de pueblo, no pueden resolverse atinadamente por faltar el fundamento de rectificación, cual es el cuaderno general de riqueza de cada pueblo, que está prevenido en el artículo 17 de la Instrucción de 1 de junio de 1817, sin el que tampoco puede adelantarse nada, ni sacarse provecho de las operaciones que señala la Real Orden de 12 de septiembre.

También se observa que, aunque muchos entendieron bien todas las disposiciones dadas, como no podía menos de suceder según es su claridad, figuran los documentos de diferentes modos, lo cual influye mucho en la redacción general que debe hacerse en el Departamento de Fomento, Balánza y Estadística del Reino, y es operación tan sencilla cuando todo está sujeto a un método uniforme y constante como dificultosa, complicada y aun imposible de ejecutarse cuando faltan algunas partes o aparecen con deformidad.

El Rey N. S. ha conocido, pues, la necesidad de ordenar modelos que sirvan de guía para la formación del cuaderno general de cada pueblo y para las cinco operaciones de rectificación progresiva de pueblos, partidos y provincias detalladas en la Real Orden de 12 de septiembre; con cuyo arreglo con las declaraciones hechas, velando continuamente sobre la observancia de cuanto está mandado desde 30 de mayo del año último, con el establecimiento de Juntas de partido, además de las principales y de pueblo, y con los fondos que se las concedieron para sus gastos especiales en la Real Orden de 25 de noviembre último, está hecho por parte del Gobierno todo cuanto puede y debe hacer; habiéndose llevado las providencias a tal punto de adelantamiento, como en los mismos modelos se echa de ver, que ya ningún individuo sufrirá agravios personales, especialmente en la parte de riqueza territorial, porque su suerte será igual a los demás contribuyentes en el tanto que corresponda al ciento de la riqueza común.

Los pueblos, por su parte, aunque S. M., preveyendo los efectos de la malicia humana, señaló pena correspondiente a las ocultaciones en Real Orden de 8 de agosto de 1817, tienen una grande obligación que cumplir: la obligación de decir verdad con que están gravadas las conciencias de todos; pues abolido el antiguo sistema de desigualdad, sería un robo cierto y continuo el que intentase hacer cualquier pueblo o particular en perjuicio del Tesoro Real, en el que ha de entrar completa la suma de contribución, sí a otros pueblos y particulares que habrían de ser gravados más de lo justo. Mas la verdad de la riqueza no puede buscarse solamente en las relaciones de los contribuyentes, ni en los cómputos que se hacían con intervención de las autoridades locales, y aun los mismos cuadernos que deben formarse todos los años para cada pueblo necesitan de un fundamento sólido, cual es de la medición de tierras, tasaciones de edificios y valuaciones de peritos que determinen los productos de cada propiedad.

Estas operaciones fundamentales, hechas por un cierto período de tiempo, dentro del cual no es ordinario trastornarse los capitales de un término, aseguran la posible exactitud de los repartimientos en general, y los cuadernos de cada año ponen los individuos contribuyentes a cubierto de las vejaciones que hasta ahora fue necesario sufrir por falta de presupuestos de riqueza; debiendo, por consecuencia, penetrarse todos los españoles de la necesidad que tienen y de la conveniencia que les resulta de prestar simultáneamente un esfuerzo de ocupación y de moderado gasto, el cual, una vez ejecutado, va a preservarlos de agravios y de injusticias para lo sucesivo, a cuyo fin se dirigen los incesantes desvelos del Rey N. S., que sobre todo quiere desaparezcan las tinieblas, el error y la desconfianza, y se hagan públicas las operaciones de los repartimientos, de modo que todos estén ciertos de su regularidad y proporción.

Por tanto, S. M. ha tenido a bien mandar y manda lo siguiente:

1.° En el presente año de 1818 se ha de hacer indispensablemente un apeo y valuación general del capital y productos específicos de todas las tierras, edificios y propiedades de cada pueblo.

2.° Para lo sucesivo, se ha de hacer este apeo y valuación de diez en diez años.

3.° El libro que contenga esta operación se ha de conservar en el Archivo del Ayuntamiento; y se anotarán en él todas las mudanzas que ocurran por venta, cambio u otra especie de contratos.

4.° Los gastos que se ocasionen se satisfarán por todos los contribuyentes con arreglo a los artículos 25 de la Instrucción de 1 de junio y 2.° de la Real Orden de 25 de noviembre de 1817.

5.° Los intendentes, Juntas principales y de partido obligarán a las Justicias y Ayuntamientos a que hagan el apeo y valuación general, tomando serias providencias contra los omisos.

6.° En el presente año, y en el primer tercio de los siguientes, todas las Juntas de Repartimiento de pueblo formarán sin falta el cuaderno general de la riqueza de cada uno, en conformidad del artículo 17 de la misma Instrucción de 1 de junio de 1817. Si, contra toda esperanza, faltase alguna Junta de pueblo a esta esencial obligación, darán prontas disposiciones la Junta inmediata de partido y la principal de la provincia para hacerla cumplir con su deber.

7.° El cuaderno de la riqueza de cada pueblo se fundará en el apeo y valuación general de que trata el artículo 1.° de esta Real Orden, bajo responsabilidad de las Juntas de pueblo, siguiendo la mudanza de la riqueza de unos a otros propietarios.

8.° Se circularán a todos los pueblos del Reino los cinco adjuntos modelos numerados de las operaciones prescritas en la Real Orden de 12 de septiembre de 1817, y otro del cuaderno de la riqueza de cada pueblo, el cual se interpone sin número después del 1 y 2, siguiéndose el orden de precios dados, deducción de capitales anticipados, resumen de la riqueza y rectificaciones de las cuotas de contribución que deben hacer progresivamente las Juntas de partido y las principales de provincia.

9.º Las Juntas de partido ejecutarán con el mayor cuidado las operaciones señaladas...

10. Luego que las Juntas principales hayan rectificado los cupos de contribución de la provincia por partidos... harán extender con arreglo a ella un estado general, en que se demuestren las nuevas cuotas que corresponden a los pueblos de la provincia.

11. Este estado general se publicará y circulará para que sea notorio a todos.

12. También se insertará y publicará en las gacetas o papeles periódicos de las provincias en que los haya.

13. Las Juntas de partido remitirán a la principal de su provincia una copia íntegra del resumen de la riqueza figurado... que las hayan dirigido las respectivas Juntas de cada pueblo, para que la principal conserve este útil documento y pueda juzgar de la exactitud de las operaciones de la Junta de partido.

14. Para que sean útiles y se examinen en el Departamento de Fomento y Balanza las operaciones de las Juntas de pueblo, de partido y principales, y se pueda proceder a la igualación de todas las provincias del Reino, remitirán éstas a la Dirección General de Rentas, en cumplimiento del artículo 11 de la Real Orden de 12 de septiembre de 1817, tantas copias de resúmenes de riqueza de los pueblos como éstos sean...

... ...

16. La forma de las operaciones de igualación y del cuaderno general de la riqueza de cada pueblo ha de ser precisamente como se manifiesta en los modelos adjuntos. La diferencia ha de consistir solamente en número, especies de riqueza, capitales, productos, individuos, deducciones y cantidades.

17. La Dirección General de Rentas hará cumplir puntualmente todo cuanto está declarado y mandado observar desde la publicación del Real Decreto de 30 de mayo de 1817, estimulando a los intendentes y Juntas principales de Contribución, Repartimiento y Estadística de Provincia, y éstos lo ejecutarán gradualmente a las Juntas de partido, de pueblo, Justicias y Ayuntamientos.

18. Los intendentes y Juntas principales cuidarán de que se comuniquen y circulen a todos los pueblos las Reales Ordenes y declaraciones expedidas sobre contri-

bución general, si no lo estuviesen ya, encargándoles las tengan todas reunidas para que formen cuerpo...

19. Asimismo harán saber e inculcarán a todos los pueblos que hallándose arreglados definitivamente los medios ciertos de igualar las cuotas de contribución, y consistiéndose éstos en el conocimiento y valuación de la riqueza, no se admitirá ni dará curso a ninguna reclamación o solicitud que no haya pasado por el orden gradual de Juntas de partido, intendente y Junta principal de Provincia y Dirección General de Rentas, en puntual observancia del artículo 7.° de la Real Orden de 3 de noviembre del año pasado de 1817.

CANCIONES PATRIOTICAS DEL TRIENIO CONSTITUCIONAL

1821 (1)

I. *Sobre la Constitución, la Milicia nacional y la exaltación*

Constitución o muerte
ésta es nuestra divisa;
si algún servil la pisa,
la muerte sufrirá.

---

(1) Del mismo modo que este tipo de canciones fáciles había pululado durante la Guerra de la Independencia, también durante el Trienio hubo legión para cantar la Constitución impuesta por la fuerza a los absolutistas (*serviles, servilones*), y aceptada contra su grado por el rey; para celebrar las proezas de la Milicia nacional, fiel al sistema liberal en el seno de esta incoercible agitación, y gran enemiga de la guardia real, foco de las insurrecciones absolutistas; para cantar los grandes hechos del general Riego, en ocasiones con un tono inquietante, y para condenar, en fin, la «moderación» y glorificar la «exaltación». Todas estas canciones hablan mucho de sangre, y prometen, es cierto, mil muertes a los enemigos. Son reflejo de esa atmósfera inflamada que impregnaba, sino la calle, por lo menos los teatros, las representaciones oficiales, los desfiles, los cafés y los clubs.

En cuanto al himno de Riego, del que reproducimos una versión, no tiene otro valor que su circunstancia histórica, y la fortuna que conoció más tarde. Reúne armoniosamente en las mismas alabanzas patria, lucha, Riego y héroes de la libertad recuperada. Por último, el célebre *Trágala* anuncia en cierto sentido el fin del Antiguo Régimen con un tono brutal y grosero que le atrajo muchos enemigos. Tiene un odio particular por los *anilleros,* es decir, moderados y otros conservadores. Damos la versión original (rapidísimamente contaminada por otra parte), pero existen varias versiones (*Canción del Trágala, El Trágala nuevo*) con variantes relativamente poco importantes. El lector interesado puede consultarlas en Antonio Alcalá Galiano, *Canciones patrióticas desde 1808 a 1814 y desde 1820 a 1823*

Y pues hemos jurado
nosotros, defensores,
morir entre las flores
de la Constitución, etc.

Corramos a las armas,
milicianos valientes,
por mantener vigentes
la ley y libertad.

¿Quién vive?
¡España!
Por si acaso son facciosos,
por eso lo preguntamos.
Diga usted que viva Riego
y si no le degollamos...

Si queréis sangre,
sangre tendremos;
la verteremos,
y sangre habrá.
Pero mezclada
con sangre nuestra
veréis la vuestra
cuál correrá.

Muera quien quiera
moderación,
y viva siempre,
y siempre viva,
y viva siempre
la exaltación.

(B. A. E., t. LXXXIV, pp. 413-426), en Iris M. Zavala, *Masones, comuneros y carbonarios* (pp. 347-352) y en Maximiano García Venero, *Historia del parlamentarismo español* (Apéndice IV, pp. 529-532).

En estas obras que acabamos de citar se podrán encontrar también las canciones patrióticas de J. B. Arriaza durante la Guerra de la Independencia; las que A. Alcalá Galiano ha recogido o compuesto él mismo, la *Canción patriótica*: *A la sombra de Landaburu, El exaltado a los comuneros españoles, La Campana* (canción catalana), *A los pancistas* (canción de los *comuneros* contra los reaccionarios y liberales); y otros distintos himnos.

En vuestro auxilio
traed austríacos,
traed cosacos
aquí a lidiar.
Fuerza en los brazos
sobra en nosotros
para unos y otros
exterminar.

Trágala o muere,
vil servilón,
ya no la arrancas
ni con palancas,
ni con palancas,
de la nación. Etc.

II. *El himno de Riego*

Soldados, la Patria
nos llama a la lid;
juremos por ella
vencer o morir.

Serenos, alegres,
valientes, osados,
cantemos, soldados,
el himno a la lid;
y a nuestros acentos
el orbe se admire,
y en nosotros mire
los hijos del Cid.

Soldados, la Patria...

Blandamos el hierro,
que el tímido esclavo,
del libre, del bravo
la faz no osa ver.
Sus huestes cual humo
veréis disipadas,
y a vuestras espadas
fugaces correr.

Soldados, la Patria...

¿El mundo vio nunca
más noble osadía?
¿Lució nunca un día
más grande en valor
que aquel que inflamados
nos vimos del fuego
que excitara en Riego
de Patria el amor?

Soldados, la Patria...

Honor al caudillo,
honor al primero
que el patriota acero
osó fulminar.
La Patria afligida
oyó sus acentos
y vio sus tormentos
en gozo tornar.

Soldados, la Patria...

Su voz fue seguida,
su voz fue escuchada;
tuvimos en nada,
soldados, morir.
Y osados quisimos
romper la cadena
que de afrenta llena
dé al bravo el vivir.

Soldados, la Patria...

¡Al arma! Ya tocan;
las armas tan sólo
el crimen, el dolo
podrán abatir.
¡Que tiemble, que tiemble,
que tiemble el malvado,
al ver del soldado
la lanza esgrimir!

Soldados, la Patria...

La trompa guerrera
sus ecos da al viento.
De horrores sediento
ya ruge el cañón.
Ya Marte sañudo
la audacia provoca,
y el genio se invoca
de nuestra nación.

Soldados, la Patria...

Se muestran: volemos,
volemos, soldados.
¿Los veis aterrados
su frente bajar?
Volemos, que el libre
por siempre ha sabido
del siervo vendido
la frente humillar.

Soldados, la Patria
nos llama a la lid;
juremos por ella
vencer o morir.

III. *Canción del Trágala*

Desde los niños
hasta los viejos,
todos repiten:

¡Trágala, perro!

Trágala dicen
a los camuesos
que antes vivían
del sudor nuestro.
Ya se acabaron
aquellos tiempos.
Ea, mamola,
no hay más remedio:

¡Trágala, perro!

Acabó el dulce
chocolateo
que antes teníais,
¡oh, reverendos!,
y el ser los solos
casamenteros,
y algo más, cuando
podíais serlo.

¡Trágala, perro!

También se frustran
vuestros proyectos,
necios ilotas,
rusos y suecos,
que presumíais
con tanto empeño
aherrojarnos
cual viles siervos.

¡Trágala, perro!

Cámaras nunca,
en jamás veto;
o ley o muerte
y ¡Viva Riego!
Burlados quedan
así no menos,
y cabizbajos,
los anilleros.

¡Trágala, perro!

ANONIMO

Condiciones y semblanzas de los diputados a Cortes para la legislatura de 1820 y 1821

1821 (1)

Romero Alpuente

Alto, seco, frío y feamente feo. Pero siempre sereno y siempre imperturbable; habla de todos los asuntos, habla sobre cualquier punto, habla desde la tribuna, habla colgado de ella, habla de cualquier modo, y tan fresco se queda de una manera como de otra. Ministro de Justicia, se conoce que la ama sedientamente, pero también debe amarse al pueblo aún más que el aura popular. Es la piedra de toque de todas las discusiones, pues, al punto que en ella se oye el metal de su voz, no hay nadie que no distinga si se ensaya oro, plata o arsénico. Tiene sus ciertos rasgos de originalidad, y sería con el tiempo un mediano orador con sólo que se le mudase la figura, con que no bajase tanto el estilo y guardase constante decoro. Gasta gorro y anteojos de hierro, mas sólo por ceremonia o por el bien parecer, pues, por un lado, no los necesita, y por otro, no los quiere necesitar (2).

... ...

(1) Este folleto de humor alacre (Madrid, Edit. de Juan Ramos, 1821), se propone pintar el carácter y las costumbres de cada uno de los diputados a Cortes. Maltrata indistintamente a «moderados» y reaccionarios, y no oculta sus simpatías por los «exaltados». «Pero yo —escribe—, sin llevarme a tanta altura, veré de dar algunas pinceladas imitando el estilo de Goya, y proporcionaré a lo menos a todo español el gusto de tener a poca costa una colección de bocetos exactos y originales.» Y, a guisa de conclusión, el malicioso autor añade que todos encontrarán provecho: los mismos diputados, sus eventuales sucesores y, en fin, la todopoderosa opinión pública.

(2) Entre estos diputados, algunos son muy conocidos: Romero Alpuente, antiguo enemigo de Godoy y jefe del partido exaltado; Evaristo San Miguel, amigo de Riego y notable personalidad del Trienio Constitucional; Flórez Estrada, antepasado del socialismo español

San Miguel

Vivo, bajito y cortito de vista; por lo que inmediatamente que encuentra algún tropiezo *se aparta al momento* y *pega un salto atrás*. Sabe de coro las fechas de las leyes. Es de los de gorro y anteojitos *ad nutum* (3).

... ...

Flórez Estrada

No ve cosa mayor, pero detesta los anteóculos y toda especie de obstáculos que le impidan ir corriendo en derechura hacia el bien. Libertad de imprenta, libertad política, libertad civil, libertad de aduanas, libertad de comercio, libertad de hablar, y libertad de todo: será su eterno y más dulce cantar. Escribe y se explica bien. Profiere y pronuncia mal. Tiene tendencia, atracción, magnetismo, o sea afinidad molecular con los átomos del señor Romero Alpuente, y es alto y seco como él, pero no de tan triste catadura; antes bien, festivo y galán.

... ...

Toreno

Bajo de cuerpo y altivo de pensamientos; rubio de pelo, espacioso de frente y hermoso de gesto. Habla un castellano corriente, lo mismo que inglés y francés.

Entiende las artes,
y también la Hacienda;
política, un poco;
bastante de guerra.
Entiende de industria
y entiende de ciencias;
de empréstitos, algo;
mucho más de deudas.

---

y conocido economista; el conde de Toreno, financiero y liberal moderado convencido, autor de la *Historia del levantamiento, guerra y revolución de España;* Alvarez Guerra, varias veces ministro, coredactor de *Variedades* y del *Semanario Patriótico;* Martínez de la Rosa, poeta, primer ministro, aristócrata distinguido y autor de varias tragedias y dramas de inspiración más o menos nacionalistas, y también del Estatuto Real de 1834, de alcance igualmente limitado en todos los dominios, etc. El folleto evoca a ciento cuarenta y seis personalidades. Sus comentarios son a veces cruelmente lúcidos.

(3) *Ad nutum*: al menor signo.

En efecto, él es el que más ha insistido sobre la urgentísima necesidad de organizar y fundar bien nuestro crédito y clasificar la deuda pública nacional y extranjera del modo más conveniente. Posee las mejores y más principales partes de un orador y, a no ser por cierto tonillo armónico, cadencioso, pegadizo y venido de la Galia, declamaría con fervor y vehemencia. Está formado sobre excelentes originales y, como es blando, dócil e insinuante, como buen asturiano, es de esperar que se enmiende y vaya subiendo de punto. Gusta también de las gracias; ama la belleza; conoce el gusto fino, y necesariamente ha de brillar. Es sumamente aseado y apuesto en orden a la vestimenta; pero no hay duda en que la esplendidez de su trato, las aguas olorosas, su amabilidad con toda clase de gentes, sus sortijas de turquesa, su hablar dulce y afectuoso, sus sellos de oro purísimo y piedras refulgentes contribuyen a hacer resaltar, o digámoslo mejor, *a hacer más remarcable su supremo buen tono,* así como la lente pendiente de su cuello prueba su cortedad de vista.

... ...

Moreno Guerra

Alto, recio, prieto, y un si es no es cargadito de espaldas. Facciones e ideas de marca, como los San Cristóbales de nuestras catedrales. Sabe muchísima geografía, y es muy amigo de citar ríos, mares, tártaros, bajás de tres colas y naciones del Asia y de la costa de Africa, de donde parece que acaba de llegar, según las pintas y señas que nos ha dado este año; pero lo que más le gusta recorrer es la Siberia, Ispahan, el mar Negro, Odesa, Marruecos, el Gran Mogol, el Garellano, el Neva y el Bósforo de Tracia. En encontrando algún nudo, no por eso se para; adelante, tartamudea un poco, baja la cabeza, da una embestida y rompe por medio. Es un Alejandro; todo lo troncha, todo lo rompe, todo lo vence. Desde el Neva al Garellano no teme a nadie, ni tiene por qué temer ni temblar, teniendo a su disposición veinticinco millones de españoles libres. Véase si no la historia sucinta de su vida y milagros, diseminada en los 24 tomos de *Diarios de Cortes* de las legislaturas de 1820 y 1821,

que acabarán de salir a fines de este año económico (en todo menos en impresiones y en alguna otra cosilla). En ellos se verá cómo este señor diputado tiene haciendas, tiene casas, tiene dehesas, tiene ganados, tiene mayorazgos y tiene también sus títulos correspondientes en canutos de hoja de lata; que estudió en los Escolapios y que sabe latín; que ha estudiado leyes; que es profeta bueno y que ha estado en Gibraltar; que comió con el gobernador; que ha dormido en Ceuta y que vio la fragata *Perla* haciendo rumbo para Argel; que ha atravesado la Sierra Morena y casi toda la España de medio a medio; que es gran realista; que fue conspirador con unos veinticinco mil compañeros y que podía dar lecciones al cura de Tamajón; pues, a pesar de ser tantos, se estuvo agazapadito, mientras que el bobalicón de Vinuesa, no obstante de que, según él mismo, contaba con poca gente, proyectaba sorprender a Madrid. Allí se pueden leer también algunas ligeras noticias acerca de su señora madre: obligación harto sagrada de todo buen hijo eternizar por medio de la imprenta la memoria de sus virtudes. Acciona, cabecea y manotea fuerte y significativamente. Su voz es llena, sonora y terrificante; tal que si, como se llama Moreno Guerra, se llamase Muley-Aben-Hamet, y si, como lleva frac y no es más que diputado, fuese bajá de tres colas y llevara turbante y alfange damasquino, daría miedo verle y oírle. Tiene una luz natural muy clara y se conoce que lee y es trabajador: a buen seguro que, como él supiera observar las reglas de Horacio, sería un tremendo orador *ex abrupto* y tan impetuoso como su paisano el Betis cuando sale de madre.
... ...

Alvarez Guerra

Cojea, pero con tal disimulo y gracia que no todos adivinarán de qué pie. Habla poco, pero traduce y adelanta mucho, así como quien no hace nada y como si dijéramos a la coxcojita. Tiene grande afición a las cosas de ganadería y agricultura. Es chancero y festivo con bastante chulada, y son tan oportunas sus risitas que hace más él riendo solo que otros voceando.
... ...

Martínez de la Rosa

¡Lucero de las Cortes, amable joven, bien haya quien te marcó con esa estrella en la frente! Tú eres la rosa y pimpollo de la Constitución, el mazo de sus infractores, el talismán contra duendes, el arco iris contra tempestades, el conjuro contra fantasmas, y el hisopo y agua bendita contra las almas en pena y contra toda clase de insectos alarmantes y desorganizantes. Hablas con delicadeza y con sumo miramiento; guardas siempre el decoro debido al Congreso y a cada diputado en particular; discurres con precisión; observas las reglas exteriores de la oratoria; tienes memoria feliz para ir repasando y rebatiendo los argumentos que se te hacen; entendimiento despejado para exponer tus razones por el lado más favorable, y una voluntad de goma elástica para corresponder a los insultos que alguna vez te dirigen con un rocío de palabritas tan menudas como gragea y tan dulces como almendras garrapiñadas. ¿Luego qué más quieres? ¿No estás contento? Pero tiene V. S. la propiedad de desafiar muy a menudo en sus discursos a que no se le cita ninguna ley o artículo que se oponga a lo que defiende y puede V. S. exponerse a que le dejen feo. Perifrasea V. S. con demasiada prodigalidad, por no decir otra cosa; y algunas veces llega a saturar a sus piadosos oyentes; esto se remedia con la mayor facilidad sólo con ahorrar saliva. Repite V. S. igualmente tres veces cada idea, y por desgracia cada vez con mayor frialdad. Baña los más de sus conceptos con tan espeso almíbar que o no se sabe a qué saben, o no saben a su sabor, o sólo saben a azúcar en punto como las yemas acarameladas o como las batatas de la tierra de V. S. Caracterizan notablemente a este joven sus hermosos ojos árabes, y el mechón de la frente, su compostura sin afectación, su rostro apacible, prolongado y moreno, y una cierta tendencia y maneras de señorío que no son de este lugar. Aborrece los gorros, los guantes, los anteojos y melindres; pero suele sacar un lente allá de tarde en tarde, así como por gana de sacarla, y los días de ceremonia también se atusa y saca vuelecillos, por supuesto de encaje.

... ...

Lobato

Clérigo bajito, tieso, cuellicorto y de los que se tientan mucho y muy a menudo el solideo. El ojo es listo y algo encendido; el pie, grueso, y la mano, ancha; la voz ni es clara ni estropajosa; frente arrugada, cara dudosa. Parece que tiene la valentía propia de su apellido, pues aun en las discusiones en que ha habido casi unanimidad de opinión él ha hecho frente a la mayoría y aun ha votado sólo a regañadientes, formando oposición o minoría.

Defiende a los frailes,
defiende los diezmos,
defiende señores,
defiende realengos,
defiende prebendas,
defiende abadengos,
defiende baldíos,
defiende mostrencos.

Ataca con ímpetu y cede pronto, porque no lleva nunca lobeznos de reserva; o combate sin plan, o teme la campanilla como a un arma de fuego. Hay ocasiones en que arguye poniendo sus ciertos silogismos y dilemas que al parecer no tienen escapatoria, pero el diablo la enreda de modo que siempre se la encuentran, y cuando él cree que aprietan demasiado, tiene la maña de dar ciertos brinquitos o hacer tantos pinitos como proposiciones va sentando, al estilo de los célebres ergotistas de los gimnasios. Conserva bastante afecto a las doctrinas de la famosa escuela de Bolonia y a las genuinas decretales de Isidoro Mercator; apoya la obligación de los diezmos con la legislación de los judíos, como si acá lo fuéramos, y gusta mucho de citar papas, concilios y santos padres.
... ...

Gareli

Ve mucho y de bien lejos, pero de cerca usa anteojos de oro. Tiene vasta y muy buena lectura, erudición, talento, sutileza, memoria, pero carece de locución y desprecia las formas oratorias, y a fe que lo yerra. Habla difuso y se explica confuso; pero esto es a veces por conveniencia o por temor de errar, más bien que por encontrar dificultad u oscuridad para poner en claro la controversia. Nada bien y nada entre dos aguas, y el que nada así nunca o rara vez se ahoga. Tiene aire y apellido como de italiano aclimatado en España, y con la pintita de valenciano ha salido finito, rubito, modosito y bajito.

… … … … … … … … … … … … … … … … … …

Clemencín

El nombre te basta.

ORDEN DE LAS CORTES

Se adoptan varias medidas para la averiguación y castigo de los que incendiaron las máquinas de hilar y cardar en Alcoy, e indemnización a los dueños de ellas

19 de marzo de 1821 (1)

Las Cortes, después de haber tomado el más detenido conocimiento del verdadero origen y naturaleza del desastroso suceso ocurrido en la villa de Alcoy el día 2 del corriente, en que por una tumultuaria reunión de vecinos de los pueblos inmediatos fueron reducidas a cenizas muchas de las máquinas de hilar y cardar y destrozadas otras de tundir y perchar, establecidas todas extramuros de dicha villa, se han servido resolver lo siguiente:

1.º Se excita al Gobierno para la pronta averiguación y castigo ejemplar de las personas que, reuniendo los atroces crímenes de incendiarios y amotinadores, redujeron a cenizas las máquinas de cardar e hilar establecidas en la villa de Alcoy.

---

(1) Este es, sin duda, uno de los decretos más interesantes del Trienio Constitucional, porque por primera vez las autoridades liberales moderadas, en el poder, se enfrentan oficialmente con un conflicto social violento, e intentan resolverlo por todos los medios. Alcoy es una ciudad en donde se acaban de importar máquinas extranjeras para hilar y cardar, y los obreros de la ciudad y sus alrededores se coaligan para romperlas, sabiendo que su introducción los reducirá al paro. No es el único conflicto de este género entre 1820 y 1823, pero éste es muy característico de las dos capas sociales que comienzan tímidamente a tener conciencia de clase y que se afrontan brutalmente. No menos característico es el hecho de que las Cortes decidan indemnizar a los propietarios con fondos estatales. No sólo hay que guardar las apariencias, sino sostener también al capitalismo naciente.

2.º El Gobierno dará cuenta a las Cortes del resultado de la causa a su debido tiempo, e inmediatamente de cualquiera complicación contra el sistema que arroje de sí durante su progreso.

3.º Se indemnizará desde luego por cuenta de la Nación a los dueños de las referidas máquinas, previa justificación sumaria del daño, sin perjuicio del reintegro a costa de los culpados.

Todo lo cual comunicamos a V. E. de acuerdo de las Cortes para que, dando a S. M. cuenta, se sirva disponer su cumplimiento con la brevedad que reclama tan interesante objeto. Dios guarde a V. E. muchos años.

Madrid, 19 de marzo de 1821.—José María Couto, diputado secretario. — Francisco Fernández Gasco, diputado secretario.

Sr. secretario de Estado y del Despacho de la Gobernación de la Península.

JOSE MARIA MOSCOSO DE ALTAMIRA

Memoria leída a las Cortes sobre el estado de los negocios concernientes a la Secretaría de su cargo

3 de marzo de 1822 (1)

Animado de los más ardientes deseos por la felicidad y esplendor de mi patria, a la cual quisiera ver en tal punto de prosperidad y gloria que fuera envidia y ejemplo de la civilizada Europa por aquellos respetos, así como lo es por otros, dejo a la perspicacia del augusto Congreso, a quien me dirijo, penetrarse de la amargura con que me presento a exponer ante su vista el cuadro de nuestra situación doméstica, cargado por la iniquidad de los tiempos más bien que por los desaciertos de los gobernantes, si me es lícito expresarme así, de tintas opacas y no de los brillantes colores y animados toques que anunciaran por lo menos más próximos, o en su principio, los días prósperos que nuestros votos universales llaman y que tan necesarios son en nuestro desmayado suelo.

Pudiera encubrir con artificiosos circunloquios el estado poco lisonjero de la Monarquía, pues si bien los avisados penetrarían más allá y verían bajo el disfraz la realidad de las cosas, no faltarían infinitos para quienes fuese parte de alivio no ver el mal en toda su deformidad. Pero he creído que mi deber como funcionario pú-

(1) Se trata del preámbulo del discurso, en que el ministro (Gobernación de la Península) explica a los diputados todo lo que la situación interior deja que desear. Antes de entrar en detalles, Moscoso de Altamira evoca los grandes problemas (entre los cuales la epidemia devastadora no es de los menores) y pide a sus colegas benevolencia y apoyo para continuar la tarea del Gobierno.

Moscoso de Altamira fue ministro en 1822 y luego en 1834, bajo la presidencia de Martínez de la Rosa. Es uno de los hombres más representativos del liberalismo moderado.

blico, la jerarquía en que estoy constituido y la responsabilidad que va a pesar sobre mis débiles hombros, el carácter eminente de la Asamblea ante quien me presento y el heroísmo de la Nación a que nos gloriamos de pertenecer me imponen el deber sagrado de manifestar con verdad, aunque sin desaliento, los pocos progresos que han sido posibles en el año transcurrido, las causas de más influjo que los han retardado y los remedios eficaces que las Cortes actuales están llamadas a dictar para corresponder a la confianza del pueblo español, que en la libertad sólo ha buscado aquella suma de goces particulares que reunidos forman el bien público y que, no obtenidos, influirían lastimosamente en amortiguar, ya que extinguir no sea posible, la llama de amor patrio que nos ha conducido a emprender la inmensa reforma de abusos enormísimos e inveterados, a costa de los mayores y más desinteresados sacrificios personales.

Y más sin temor revelaré a las Cortes nuestra situación, cuanto de la índole nuestra es propio y está elevado al número de las pocas verdades innegables por casos repetidos desde los tiempos más remotos en que figuramos en la historia, que allí donde los obstáculos son más porfiados y casi invencibles, allí es donde la constancia española más robustecida con la resistencia aplica todos sus conatos para allanarlos. Consíguelo, y sigue gloriosa la carrera en que, si fue tarda y prudente al arrojarse, se muestra incansable y magnánima hasta su término. En este Congreso, que a los esfuerzos de la Nación repetidos y logrados al fin de seis años de abatimiento debe su existencia, fuera intempestivo comprobar una cualidad que ha pasado ya a proverbio en el continente de Europa, que se cuenta como una de las indelebles facciones que constituyen nuestra fisonomía política y que es el más infalible presagio de que cuantos óbices y tiros interpongan y asesten con nuestra regeneración política hombres extraviados o una fortuna adversa sólo servirán para acrisolar más y más aquella virtud ingénita en nuestros pechos.

El arraigado apego a los hábitos, costumbres y opiniones antiguas o quiméricos recelos por cuanto los hombres en una monarquía, y más particularmente el habitante del suelo español, necesitan como elemento necesario de existencia su religión y su rey; la inquietud suspicaz de perder instituciones benéficas tan tardía y costosamente adquiridas, o inexperta ansia de innovaciones que apresuren el momento de gozar los bienes que se divisan y se tocan ya en el deseo y que el orden natural dispensa con mano avara y remisa, son los móviles que combina para fines perversos y egoísticos una clase de gentes perdidísimas que toda sociedad abriga, para quienes las leyes y concierto es muerte, y vida la agitación y olvido de los derechos y de la justicia, porque a la sombra del ilimitado poder de la majestad real o de las libertades patrias se prometen dar rienda suelta a su frenesí ambicioso. Estos movimientos en dirección inversa han embargado la acción del cuerpo político, como no se ocultará seguramente a la sabiduría de los representantes; puesto que saben ser el Gobierno un ente moral que, como el físico, tiene por primordial obligación remover cuanto se encamina a su destrucción, en la cual además serían envueltos los más caros intereses de la patria. Estos movimientos han diferido el arreglo de la Administración pública ya desquiciada; y parando los ingresos en las arcas del Estado, o relajando las medidas coercitivas que los aseguraban, o causando imprevistos gastos y desórdenes, han imposibilitado aplicar al fomento del Reino las sumas no ya cuantiosas, sino apenas bastantes, que las Cortes ordinarias asignaron en el año pasado de 1820 para objeto tan sagrado.

La fortuna, es preciso convenir, también nos ha sido contraria. Las naciones no desemejantes a los individuos sufren, o por altas e incomprensibles dispensaciones, o por una concatenación fortuita de causas, sujeta siempre a influjo más elevado, épocas de infortunio en que desatados y embravecidos los males todos parece que conspiran a la ruina de ellas. Así, en la crisis, cuya historia aciaga indico, el azote asolador de la fiebre ultramarina introdujo su maléfica virulencia en la industriosa Cataluña e islas Baleares, propagando su veneno hasta los pueblos comarcanos de Aragón, mientras retoñaba en los confines marítimos de la Andalucía, uniendo sus estragos a las lástimas de las disensiones civiles. La fortaleza y sensatez de nuestra índole domó una y otra calamidad, atajó sus progresos y se aplica a curar las llagas en aquellas provincias, apareciendo en tales épocas de prueba en su fuerza nativa las cualidades esenciales de los pueblos, en los cuales las aflicciones sólo excitan energía y virtud, si son de temple vigoroso. Los daños, sin embargo, han dejado tras sí reliquias y tienen resentido aún el Estado, requiriéndose nuevos esfuerzos de la presente legislatura para su total extirpación, que el Gobierno pedirá lleno de confianza y que no negará el patriotismo de los poderhabientes de la Nación.

Bosquejados someramente los obstáculos que han retardado los progresos de la felicidad nacional, pasaré a exponer con rapidez las operaciones de este Ministerio de mi cargo en sus tres primeros elementos, Gobierno, Fomento e Instrucción, subordinando al primero la beneficencia y salud pública, inseparables de la protección administrativa, y al segundo todo lo respectivo a facilidad de comunicaciones y pasos por caminos y canales, que desempeñan en el cuerpo político las funciones vitales de las venas y arterias en el humano (2).

---

(2) Moscoso de Altamira desarrolla, como lo anuncia, las siguientes rúbricas: 1) *Gobierno* (Jefes políticos, Diputaciones provinciales, Ayuntamientos, Revolución y tradicionalidad, Seguridad pública, Salud pública, Beneficencia, Obras de comodidad y ornato, Cesantes). 2) *Fomento* (Agricultura, Repartimiento de terrenos, Pósitos, Montes y Plantíos, Ganadería, Industria y Artes, Minas, Comercio, Correos, Caminos, Canales, Muelles y Puertos, División territorial, Mapa de España). 3) *Instrucción pública* (dos breves páginas muy generales).

Este tipo de discursos, juzgados importantes, eran sistemáticamente publicados y circulaban en forma de folleto para la edificación del público. Este lo fue en Madrid, Imprenta Nacional, 1822.

CONSTITUCION DE LA CONFEDERACION DE LOS CABALLEROS COMUNEROS

1822 (1)

Artículo 1.º La Confederación de Caballeros Comuneros es la reunión libre y espontánea de todos los caballeros comuneros alistados en sus diferentes fortalezas del territorio de la Confederación, en los términos y con las formalidades que prescribe esta ley y señalan los reglamentos de la Confederación.

Art. 2.º La Confederación tiene por objeto promover y conservar por cuantos medios estén a su alcance la libertad del género humano; sostener con todas sus fuerzas los derechos del pueblo español contra los desafueros del poder arbitrario; y socorrer a los hombres menesterosos, particularmente si son confederados.

Art. 17. La suprema Asamblea celebrará sus juntas en un lugar muy fortificado que se llamará *Alcázar de la libertad*, cuyas fortificaciones y su división serán como se señalan en el reglamento.

Art. 37. Los asuntos relativos a la parte política de la Confederación se tratarán siempre y se decidirán en junta general de la suprema Asamblea.

---

(1) El título añade: *Y reglamento para el gobierno interior de las fortalezas, torres y castillos de todas las merindades de España.* Este folleto se publicó en Madrid, Imprenta del Imparcial, 1822. Sólo reproducimos algunos de sus artículos más significativos.

Art. 75. Leído el informe en junta general ordinaria y aprobado, se señalará el día para que se presente el aspirante en el castillo a alistarse y prestar el juramento que expresa la fórmula siguiente:

Nos (aquí el nombre) juro ante Dios y esta reunión de caballeros comuneros guardar solo, y en unión con los confederados, todos nuestros fueros, usos, costumbres, privilegios, cartas de seguridad y todos nuestros derechos, libertades y franquezas de todos los pueblos para siempre jamás. Juro impedir, solo y en unión con los confederados, por cuantos medios me sean posibles, que ninguna corporación, ni ninguna persona, sin exceptuar al Rey, o Reyes que vinieren después, abusen de su autoridad, ni atropellen nuestras leyes, en cuyo caso juro, unido con la Confederación, justa venganza y proceder contra ellos defendiendo con las armas en la mano todo lo sobredicho y nuestras libertades. Juro ayudar con todos mis medios y mi espada a la Confederación, para no consentir se pongan inquisiciones generales, ni especiales, y también para no permitir que ninguna corporación ni persona, sin exceptuar al Rey..., ofendan ni inquieten al ciudadano español en su persona o bienes, ni le despoje de sus libertades, ni de sus haberes, ni propiedad en el todo ni en parte, y que nadie sea preso ni castigado, salvo judicialmente, después de haber sido convencido ante el juez competente, cual lo disponen las leyes. Juro sujetarme y cumplir todos los acuerdos que haga la Confederación y auxiliar a todos los caballeros comuneros con todos mis medios, recursos y mi espada en cualquiera caso que se encuentren. Y si algún poderoso o tirano, con la fuerza o por otros medios, quisiera destruir la Confederación, en el todo o en parte, juro, en unión con los confederados, defender con las armas en la mano todo lo sobredicho arriba, e imitando a los ilustres comuneros en la batalla de Villalar, morir primero que sucumbir a la tiranía u opresión. Juro, si algún caballero comunero faltase en todo o parte de estos juramentos, el matarlo luego que lo declare la Confederación por traidor (2), y

(2) «La votación por escrutinio se verificará por cédulas... y por bolas blancas y negras cuando recaiga sobre determinada persona y por consiguiente no haya más que aprobar o desaprobar.» (Art. 25 del Reglamento.)

si yo faltare a todos o parte de estos mis sagrados juramentos, me declaro yo mismo traidor (3) y merecedor de ser muerto con infamia por disposición de la Confederación y que se me cierren las puertas y rastrillos de todos los castillos y torres y, para que mi memoria quede de mí después de muerto, se me queme, y las cenizas se arrojen a los vientos.—*Fecha y firma*... (4).

---

(3) *Ibid.*, art. 65: «Juro a Dios y por mi honradez guardar secreto de cuanto he visto y he oído, y de lo que en lo sucesivo viere y se me confiare, como también cumplir cuanto se me mande correspondiente a esta Confederación, y permito que si a esto faltare en todo o parte, se me mate.»

(4) *El Reglamento para el gobierno interior de las fortalezas de cab. com.* precisaba, a continuación, que la sala de reuniones se llamaba «plaza de armas», y explicaba el ceremonial impuesto, del cual algunos detalles resultaban ridículos. Los enemigos de los comuneros, los liberales moderados sobre todo, aprovecharon esto para reírse a gusto. Sobre ello nos ilustra Quintana en la séptima de sus *Cartas a Lord Holland*:

«Fundaron a principios del año de 1821 la que entre nosotros se ha llamado comunería y que no era otra cosa que una imitación del orden masónico, mudados los signos y símbolos exteriores. Lo que en los unos eran ritos y figuras místicas tomadas del guirigay monacal y del ejercicio y profesión fabril, eran en los otros ceremonias y formas caballerescas y militares. Semejantes en el sigilo, orden jerárquico, subordinación y obediencia, todavía lo eran más en el espíritu de egoísmo, de intolerancia, de ambición y sedición, con la diferencia que hay siempre del original a la copia, en la cual todo es más exagerado. Así, los comuneros fueron más resueltamente facciosos y más groseramente intolerantes que sus modelos...»

MANUEL JOSE QUINTANA

Cartas a lord Holland sobre los sucesos políticos de España en la segunda época constitucional

26 de febrero de 1824 (1)

Precedieron los masones a los comuneros, y tienen el indisputable mérito de haber contribuido en gran manera a la restauración de la libertad en el año 1820 (2). Entonces la asociación contaba entre sus individuos un gran número de hombres apreciables por su sabiduría y sus virtudes, cuyo crédito y opinión estimuló después a otros hombres semejantes a entrar en un cuerpo que había merecido tan bien de la libertad y de la patria, y que en aquella época se limitaba, al parecer, a ser instrumento útil en las manos del gobierno constitucional y no su detractor y su enemigo (3). Mas los jefes que le

---

(1) Este pasaje es un buen complemento de la Constitución que precede. Hemos elegido otro trozo de la carta número 7 (ya evocada en la nota anterior). Estamos ante una colección de diez cartas escritas entre 1823 y 1824, después de la restauración absolutista, y precedidas de un prólogo de 1852. Han sido publicadas ese mismo año en el tomo XIX de la colección Rivadeneyra (B. A. E.), viviendo el autor. Es a este feliz azar al que se debe el conocimiento de esta obra que pone las bases de la ideología liberal del siglo XIX. Quintana será seguido y escuchado hasta la llegada de la Primera República. El ejemplo de Pérez Galdós en su *Fontana de Oro*, y en más de uno de sus *Episodios Nacionales*, es sintomático del respeto ideológico que tenían los discípulos al viejo maestro del pensamiento liberal.

(2) Las informaciones que Quintana nos da sobre la francmasonería son muy interesantes. Esta sociedad secreta desempeñó un papel muy importante entre 1814 y 1820. Se la encuentra en todas las tentativas de levantamientos contra el régimen despótico de Fernando VII.

(3) Es una época en la que hay muchas de las futuras «personalidades» del Trienio, antiguos políticos de los años 1808-1814, y muchos oficiales. La francmasonería se estima reservada a una élite, participando en lo que Tuñón de Lara llama «el concepto aristocrático de la cosa pública», noción evidentemente muy liberal.

gobernaban, ambiciosos los más y enredadores, no se contentaron con este papel subalterno, y quisieron tener en su mano el supremo arbitrio de las cosas. La disolución del ejército de la Isla fue la ocasión y pretexto de la guerra, y ya hemos visto, milord, cómo el primer ministerio y el segundo fueron víctimas de esta miserable competencia.

El éxito no podía ser dudoso en una especie de lucha donde los unos, defendidos con sus mismas tinieblas, dan los golpes sobre seguro, sin estar contenidos por temor, pudor o decencia ninguna, mientras que los otros tienen que defenderse a ciegas, dan estocadas al aire y se sujetan a los límites que les prescriben el respeto de sí mismos y el que deben a la posición en que se hallan. El Grande Oriente, prescribiendo a los hermanos fe implícita en sus doctrinas y obediencia pasiva a sus mandatos, estaba seguro cuando quería de desacreditar la autoridad, de contrariarla, de combatirla y, al fin, de aniquilarla (4). ¿Desagradábales un sujeto en un empleo? La imputación, la calumnia, por groseras, por absurdas que fuesen, circulaban al instante en todo el Reino contra él y era difamado y echado al suelo. ¿Contradecía una medida, una providencia, los intereses o los caprichos de la cofradía, aunque en sí llevase el aspecto y el carácter de utilidad general? Todos se conjuraban para inutilizarla y desobedecerla. ¿Era necesaria una demostración más expresiva para conseguir los fines? El tumulto, la sedición, el cisma, como medios sabidos y dispuestos al instante se realizaban. Sentado el principio de que para ser buen masón y verdadero hombre libre era preciso tener más ley al Grande Oriente que al Gobierno, por el mismo hecho estaba rota la obediencia en la administración, destruida la disciplina en el ejército, nula la armonía y el concierto en el Estado. Así estos hombres incautos e inconsecuentes, dándose por reformadores de la sociedad y declamando siempre contra los abusos del sistema

---

(4) «El Grande Oriente Español» es una de las más antiguas logias masónicas: Aranda y el conde de Montijo fueron sus grandes maestres antes de 1808. Tuvo una recrudescencia de actividad durante la Guerra de la Independencia, en colaboración, a menudo, con la francmasonería francesa. Su importancia fue en aumento hasta 1820, coincidiendo con el golpe de Estado de Riego, que proclamaba de nuevo la Constitución de 1812.

eclesiástico y monacal, no venían a ser ellos mismos otra cosa que unos frailes y un estado, como la Iglesia, injerido en el Estado (5).

Muchos de los hombres buenos y juiciosos que la hermandad tenía, viéndola tomar esta perniciosa tendencia, procuraron contenerla. Pero su influjo era muy corto para conseguirlo y, cansados de luchar contra el torrente, se fueron poco a poco separando y la abandonaron al fin. Esto fue causa de la odiosidad que allí se les juró, mucho más grande que la que se tenía a los que no eran de la comunidad o eran sus enemigos declarados: condición propia de toda secta intolerante ofenderse más de la disidencia que de la contradicción absoluta, a la manera en que los católicos han aborrecido siempre más a los paganos y a los judíos.

Esta separación, por su naturaleza lenta y callada, no tuvo las consecuencias grandes y ruinosas que otro cisma verificado anteriormente (6). Expelidos de la cofradía ma-

(5) El autor quiere mostrar que, progresivamente, la francmasonería se democratiza, abriéndose a las capas sociales inferiores. Los «hombres sensatos» la abandonaron, escribirá poco después, lo que quiere decir que los liberales moderados (a los que encontraremos ocasionalmente en otra logia característicamente llamada «La Templanza») rehusaron colaborar con representantes de categorías sociales que, estimaban ellos, no tenían nada que hacer en el escenario político, y que debían contentarse con obedecer sin pensar.

(6) Quintana muestra cómo la «comunería» procede de los elementos más turbios de la francmasonería, lo que es parcialmente cierto. Recordemos la historia del café revolucionario «La Fontana de Oro». En 1820 es la sede de una sociedad patriótica moderada («Los Amigos del Orden»), donde encontramos todos los grandes nombres del liberalismo, y en la que las preocupaciones políticas lo van invadiendo todo hasta el punto de enzarzarse en polémicas con el gobierno sobre la oportunidad de tal o cual medida (ejemplo: disolución del ejército de la Isla que había hecho la revolución). La oposición «popular» se expresa allí cada vez más abiertamente, y con la creación de una nueva sociedad secreta, la «comunería» (cuyos miembros procedían a menudo de la francmasonería, pero más a menudo se trataba de militantes aislados), «La Fontana de Oro» pasa poco a poco bajo su control. No es la única sociedad que escapa al liberalismo moderado. Todas, poco más o menos, están en el mismo caso a comienzos de 1821.

Quintana hace, pues, alusión a dos momentos distintos: el alejamiento discreto de las personalidades moderadas de la antigua francmasonería y al cisma sonado que provocó la ruptura de la misma francmasonería y la fundación de la «comunería», en la cual encontraremos, en compañía de elementos exaltados procedentes de todas partes, a Regato, Torrijos, Romero Alpuente, Ballesteros, etc.

sónica por su carácter díscolo y aleve, algunos individuos que habían hecho figura considerable en ella trataron al instante de vengar y reparar aquel ultraje, estableciendo orden contra orden y altar contra altar (7). Habituados a aquella clase de intriga y de manejo, y conociendo la ventaja que les daría la calidad de patriarcas y jefes de una corporación numerosa, fundaron a principios del año 1821 la que entre nosotros se ha llamado comunería... (8).

Reclutábanse [los comuneros] en los grados inferiores del ejército y en las clases más ínfimas de la sociedad, y llevaron a la corporación toda la codicia y la envidia de su miseria y toda la indecencia de su educación y costumbres habituales (9).

---

(7) La «comunería» se reclamaba espiritualmente, como se sabe, de Juan de Padilla, el héroe de las «comunidades» de Castilla. Parece ser que B. J. Gallardo ha desempeñado un gran papel en sus comienzos. Su estructura era «caballeresca» y paralela a la de la francmasonería: a la «Cámara de las meditaciones» correspondía el «Cuerpo de Guardia»; al «Taller», la «plaza de armas»; a la «Puerta de entrada», el «Puente levadizo»; etc.

(8) La «comunería» creció rápidamente y llegó a ser muy importante. La componían: militares sin graduación, capas populares, pequeños artesanos, comerciantes y diversos representantes del mundo del trabajo. La tendencia popular —como hemos visto— no se le escapa a Quintana, que, siendo miembro en ese momento de «La Templanza», observa una prudente neutralidad hacia la francmasonería. Es este clima tenso el que explica la caída del ministerio Argüelles, el primer ministerio del Trienio Constitucional (la «coletilla» del discurso real el 1 de marzo de 1821). El desequilibrio se instala en el sistema y se irá acentuando hasta el momento de la intervención de la Santa Alianza, animada por el príncipe de Metternich.

(9) Quintana añade una nota: «Hay quien dice que el establecimiento de la comunería se hizo a instigación de los extranjeros y con la aprobación del rey. Yo no estoy seguro de ello, y por eso no lo afirmo. La conducta posterior de su legislador, cuyo nombre repugna a la pluma el escribirlo, y el constante favor que tuvo siempre con el monarca lo hacen bastante probable.» Con palabras veladas alude a Regato. En su declaración se nota la hostilidad de los dos partidos enemigos. Quintana, como liberal moderado, se espanta del auge democrático. Nos lo prueba este cuadro cargado de desprecio. Por su parte, el diario comunero llamado *El Eco de Padilla* deja ver que el insulto supremo lanzado contra los *descamisados* (los «sansculottes», los revolucionarios) era el de «asalariados». Otro periódico moderado, *El Imparcial,* hablando de un motín en Zaragoza, el 14 de abril de 1822, se apresura a subrayar que los participantes eran zapateros, triperos, carniceros y relojeros, todos gente particularmente despreciable. Como no puede dejar de verse, el conflicto era social.

Aun cuando las dos sociedades se hacían una guerra mortal, tenían sin embargo centros comunes de acción y objetos sobre los cuales se entendían y se ayudaban. Las dos se movían al grito de «¡Viva Riego!», sin embargo de que este general fuese poco estimado en la una y detestado en la otra; las dos se entendieron para derribar el primer ministerio y el segundo; las dos, en fin, se auxiliaban recíprocamente en el descrédito, calumnias, despopularización del partido que ellos llamaban moderado o emplastador (10). Los masones, sin embargo, como más hábiles, dejaban a sus segundos la parte más odiosa y repugnante del ataque. Esto se veía claramente en sus respectivos periódicos: *El Espectador* guardaba una apariencia de decencia, moderación y templanza, mientras que *El Independiente, El Zurriago, El Indicador* y otros folletos comuneros no conocían ni freno, ni vergüenza, en las injurias, imputaciones y denuestos. Los efectos que esta deplorable táctica producía eran los más perjudiciales al orden y a la libertad: por una parte, se adulaba al populacho, se le alentaba a toda clase de excesos y se le enseñaba a vilipendiar y despreciar a cuantos pudieran dirigirle y gobernarle; y, por otra, los enemigos que dentro y fuera tenía la Constitución española veían ponérseles en la mano el triunfo a que aspiraban, con el descrédito de las cosas y de las personas que estos frenéticos preparaban y conseguían (11).

(10) «Emplastador», «empastelador», «pastelero» eran términos que servían para denunciar las maniobras, combinaciones y compromisos políticos. El *Zurriago,* del que hablaremos después, y que es el órgano esencial de expresión de los comuneros, gorros, descamisados, jacobinos, etc., denuncia en todos sus números los «pasteles» de los ministros, jefes políticos y militares. Concede un puesto particularmente relevante a «Doña Rosita la Pastelera», es decir, a Martínez de la Rosa.

(11) Analizando las razones del fracaso de la «libertad» y del «orden», y examinando los problemas que se plantean para el futuro, Quintana, persuadido de que la monarquía constitucional es la panacea universal, hace responsables del fracaso de 1820-1823 a algunos francmasones y a los «comuneros». Los liberales (burguesía adinerada y comercial, clase ilustrada de las «inteligencias», comercio todopoderoso y capitalismo creciente) se oponen a las reivindicaciones de las clases explotadas. Estas dos categorías —burguesía y proletariado— comienzan a medir sus fuerzas, como nos lo muestran varios ejemplos reveladores.

CHARLES COTTU

De la Administración de la Justicia criminal en Inglaterra; y espíritu del sistema gubernativo inglés

1826 (1)

Prólogo del traductor (2)

Poco tiempo había pasado desde la publicación de la obra de Mr. Cottu cuando la Revolución de la Isla en 1820 llamó la atención de toda Europa hacia la España. Hallábase a esta sazón el autor del periódico llamado *El Español* sumamente enfermo y retirado en un pueblecito a treinta millas de Londres, donde la afectuosa amistad de una familia inglesa aliviaba sus males y distraía su imaginación de los recuerdos que amargan de cuando en cuando el ánimo de un expatriado; pues aunque el que esto escribe lo es por su voluntad, y tanto el placer de vivir en un país verdaderamente libre como los favores de sus habitantes lo hacen más dichoso que lo que puede pintar con palabras, los lazos naturales del corazón no se rompen jamás sin dejar llagas, o al menos cicatrices en que el dolor retoña a veces, estremeciendo al pecho más firme.

---

(1) Esta obra, publicada en París en 1820, se tradujo al español en Londres en 1826 (Londres: lo publica R. Ackermann, número 101, Strand; y en su establecimiento en Méjico; asimismo en Colombia, en Buenos Aires, Chile, Perú y Guatemala), y mucho más tarde en Madrid, 1849. Es de la edición de 1826 de la que extraemos el interesante *Prólogo del traductor* que sigue.

(2) Se trata de José María Blanco y Crespo, más conocido con el nombre de Blanco-White, y que siempre manifestó su entusiasmo por todo lo inglés. Cuando redacta estas páginas está, en efecto, exiliado —voluntario e involuntario al mismo tiempo—, porque ha huido de España después de constatar que la revolución no podía realizarse plenamente. Hace alusión a ello en este prólogo.

La noticia de la Revolución española, aunque no del todo lisonjera al traductor, quien por muchos años ha estado en la triste persuasión de que los males de su patria son, por ahora, incurables, no dejó de despertar esperanzas contra su propio convencimiento. Y el deseo de que la España fuese feliz le hizo por algún tiempo casi cerrar los ojos a los obstáculos que la condenan a una tristísima suerte. Tratar de servirle volviendo a su territorio, las leyes tiránicas que lo hicieron dejarla se lo impedían. Desentenderse de sus intereses del todo no se lo permitía el corazón. Sólo quedaba un medio, y era el de tomar la pluma y escribir en su lengua patria. Pero, debilitado en extremo por una enfermedad interna de muchos años, el sonido de aquella lengua bastaba para turbar su reposo, levantando un torbellino de pensamientos que enturbiaba por largo tiempo la mente mal sosegada. Ocurríale, por otro lado, que si salía otra vez al público, dando su opinión sobre la política de España, todos cuantos toman al interés propio por norte estarían dispuestos a atribuirle semejantes miras. Estando en estas dudas se le presentó a la memoria la obra de Mr. Cottu sobre los Tribunales del Crimen en Inglaterra; y, considerando que nada produce impresiones más poderosas que el ejemplo, creyó que haría un bien a sus paisanos dándosela traducida (3). Dióse tanta prisa a ponerla en castellano que, a pesar de sus pocas fuerzas, la concluyó en dos semanas. Envió el manuscrito a España, quedándose con una copia sacada en papel de China, por medio de una tinta preparada para este objeto. Pero cuando la traducción llegó a su destino ya se había impreso otra en Madrid; y poco después tuvo noticia de que un hispanoamericano se había empleado del mismo modo en favor de sus compatriotas y había remitido una edición, según cree, a Buenos Aires.

Desechas sus esperanzas de ver que no había trabajado en balde, arrumbó la copia del manuscrito, hasta que, hablando pocos meses ha con un americano español, mentó la obra de Mr. Cottu, recomendándola como el

---

(3) Charles Cottu es un magistrado y escritor nacido en París en 1777. Interesado por el sistema penitenciario, que ha estudiado en Inglaterra, es en realidad un defensor encarnizado del absolutismo. Ha publicado *De l'Administration...* en París, en 1822, y otros estudios, en especial sobre el clero y la realeza.

mejor medio de imponerse un extranjero en la parte más útil y admirable del sistema gubernativo inglés. Habló de su traducción y, viendo a su amigo inclinado a imprimirla, a pesar de las dos traducciones anteriores, de que los que las han visto hablan con no mucha aprobación, ofreció el manuscrito para que hiciese de él lo que quisiese, con tal que fuese de algún provecho a los que hablan la lengua castellana. Aceptó aquel caballero la oferta y sólo pidió un pequeño prólogo por vía de introducción para sus paisanos. No dudó ni un momento ofrecerlo el que esto escribe. Y aún añadió que si el publicar quién era el traductor, dándose a conocer por el nombre de otras obras suyas que los hispanoamericanos han recibido favorable y benignamente, podía contribuir a la circulación de la que está a la vista, estaba pronto a hacerlo. Tal es la historia de esta traducción, y tal la ocasión con que ve la luz pública. De las otras dos que la han precedido no puede el que esto escribe hablar ni bien ni mal, porque no las ha visto; ni le estaría bien hacer comparaciones en tales circunstancias. Sólo dirá que una larga residencia en Inglaterra, a quien ama como a su segunda patria, y cuyas instituciones ha estudiado con la afición de hijo adoptivo y agradecido, le hace confiar que no habrá desfigurado la obra original con errores de mala inteligencia.

El autor francés añadió a la descripción del modo de enjuiciar en Inglaterra tres capítulos en que compara estas instituciones con las de Francia, proponiendo al mismo tiempo ciertas enmiendas en las leyes relativas a los jurados franceses. Estos tres capítulos se han omitido en la traducción presente por no parecer del caso y tener poco interés fuera de Francia. El capítulo en que Mr. Cottu describe el carácter inglés acaso podría haberse conservado en la traducción. Nadie puede tener concepto más alto del carácter nacional de la Gran Bretaña que el traductor; pero está persuadido a que semejantes pinturas generales son inútiles e imperfectas y que no pocas veces, en lugar de mover a emulación, sólo despiertan una alocada y miserable envidia. El verdadero retrato de un pueblo se halla en sus instituciones civiles y religiosas. Los rasgos y lineamientos morales que se ven en el que sigue exceden en belleza a todos los que presenta el cuadro grandioso de la historia antigua.

Por lo que hace a los pueblos a quienes esta traducción se dirige, si la benevolencia de un escritor puede redimir sus defectos y el buen deseo de contrapesar su insuficiencia, no hay duda que la recibirán con favor. Desde el principio de la contienda entre la España y sus colonias su pluma tomó el partido de la liberalidad y de la justicia; sus paisanos le acusaron de miras siniestras, probablemente porque las pasiones no permitían que otras más nobles miras prevaleciesen en España (4). Las intenciones de los hombres sólo están patentes al Ser Supremo, que lee el fondo de sus almas. Pero si la propia conciencia es digna de crédito, el que esto escribe da gracias al Cielo que en cuanto ha publicado no halla motivo alguno de remordimiento. En errores abundarán sus escritos; mas por extensos que sean los borrones de ingenio que los afean, aún más extenso es el velo de sana intención con que la buena fe de los lectores puede, si quieren, cubrirlos. De la independencia de ánimo y del desinterés con que ha publicado sus obras el decoro del que esto escribe no le permite hablar. Bástale saber que no existe en el mundo persona alguna que pueda probar lo contrario.

Tiempo fue en que se hubiera complacido en la idea de reconciliación de las colonias españolas con la metrópoli; pero este tiempo ha pasado para siempre. La voz de la humanidad le movía entonces a desear un paso que evitaría la efusión de sangre que se ha verificado. Pero cruel o ciego, por demás, sería el hombre que, cuando la sangre que puede producir libertad legal y con ella mejoras a la América española, tratase de evitar la separación por un pequeño espacio, haciendo que al cabo de él hubiese de repetirse la misma escena. El miembro

(4) En efecto, fueron muy pocos en el clan liberal los que consideraron las primeras sublevaciones americanas como otra cosa que movimientos insurreccionales injustos hacia la «madre patria» y, que, por lo tanto, había que combatir con la mayor severidad. Toda la disensión de Blanco-White con sus compatriotas —con Quintana y Argüelles sobre todo— procede de esta diferencia de apreciación. El traductor de Cottu ve en ellas grandes levantamientos por la conquista de la independencia nacional. Mantendrá constantemente esta tesis, ya sea en *El Español,* o en algunos otros de sus folletos. Lucidez que hace de él un pensador al margen del liberalismo tradicional y que le da una dimensión que sólo hoy estamos en condiciones de apreciar.

que, por necesidad, ha de tener que cortarse tarde o temprano se halla al presente separado hasta la mitad del hueso. No quieran, pues, los que con tanta constancia han sufrido hasta ahora los dolores de la amputación, no quieran, digo, atajar la mano que ha de completarla. Si el deseo de volver al antiguo reposo los hace titubear, reflexionen que no hay descanso para el que se halla en tal estado, hasta que la operación dolorosa se concluya. Las fibras que se han dividido no pueden reunirse; los tendones que daban movimiento y se hallan cortados no pueden añudarse. Hablando sin figuras, la América *castellana* no puede ser otra vez *española*. No era el *poder* quien la tenía reunida a la España, sino la *opinión*. Esta se ha desvanecido como las imágenes que el reflejo pinta a veces en la niebla, y no hay fuerza humana que la restablezca. Los mismos que cansados ahora de la inquietud e incertidumbre de una larga revolución vuelven los ojos a la autoridad de España se desesperarían bien pronto si la viesen restablecida. La razón es que, si tenían motivo para quejarse de ella en otros tiempos, mucho mayores los hallarían ahora, cuando el temor de nuevas revoluciones requerirían doble rigor en los que gobernasen a nombre de España.

Concluyan, pues, su obra los hispanoamericanos. Mas reflexionen seriamente que no tienen que esperar reposo hasta que se hayan acostumbrado a sacrificar los intereses individuales al interés general. Hasta que las leyes se miren por los ciudadanos como corazón y principio vital del Estado, y no como gravámenes que cada cual debe procurar eludir por su parte, no esperen felicidad pública. La experiencia les enseñará esta verdad si es que realmente aman a su patria y son dignos de establecer su independencia (5).

Entre tanto, estudien las leyes que la obrita siguiente les bosqueja. Estúdienlas no para imitarlas servilmente, sino para beber su espíritu; e imítenlas en cuanto lo permitan su estado presente y sus costumbres. El cimiento

---

(5) Blanco-White ha visto que la lucha por la independencia era un fenómeno irreversible, y que España no podía conservar territorios que, dejando de lado el derecho político que ejercía sobre ellos, sólo constituían una fuente de riqueza. *El Español* y su autor fueron violentamente atacados en las Cortes de Cádiz, y condenados públicamente por todos los «buenos españoles».

de la libertad civil es la seguridad personal; ésta no existe donde no hay tribunales justos, inaccesibles al favor, al soborno o las pasiones. Los jueces de Inglaterra son los depositarios de la libertad práctica del pueblo; a ellos recurre todo el que teme ser oprimido; ante la Justicia, de que ellos son oráculos y depositarios, cede reverente hasta el poder del trono.

ALVARO FLOREZ ESTRADA

Curso de economía política
1828 (1)

Del sistema industrial

La ciencia de que nos ocupamos es deudora al doctor Adam Smith del sistema industrial. En el año 1776, bajo el título *An Inquiry into the nature and causes of Wealth of Nations,* Smith dio a luz una obra que forma la principal época de la Economía. En ella demuestra que el trabajo del hombre es el único manantial de la riqueza. Con este descubrimiento tan importante como sencillo destruyó de cuajo y simultáneamente los sistemas mercantil y agrícola, de los cuales, según hemos visto, el primero constituye la fuente de la riqueza en el comercio exterior, y el segundo, en la agricultura. Smith, después de manifestar que toda riqueza es producto de la industria del hombre, hace ver que el único medio de aumentarla es la frugalidad y que la tendencia que tenemos a mejorar de suerte y brillar en la sociedad, ten-

(1) Es la fecha de la primera edición. El *Curso* fue reeditado en 1830 en París, y luego en 1831, 1833, etc., hasta 1852. Es una obra cuyo eco en España, Inglaterra, e incluso en Francia, fue considerable. Muy influido por Adam Smith, Th. R. Malthus, Ricardo y más tarde por James Mill y Mac'Culloch, Alvaro Flórez Estrada (1776-1853) dejó una huella profunda en su tiempo. Su *Curso* fue aún más apreciado por el hecho de que José Canga Argüelles, economista valioso, acababa de publicar sus *Elementos de la ciencia de la Hacienda* (Londres, 1825) y su *Diccionario de Hacienda* (Londres, 1827-1828), y en ninguna de estas dos obras era capaz de proponer soluciones al problema de la economía española. El *Curso* fundamenta su reflexión sobre la doctrina del libre cambio, sobre el problema de la tierra, sobre los beneficios del suelo, sobre una teoría de las finanzas y del impuesto y sobre el papel de la estadística al servicio de la economía. Flórez Estrada es considerado justamente como el «egregio padre» de la economía política española.

dencia que nace con nosotros y nos acompaña hasta el sepulcro, es la que nos estimula a ser laboriosos y parcos con objeto de obtener en lo sucesivo mayores goces y comodidades. Por medio de un análisis correcto, demuestra que la división del trabajo ocasiona un aumento extraordinario de productos. Dando más latitud a la doctrina de Quesnay, hace ver que la riqueza de un país no consiste exclusivamente en la abundancia de oro y de plata, sino en la de todos los artículos que nos son necesarios, útiles o agradables. Manifiesta que debe concederse al individuo completa libertad para abrazar el ramo de industria que más le agrade, por cuanto ninguno puede dedicarse a una ocupación que le sea lucrativa sin que, al propio tiempo, dejen de seguirse ventajas a todo el país. Sostiene ser altamente impolítica cualquier ley con tendencia a dirigir el capital hacia ramos especiales o a determinar el género de comercio que deba hacerse entre las varias provincias de un Estado o entre las diferentes naciones. «*Semejante disposición* —dice—, *además de lastimar los derechos e intereses del individuo, es un obstáculo a la prosperidad nacional.*» Finalmente, hace ver que la industria de un país jamás llegará a la mayor elevación sin la libre concurrencia de productores y consumidores.

No obstante del gran mérito en haber sentado, cual corresponde, así la verdadera base de la ciencia como el principio de que la división y subdivisión del trabajo son el único medio de hacerlo más eficaz, su obra contiene no sólo defectos notables, sino errores de inmensa trascendencia. Los primeros consisten en la falta de método, en las digresiones de que está llena y que, si alguna vez pueden satisfacer la curiosidad, son siempre inoportunas y hacen la materia muy oscura. Los segundos consisten en suponer *que la agricultura es el ramo de industria más productivo, en afirmar que el comercio interior es más ventajoso que el exterior y en sostener que éste es más útil que el de fletar o transportar las mercancías.* Componiéndose un Estado del conjunto de los individuos sometidos a unas leyes dadas, lo que es útil a cada uno de éstos aprovecha necesariamente a la sociedad, porque, siendo libre la industria, el interés personal hará que el individuo no se dedique a empresas que no rindan utilidades tan crecidas como la agricultura. La opinión de que el trabajo, cuando no se emplea en un artículo vendible, es improductivo no se apoya en fundamentos más sólidos que la de los economistas franceses respecto a la no producción del comercio y de las manufacturas. Es también otro error afirmar que la riqueza es trabajo acumulado. El trabajo no se acumula; pasa y deja de existir según se va empleando. Smith en toda su obra descubre una adhesión tan decidida al sistema de Quesnay que le hace desviarse del suyo, hasta el punto de sostener *que el interés individual no siempre es el síntoma seguro del interés público en los diferentes empleos del trabajo.*

Estos errores, sin duda, son muy sustanciales, pero aún no son los de mayor entidad. Los errores más notables que se hallan en su obra son asegurar *que el precio del trigo es invariable; que los salarios del trabajador fluctúan según se altera el valor de los artículos de de su general consumo, y que una contribución sobre todas las utilidades del capital empleado en los diferentes ramos de la industria racae sobre el consumidor.* Por último, es otro error, y mucho más trascendental que todos los enunciados, asegurar *que una contribución sobre la propiedad territorial, de cualquier modo que se imponga, recae sobre la clase propietaria.* ¡A cuántos sacrificios indebidos no dio origen error tan notable! Sin embargo, de estos graves defectos Smith debe ser considerado como el fundador del presente sistema de economía, llamado *sistema industrial,* por cuanto en él se demuestra que el trabajo destinado a los diferentes ramos es el único manantial de la riqueza. No puede negarse que Smith estuvo muy distante de escribir una obra completa, pero también es indudable que dio a la luz una en la que se contienen más verdades fundamentales que en ninguna de las anteriormente publicadas. Es cierto que no levantó el edificio suntuoso de la ciencia a cuya incumbencia toca en gran manera organizar la sociedad; pero también es innegable que reunió gran parte de los materiales necesarios para ejecutarle. Su obra, así por la liberalidad como por la solidez de los principios que en ella se exponen, debe colocarse entre las que más influencia tuvieron en los progresos de las naciones y entre las que más bienes han producido a la humanidad.

BARTOLOME JOSE GALLARDO

Cuatro palmetazos bien plantados por el Dómine Lucas a los gazeteros de Bayona...

1830 (1)

Ya no hai Pirineos. Este gran dicho de hiperbólico énfasis que, levantando valles y allanando montes, presenta a la fantasía derribado por los suelos el antemural inmenso, medianil entre dos grandes naciones, fronterizas y contrapuestas en más de un sentido, si en todos no ha logrado su real efecto, va teniéndole ya casi cabal en lo que toca a lenguaje. Parte es ésta, en verdad, de aquella galana utopía con que algunos platónicos Politicones imaginan reducible la inmensidad del linaje humano a una sola familia casera, sujeta a una lei y a una lengua (*et legis, et labii unius*).

Mil y mil plumas parece como que a competencia trabajan en España, más ha de un siglo, en amoldar la lengua española a la francesa. ¡Singular empeño por mi

(1) El final del título es el siguiente: *Por otros tantos puntos garrafales que se les ha soltado contra el buen uso y reglas de la Lengua y Gramática Castellana, en su famosa crítica de la «Historia de la Literatura Española», que dan a luz los Señores Gómez de la Cortina y Hugalde-Mollinedo.* Es bajo el pseudónimo de «Dómine Lucas» como Gallardo, de espíritu fértil y humor cáustico, responde, en un folleto de 1830 (Cádiz, Impr. de D. Esteban Picardo), a los «gazeteros afrancesados» (Reinoso, Lista, Miñano), para defender la lengua castellana. Su acerba crítica no perdona a nadie. Y por encima de la simple querella de palabras o de gramática, se siente el deseo del autor de cantar la gloria de su país, que es también el del saber y el trabajo. Gallardo fue ciertamente el espíritu más cultivado de su tiempo. Podemos lamentar que su carácter vindicativo lo haya lanzado, demasiado a menudo, a fútiles querellas. Conservamos en este breve pasaje la extraña ortografía del autor, cuya originalidad en este dominio —como en otros— revela, ante todo, su deseo intransigente de no ser confundido con nadie.

vida! La lengua «sonora como la plata y grave» (a dicho de un Sabio francés) «como la danza de la nación que la habla»; la lengua que, como el brazo valiente de sus conquistas, dilató su imperio más allá de los últimos términos del mundo conocido; la lengua de los discretos y de las damas de toda Europa, cuando en todas las cortes de ella brillaba el acero y la bizarría española; pretenden esclavizar a uno de los dialectos más insignificantes y cacófonos, que abortó la bella lengua del Lacio en la confusión babilónica que introdujeron en el mediodía los bárbaros del Norte!... ¡Notable desacuerdo, vuelvo a decir, que el piano reciba el tono de un caramillo! Porque, cierto, comparar con la castellana la lengua francesa se me antoja lo mismo que comparar con un órgano un chiflo de castrador.

El dolor es que éste que, al sentido recto de todo hábil lengüista, juzgando inductivamente de lo más racional a lo más probable, suena chocante absurdo, sea ya en el día casi una verdad tan evidente como lastimosa. En efecto el francés manda al español. La lengua castellana se aprende por la francesa, y hecha ya ésta órgano del pensamiento para los más de los que escriborrean, pensando en francés los Españoles que más hacen hoi gemir la prensa (i la lengua), la expresión francesa que les salta luego con la idea a las mientes es el molde a que quieren sujetar la española. Así es que no tienen por de buen cuño la frase que no se ajusta a la galicana. La lengua española es ya una como lengua franca que, gémina para los dos pueblos, entiende casi lo mismo el Francés que el Español; y en sus frases se clarea y transparenta la francesa como, dibujando a trasflor, por el papel de la copia se traduce el original.

... ...

En suma la lengua castellana murió y es fuerza estudiarla ya como lengua muerta.

Estas amargas consideraciones se despiertan ahora en mi mente, siempre que por negros de mis pecados el demonio de la curiosidad me tienta y arrastra a dar de ojos en alguna pieza suelta de esos géneros de estranjería, que tan activamente hace hoi correr por nuestra España la factoría literaria conocida con el título de *Gazeta de Bayona.*

Sus empresarios parece que han tomado a destajo el consumar el deslucido empeño de un escritor famoso de nuestros días que, desconociendo el mérito indisputable de los antiguos Ingenios españoles, que no ha leído, ha estimado por mejor (y no es sino más fácil) el despreciarlos que el estudiarlos para entenderlos, y entendiéndolos apreciarlos debidamente.

Careciendo de aquel caudal de erudición y doctrina, de aquel gusto labrado al sabor de las dulzuras poéticas de las castellanas Musas, a su gusto boto y estragado en Poesía es correlativo el mal criterio en puntos de lenguaje. Como no han hecho el estudio que debieran de los principios filosóficos y fundamentales de las lenguas, ni el detenido y minucioso que requiere la castellana, no entendiéndola el genio, no se le saben llevar; ni saben lo que lleva bien ni mal la lengua. Así sus galas se les antojan disfraces, sus bellezas defectos, y barbarismos y solecismos sus voces y frases más propias, galanas y significativas (2).

---

(2) Gallardo (1776-1852) no fue solo filólogo y erudito. Fue también un polemista temible, bibliófilo y poeta. Ocupó, en medio de la admiración de todos, el difícil puesto de bibliotecario de las Cortes de Cádiz. Por lo demás, fue como todos los liberales, y su vida se desarrolló a merced de las vicisitudes políticas. Se conocen de él innumerables folletos y artículos de periódico, que han sido minuciosamente recensados en nuestros días por Antonio Rodríguez Moñino. Es igualmente autor del *Diccionario crítico burlesco*, que le valió muchos enemigos y persecuciones. En efecto, la Inquisición, que no compartía las ideas de Gallardo, le consagra en sus *Indices de los libros prohibidos* la pérfida rúbrica siguiente: «*Diccionario crítico burlesco*, impreso en Cádiz y reimpreso en otras partes: por contener proposiciones respectivamente falsas, impías, heréticas, temerarias, erróneas, *piarum aurium* ofensivas e injuriosas al estado eclesiástico, secular y regular, al Santo Oficio, etc.» Decreto del 22 de julio de 1815. *Libro prohibido aun para los que tienen licencia de leer libros prohibidos.*

FRANCISCO MARTINEZ DE LA ROSA

Espíritu del siglo
1835 (1)

Esta obra no es más que un *bosquejo*. Aun así, he empleado en ella algunos años y no pocas vigilias; mas para desempeñarla tal como la he concebido, apenas bastaría la vida de un hombre, porque debería comprender nada menos que un *Curso de política aplicado a los sucesos contemporáneos*.

Cabalmente nací al estallar la Revolución francesa; como si la suerte, no sé si por fortuna o por desgracia, me hubiese destinado a ser testigo de los graves acontecimientos que en poco tiempo han trastornado el mundo.

La primera idea de esta obra se me ocurrió en el año de 1823, cuando estaba a punto de decidirse la crisis de

---

(1) En esta obra, de dimensiones imponentes, Martínez de la Rosa se propone examinar el ciclo de las revoluciones francesas. Al mismo tiempo nos ofrece su teoría política. Publicada en 1835, en Madrid, la obra aparece en una fecha simbólica como ya veremos. El autor (1787-1867) está en el centro de las luchas políticas en España entre «moderados» y «exaltados». Liberal moderado convencido, arrastrado por los acontecimientos, sin poder controlarlos nunca, marca con su presencia, sin relieve, la historia de su tiempo. Orador con bastante buena reputación en las Cortes, historiador y político, también escribió para el teatro (por ejemplo, *La conjuración de Venecia*, en 1830, tímido esbozo de drama histórico; *Aben-Humeya*, compuesta el mismo año, y representada, en francés, en el Teatro de la Porte-Saint-Martin, durante el exilio del autor). (Se trata, en realidad, de su segundo exilio: el primero había sido entre 1814 y 1820 en el Peñón de la Gomera; el segundo en Francia, entre 1823 y la restauración liberal). Recordemos también, de 1834, el *Estatuto Real*, carta conservadora en la que Martínez de la Rosa consigna sus convicciones políticas personales, y que no pasa de ser una peripecia más en la agitada historia del siglo XIX. El trozo del *Espíritu del Siglo*, que reproducimos, es su preámbulo. Va precedido de una frase de Benjamín Constant extraída de las *Mémoires sur les Cent jours*.

España: época en que era difícil apartar de la mente profundas y amargas reflexiones, al ver cuán errada andaba la política de los Gobiernos respecto de los medios de asegurar su propio reposo y la tranquilidad de los pueblos.

Viajes, enfermedades, penas, tareas literarias me alejaron después de proseguir la obra comenzada; aunque a cada suceso de cuantía, que trastornaba la situación interior de los Estados o las relaciones políticas de los Gabinetes, involuntariamente se volvía mi ánimo hacia el cúmulo de materiales que tenía reunidos, viendo confirmarse mis principios y realizarse mis pronósticos.

Al cabo, en el año de 1830, al presenciar yo mismo la nueva Revolución de Francia, que costó el trono en el espacio de tres días a tres generaciones de Reyes, y al calcular las resultas que probablemente había de producir tan inesperado suceso en todos los Estados de Europa, no pude resistir al deseo de continuar mi empresa con buen ánimo, sin que me arredrase la multitud de reflexiones ni la balumba de hechos que iba a cargar sobre mis hombros (2).

Sin tregua ni descanso proseguí trabajando en esta obra, hasta que volví a mi patria y al seno de mi familia, cuando ya iba de vencida el año de 1831; y las circunstancias en que se hallaba a la sazón el Reino me obligaron a guardar encerrados mis manuscritos, apartando mi atención de materias políticas y procurando desahogo y esparcimiento en algunos ocios literarios.

Cuando en breve cambió por fortuna el aspecto de las cosas, mi situación personal durante el espacio de diez y seis meses no me consintió siquiera pensar en mis escritos; y aún no estaba seguro de su paradero, al buscarlos con solícito afán apenas me vi libre del torbellino de los negocios públicos.

Como ocupación a un tiempo y como descanso, he emprendido rever y continuar esta obra; por cierto que,

---

(2) El ejemplo de la Revolución de 1830 es decisivo en la carrera de Martínez de la Rosa. Convencido que sólo la monarquía puede servir de valladar seguro contra la anarquía, quiere evitar a su país las violencias de la historia francesa. Con esta intención intentará imponer su Estatuto Real e instaurar una «Cámara de Próceres» y otra de «Procuradores» (privilegios de la Corona, sistema de deliberación bicameral, autoridad del gobierno, censura implacable, etc.).

si me dejase llevar del vano orgullo de escritor, habría de someterla a una lima lenta y penosa, para que saliese a luz más limpia y tersa; pero he creído que, en las circunstancias presentes y tratándose de una obra de esta clase, más importaba atender al fondo que no a la superficie; sin retardar por motivos livianos la propagación de verdades útiles, que tales a lo menos las conceptúo, después de haberlas visto ensayadas en la piedra de toque de la experiencia.

No sé hasta qué punto será el público de mi dictamen; lo que sí puedo decir es que los principios políticos que en esta obra expongo nacen de la convicción más íntima de mi etendimiento y del fondo de mi corazón; que los doy a luz sin solicitar las gracias del poder ni el aplauso de los partidos; y que me infunde a la par satisfacción y confianza el recordar que escribí la primera parte de esta obra en una época de proscripción y de infortunio; que me hallé después, no sé cómo, en un puesto tan elevado como peligroso; y que puedo publicarla ahora sin tener que mudar de opiniones, que arrepentirme, ni que sonrojarme.

JOSE DE ESPRONCEDA

Política y filosofía: Libertad. Igualdad. Fraternidad
15 de enero de 1836 (1)

Estas tres palabras evangélicas son el susto de los opresores de la tierra, el lema y esperanza de la humanidad. Las pronuncian los pueblos con entusiasmo, las repiten con alegría los libres vencedores y alborozan en secreto el corazón de los oprimidos. Ellas son el símbolo de la alianza universal, la misión actual de la Europa moderna y el término a que por escabrosas sendas y al través de mares de sangre se atropellan las naciones en su marcha atrevida y azarosa. Pero al proclamarlas no siempre las entendieron las masas; y la libertad, que pudieron comprender apenas, comparándola con la servidumbre que acababan de sacudir, no era bastante a existir por sí sola, aisladamente considerada, ni a establecer nada fijo sin la clara inteligencia de las palabras *Igualdad* y *Fraternidad*. Compendiado está en ellas el catecismo de la libertad moderna.

---

(1) Este artículo fue publicado en el diario *El Español*, en el que también Larra publicó páginas inolvidables. En una publicación reciente de Robert Marrast (*Espronceda. Articles et discours oubliés*. París, 1966) pueden encontrarse comentarios e informaciones sobre la génesis y naturaleza de este interesante artículo.

Recordemos solamente que aunque se trata de una publicación de circunstancias, puede reconocerse en ella el estilo del autor. Hay en ella una glorificación del ideal de 1789, pero el autor insiste más particularmente sobre los elevados conceptos de «Libertad», «Igualdad» y «Fraternidad»; conceptos todos que escapan, en cierta medida, a las masas, lo que prueba el gusto aristocrático de Espronceda. El sentimentalismo católico que aparece en distintas partes del artículo refuerza esta impresión general. Por último, la restricción final, que hace que estos tres términos se definan en relación con el extranjero, nos invita a recordar que J. de Espronceda es un liberal de «la buena familia» y un representante (económicamente, socialmente, en las Cortes, y en literatura) de los intereses de la burguesía.

Limitábase antes del cristianismo la libertad a tal o cual país privilegiado que guardaba para sí únicamente aquella deidad preciosa ante cuyas aras sacrificaba, como un avaro esconde el tesoro que hace la pasión de su vida. Y proclamándola volaban sus adoradores a esclavizar las naciones y los que libres se apellidaban no eran sino los opresores de los débiles. Libertad entonces era casi sinónimo de independencia, y ser libre era sólo no ser esclavo. Pretendíase con empeño el derecho de ciudadano sin considerar al hombre como hombre, sino como habitante de un cierto pueblo. Si tenía la dicha de haber nacido en él, ejercía su derecho; si no, su condición había de ser la de esclavo forzosamente. Grecia y Roma cumplieron entonces su misión en la marcha progresiva de la humanidad, y cuando su religión y los principios establecidos llegaron al término en que el progreso intelectual había precisamente de adelantarse, el cristianismo alzó la voz y gritó a los hombres: ¡Igualdad! ¡Fraternidad! Igualdad, sí, dijo el ungido del Señor, y la tierra se alborozó. ¡Fraternidad!, y los hombres en su júbilo se tendieron la mano amistosamente. Y en aquellos siglos se echó el cimiento de la libertad que algún día, cuando las gentes comprendan tan santas palabras, ha de brillar como el sol para todos y hacer un solo pueblo de toda la humanidad. Pero los esclavos, aunque rompieron su cadena y borraron título tan ominoso, encorvaron el cuello bajo el collar de la servidumbre: el feudalismo alzó en Europa sus adustos castillos y, desdeñando el hombre la tierra que hollaba con sus pies, imaginó para su consuelo que sólo en otra mejor vida podía llegar a igualarse con su señor. La humanidad, no obstante, marchaba, aunque con lentitud, al alto objeto anunciado por el cristianismo, y el comercio y la guerra, juntando al Oriente con el Occidente y transportando los frutos de uno a otro distante país, emancipó al oprimido del yugo del opresor y abrió anchos caminos por donde se comunicasen unos con otros, forzándolos mutuamente a necesitarse. La libertad fue entonces la idea dominante que iluminó la gente del hombre, y los pueblos, saliendo de su estado normal, ejercieron su soberanía y, arrojándose como torrente devastador, abolieron los privilegios; y empezó una nueva era de progresos y esperanzas. El siglo XVIII fue el de la destrucción, y los escritores que prodigó alzaron el grito de guerra contra los abusos y las tiranías; y el primero y principal pensamiento suyo fue el de allanar y derribar cuanto había establecido el despotismo que aborrecían. No podía ser otro, porque los obstáculos existían y era forzoso derribar primero y edificar después, dejando este cuidado a las generaciones futuras. Una sociedad viciada y decrépita abandonó su puesto a otra sociedad indecisa y de transición y, mezclándose a las nuevas reformas abusos antiguos, quedó un alcázar renovado en algunas partes y por otras carcomido y desmoronándose.

Tal es la sociedad del siglo presente, que en vano han dado en apellidar positivo, no siendo sino un siglo de transición, sociedad compuesta de restos de la antigua y pedazos de la naciente; sociedad semejante a los mixtos que la siguen, apuntalados en las ficciones del crédito y partícipes a un tiempo mismo de privilegios y libertades. Pero la humanidad dio un paso inmenso hacia su perfectibilidad, y ahora, si levanta una mano de hierro para destruir, también tiende la otra para crear.

Los pueblos se hallan ya en el caso que los niños con sus maestros, que en pocas lecciones aprenden lo que costó a éstos largos años de estudio. El vapor, los caminos de hierro, son un presagio de unión para el porvenir; los usos y costumbres de las naciones civilizadas se extienden cada día y aclimatan en todas partes, y los hombres, cuya misión es guiar este movimiento universal de las gentes, han hecho, en fin, resonar con voz de trueno las santas palabras: ¡Igualdad! ¡Fraternidad! En vano hombres nulos o pérfidos han tratado de ridiculizar estas palabras o sus entendimientos no han alcanzado a entenderlas. En vano han preguntado con mofa si podía ser igual un héroe a un cobarde, un necio a un sabio. La igualdad significa que cada hombre tiene una misión que llenar según su organización intelectual y moral, y que no debe encontrar trabas que le detengan en su marcha, ni privilegio que delante de él pongan hombres que nada valieran sin ellos; significa, en fin, que todo sea igual para todos y que la facilidad o dificultad de su merecer esté en razón de la igualdad o desigualdad de las capacidades y no de los obstáculos, que antiguos abusos o errores perjudiciales establecieron.

En la igualdad consiste, por último, la emancipación de las clases productoras, hasta ahora miserables siervos de una aristocracia tan inútil como ilegítima. Ella es sola la fianza de la Libertad, así como la Fraternidad es el símbolo de su fuerza. Formen una santa alianza entre los pueblos cultos, a la manera que sus enemigos, comprendiendo mejor sus intereses, se aprietan mutuamente las manos para ayudarse a oprimirlos. Sea su primer grito el de Fraternidad, para que el triunfo de la Libertad sea cierto. Sea la Igualdad el pensamiento fuerte que impela en su marcha a la humanidad. ¡Pueblos! Todos sois hermanos; sólo los opresores son extranjeros (2).

(2) Lo que llama la atención en esta página es un catolicismo asfixiante que glorifica constantemente el orden moral o sentimental, e ignora el nivel económico, del que no se habla nunca. La entrada de España en la era industrial exigiría, sin duda, otros comentarios, pero aquí aparecen de manera muy apagada. Libertad, Igualdad y Fraternidad son empleados por el autor en función de un concepto de clase privilegiada, muy alejado de toda idea de democracia, y poco inclinado al ideal revolucionario. Véase la distancia que lo separa de un Larra en este momento. En realidad, este tipo de catecismo «bien pensante» es más temible que los ataques violentos del partido reaccionario y clerical: es fácil darse cuenta de ello.

MARIANO JOSE DE LARRA

Dios nos asista

3 de abril de 1836 (1)

Cuando yo veo a los principales pueblos de una nación alzarse tumultuosamente y, a pesar de las guarniciones y de la Guardia Nacional y del poder del Gobierno, atropellar el orden y propasarse a excesos lamentables en distintos puntos, en épocas diversas, y a despecho de los sentimentales sermones de los periódicos, difícilmente me atrevo a juzgarlos con ligereza. Mientras mayores son los excesos, más increíble el olvido de las leyes y más fuerte la insurrección, más me empeño en buscarles una causa. Ni en el orden físico ni en el moral comprendo que lo poco pueda más que lo mucho; no comprendo que pueda suceder nada que no sea natural, y para mí natural y justo son sinónimos. De donde infiero que una insurrección triunfante es cosa tan natural como la erupción de un volcán, por perjudicial que parezca. Una causa no es una defensa, pero es una disculpa desde el momento en que se me conceda que una causa dada ha de tener forzosamente un efecto.

Ahora bien: ¿en dónde ve el pueblo español su principal peligro, el más inminente? En el poder dejado por una tolerancia mal entendida, y por muy largo espacio, al partido carlista; en la importancia que de resultas de la indulgencia y de un desprecio inoportuno ha tomado la guerra civil. ¿No veía en los conventos otros tantos focos de esa guerra, en cada fraile un enemigo, en cada carlista preso un reo de Estado tolerado? ¿No procedía del poder de esos mismos enemigos, dominantes siglos enteros en España, la larga acumulación de un antiguo rencor jamás desahogado? ¿Qué mucho, pues, que la sociedad, acometida en masa, en masa se defienda? ¿Qué mucho que, no pudiendo ahogar de una vez al enemigo

(1) Artículo publicado en el diario *El Español.*

entre sus brazos, se arroje sobre la fracción más débil de él que tiene más cerca y a disposición? Sólo puede ser generoso el que es ya vencedor; si al Gobierno le es dado juzgar y condenar legalmente, es porque está fuera de combate, porque representa a la justicia imparcial. Pero se pretende que de dos atletas en la fuerza de la pelea el uno continúe su victoria hasta acabar con su enemigo y que éste se contente con decirle: «¡Espérate; no me mates, que voy a dar parte a la justicia, que es de mi partido, para que ella te ahorque!»

El pueblo no es el Gobierno; es más fuerte que él, cuando éste no comprende y satisface sus necesidades; y prueba de ello es que lleva a cabo sus atentados sin que aquél los pueda prevenir ni impedir. No es esto alabar los atentados, sino decir los inconvenientes de las revueltas y que, por malos que parezcan, son naturales, como es malo, pero natural, que un río atajado por diques, inferiores a él, se salga irritado de su madre e inunde la campiña que debiera fertilizar mansamente.

Nota aquí una cosa. Quien pudo hace un año dar salida conveniente a ese río no lo supo hacer, y cuando llega la avenida se queja del río. Quéjese de su torpeza, que no calculó antes de poner los diques la fuerza que el agua traería. El Gobierno no supo a tiempo contentar a los pueblos y dar salida legal a su justo enojo; y su sucesor, que heredó la culpa, se queja, ¿de qué? ¡De que los pueblos no son de cartón, como uno y otro creyeron! (2).

Recorre la Historia. En ella aprenderás que un ase-

---

(2) Vemos aquí a Larra, como ya lo hemos mostrado en la introducción de esta obra, escapar de la teoría liberal y de su estrecho marco. Presiente el papel que pueden desempeñar las «masas» o el «pueblo». Buscando las razones profundas de las insurrecciones y violencias, les encuentra precisamente más excusas cuanto más violentas y desencadenadas aparecen. Todo este artículo —del que sólo reproducimos un pasaje— es muy incisivo, sobre todo la fórmula final, en la que se aprecia su tono «progresista». Resulta, sin duda, la manera más dinámica de escapar a una época histórica decepcionante, y a una sociedad que parece luchar en vano contra el peso considerable de su pasado económico y político. También significa dar todo su sentido al *artículo de costumbres,* con el que incita a una reflexión sobre el presente y el porvenir de España. Nadie más alejado, en efecto, que Larra de los «sermones sentimentales de los periódicos». Su análisis revolucionario, al rechazar el simple nivel «físico» o «moral», realza el papel de las mayorías en la Historia. Es en esto por lo que se diferencia —radicalmente— de una época que sólo cree en el elitismo y en las minorías.

sino nunca puede ser justo; pero cuando no es uno, cuando no es una facción, cuando son los pueblos enteros los que asesinan, rara vez dejan de obrar naturalmente. Que no fueron entre nosotros cuatro malévolos, mal pudiera negarlo el Gobierno mismo; pues a haberlo sido, ¿cómo no hubiera estado en su mano sujetarlos? De donde infiero que los desórdenes del pueblo son naturales y justos cuando el Gobierno no los puede contener, o son culpa del Gobierno cuando puede y no sabe o no quiere. Argumento sin contestación.

Pero, eso sí, vivimos en el tiempo de la legalidad. Los principales motores fueron presos y trasladados a Canarias. Por supuesto, me dirás, previa formación de causa y la competente condenación de los tribunales. Claro está. ¿Cómo querías tú que un Gobierno que se queja de los excesos del pueblo vaya él a cometerlos? ¿Un Gobierno que no puede como el pueblo disculparse con la seducción y la irritación de las pasiones, había de atropellar las leyes, de que es guardián y ejecutor, con la misma facilidad que ese pueblo a quien castiga por haberlas atropellado? ¿Pues no ves que si el Gobierno hubiera atropellado las leyes para castigar los atropellos de otros debería haber empezado por embarcarse él para Canarias y decir: *Marchemos todos francamente, y yo el primero, por la senda del Presidio?* Vaya, Andrés, que eso ni suponerse puede, y si te cuentan que tal caso ha sucedido, puedes decir que el que lo cuente es un malévolo de esos que traen la anarquía en el bolsillo. Diría el Gobierno, y diría bien: «Yo no hice tal cosa, y si la hiciera, ¿qué diferencia habría entre los atentados del pueblo y los míos? Porque, en fin, mientras que la ley no le ha declarado reo, el condenado es asesinado; en este caso no habría entre mi atentado y el del pueblo más que una diferencia, a saber: que el pueblo asesinó malamente carlistas y yo asesino malamente liberales» (3).

Asesinatos por asesinatos, ya que los ha de haber, estoy por los del pueblo.

---

(3) Todo el final de este pasaje está matizado de una ironía mordiente. No sólo Larra critica abiertamente al gobierno liberal moderado, incapaz e inocuo, sino que llega a asimilarlo al de Fernando VII: la cita sarcástica, parodia de la declaración del rey al comienzo del Trienio Constitucional, nos lo prueba. Todo esto no hace más que reforzar la luminosa fórmula de la conclusión.

JOSE MARIA CALATRAVA

Memoria leída a las Cortes generales de la Nación española por el secretario del Despacho de Estado

25 de octubre de 1836 (1)

Desde 1817 tenía S. M. ajustado un tratado con la Inglaterra para la abolición del comercio de negros; pero estimando aquella nación filantrópica que no eran suficientes las medidas adoptadas entonces para impedir eficazmente este odioso tráfico, propuso ya en el año de 1825 que se insertasen en la estipulación tres artículos adicionales; uno sobre que fuesen totalmente destruidos los buques negreros apresados; otro para que se tratase a sus capitanes y tripulaciones como piratas; y el tercero destinado a fijar las apariencias sospechosas que debían bastar para que un buque fuese tratado como

---

(1) Sólo damos un extracto de este largo informe leído en sesión pública ante las Cortes (impreso en Madrid, Imprenta Nacional, 1836): el que se refiere a la trata de negros. Desde hace mucho tiempo, una protesta enérgica —y virtuosa— condena la esclavitud. Voltaire y Montesquieu han tomado parte en la batalla, en su tiempo, y esto ha servido de acicate a Cadalso, polemista al día, para abordar el problema en las cartas III, V y IX de sus *Cartas marruecas*, y mostrar así que España no era la única culpable. Más adelante, A. Flórez Estrada analiza la cuestión con más lucidez y sentido político, después que los liberales moderados, como Antillón o Quintana, hayan pasado como sobre ascuas sobre el problema y, a pesar de su buena voluntad, sólo hayan formulado conclusiones decepcionantes. Las Cortes prohibieron la esclavitud y la trata de negros, pero esta medida será puramente teórica porque los grandes propietarios americanos, sobre todo en Cuba, defenderán con buenos argumentos una causa que les interesa. Así, so pretexto de no desposeerlos, se continuará tolerando en unos u otros sitios la esclavitud y la trata.

El argumento que recuerda el ministro Calatrava es, por otra parte, muy significativo: al inconveniente económico que resultaría de la supresión de la esclavitud se añade el miedo a que los esclavos, sin ocupación y sin control, se unan a los elementos revolucionarios.

J. M. Calatrava (1781-1847) fue jurista y hombre público. Jefe de fila de los liberales más bien exaltados —exaltados con prudencia, si así puede decirse—, se hizo notar durante el Trienio Constitucional en el que fue ministro, cargo que volvió a ocupar varias veces después de 1833. Simboliza una de las primeras manifestaciones —muy tímidas, es cierto— del «progresismo» en España.

negrero. Las autoridades de la isla de Cuba representaban, por otra parte, al Gobierno de S. M. los graves inconvenientes que traía consigo la existencia en la isla de un número excesivo de negros libertos, que por el tratado de 1816 quedaban sin ocupación y sirviendo de estímulo a la rebeldía de los esclavos demasiado numerosos en aquel recinto. Fueron varios los pareceres de las corporaciones y particulares a quienes se oyó sobre esta materia, de suyo grave y dificultosa; y como más adelante por parte de la Gran Bretaña se excitase a la celebración de un nuevo tratado, mientras que al mismo tiempo la Francia pedía la accesión de España al celebrado entre ella y la Inglaterra, o bien el ajuste de uno especial cimentado en bases semejantes, el Gobierno de S. M. consideró como el medio más expedito y sencillo de dar ensanche al tratado de 1817 y obviar los inconvenientes que presentaban los artículos adicionales referidos, el proponer un proyecto de nuevo tratado fundado en principios equitativos e imparciales, y de resultas de ello fue concluido y firmado el convenio de 28 de junio de 1835 (2).

---

(2) El tratado al que se alude, firmado entre Martínez de la Rosa, por el Gobierno español, y G. Villiers, por el Gobierno británico, precisa:

«*Art. 1.* Por el presente artículo se declara nuevamente por parte de España que el tráfico de esclavos queda de hoy en adelante total y finalmente abolido en todas las partes del mundo.

Art. 3. El capitán, maestre, piloto y tripulación de un buque condenado como buena presa, en virtud de las estipulaciones de este Tratado, serán castigados severamente, con arreglo a la legislación del país de que fueron súbditos. E igualmente lo será el propietario de dicho buque condenado, a menos que pruebe no haber tenido parte en la empresa.

Art. 13. Los negreros que se hallaren a bordo de un buque detenido por un crucero y condenado por la Comisión mixta, con arreglo a lo dispuesto en este Tratado, quedarán a disposición del Gobierno cuyo crucero haya hecho la presa, pero en la inteligencia de que no sólo habrán de ponerse inmediatamente en libertad y conservarse en ella, saliendo de ellos garante el Gobierno a que hayan sido entregados, sino que deberá éste suministrar las noticias y datos más cabales acerca del estado y condición de dichos negros, siempre que sea requerido por la otra parte contratante, con el fin de asegurarse de la fiel ejecución del Tratado bajo este respecto.»

A pesar de estas medidas virtuosas y, aparentemente, enérgicas, la esclavitud y la trata continuarán siendo toleradas en España, como lo prueban los debates en las Cortes y en la prensa, incluso aun después de la Revolución de 1868.

JOAQUIN MARIA LOPEZ

Discurso sobre la victoria de Luchana

2 de enero de 1837 (1)

Señores: Desde el principio del sitio de Bilbao conoció el Gobierno la absoluta necesidad de librar a los habitantes de aquella población heroica. Era muy cierto que en su asedio se proponían nuestros enemigos desplegar todo su poder, toda su energía, y que en el triunfo fundaban las mayores esperanzas, pues no parecía dudoso que para tal caso tuviesen prometidos empréstitos y otros elementos de grande importancia y ventaja. Si hubiera sido posible desentenderse por un momento de estas consideraciones políticas, muy acreedores eran al socorro más activo y decisivo los valientes que habían sabido humillar ante sus muros el orgullo de las facciones combinadas y hacerles perder el jefe que en otro tiempo los condujera más de una vez a la victoria. El Gobierno, pues, dio desde luego las órdenes y disposiciones más enérgicas, y el suceso ha venido a coronar sus conatos y el ardiente deseo de todos los buenos españoles. Las Cortes acaban de oír la relación de todo lo ocurrido; en ella todo es admirable, todo es elevado, todo es heroico.

(1) La batalla de Luchana es un hecho fundamental de la primera guerra carlista; terminó con la liberación de Bilbao asediada por las tropas carlistas (24 de diciembre de 1836). Esta victora, hábilmente preparada, fue obra de Baldomero Espartero, futuro «Duque de la Victoria», después de la ceremonia de «el abrazo de Vergara» el 31 de agosto de 1839.

En cuanto a Joaquín María López (1798-1855), entró en la vida política en 1834 y fue varias veces ministro (Gobernación). Era orador brillante, y es célebre por el número de discursos que pronunció. Se puede apreciar hasta qué punto sabe tocar la vena patriótica de sus auditores. Además, los vivos aplausos que recibió el 2 de enero de 1837 prueban bien que su posición es inatacable y que simboliza al «país liberal».

Con tales jefes y soldados, señores, nada es imposible, nada es difícil; se hace cuanto se quiere, se manda al destino y se escala hasta el cielo, realizando la fábula de los titanes. *(Bien, bien.)*

Nuestro ejército no ha peleado sólo con otro enemigo, tenazmente empeñado en la operación y posesionado de posiciones formidables, en que el valor y la desesperación habían reunido todos sus recursos; no: ha peleado con la naturaleza, con el furor desencadenado de los elementos, y hasta de los elementos ha sabido triunfar. *(Bien.)* Agotado por la tempestad, abrumado por la lluvia, por la nieve y por el granizo, en medio de la noche más espantosa se ha hecho superior a todos los obstáculos y no ha necesitado decir como aquel célebre capitán de la antigüedad en el sitio de una ciudad acaso no más famosa que Bilbao: ¡Gran Dios, vuélvenos la luz y pelea contra nosotros! No; nuestros soldados saben vencer así en la luz como en medio de las tinieblas, y no necesitaban entonces la claridad sino para que iluminara su triunfo y dejase ver el pendón radiante de la libertad, que se eleva ondeante en los campos de Bilbao, sirviéndole de trono los cadáveres de sus enemigos. *(Vivísimos aplausos.)*

Este hecho de armas, señores, excede a toda exageración; su mérito excede también a toda recompensa. El Gobierno las concederá con munificencia; pero el mayor premio para estos guerreros será siempre la dulce satisfacción de haber salvado a sus hermanos, de haber fijado la suerte de su patria, esa aureola de gloria inaccesible que orlará su frente y les acompañará hasta el sepulcro sobre cuya lápida reposará para siempre la inmortalidad. *(Bien.)*

Los españoles tributarán el homenaje de gratitud y de admiración a los soldados de este ejército y a los heroicos bilbaínos, y dondequiera que los vean los señalarán con respeto y entusiasmo, diciendo: «Ahí va un valiente.»

Este triunfo, señores, acaso no es más que el preludio de otros que nos aguardan. El Gobierno no se dormirá en la victoria. Reunirá todos sus esfuerzos, todos sus recursos; penetrará con ellos en el corazón de la facción; procurará ocupar la Corte del pretendiente y levantar en ella un trofeo insigne a la justicia nacional y a la libertad de la justicia, con una inscripción que, parecida a la que estampó el Gobierno de una nación vecina en una de sus ciudades, diga: «Este pueblo fue el foco de la guerra que se hizo a la libertad, y este pueblo ya no existe». *(Vivísimos y repetidos aplausos.)*

Esta es la intención del Gobierno; a este punto va encaminada su marcha. En tanto, interprétense sus acciones, viertan la calumnia y la impostura todo su veneno. Nosotros responderemos a la detracción con nuestra conducta, y a las falsas imputaciones, con las victorias. *(Bien, bien.)*

Compárese el estado que presentaba la Nación en 15 de agosto de 1836 con el que ofrece el 2 de enero de 1837; y dígase de buena fe si hemos ganado o perdido, si caminamos al panteón, al sepulcro de nuestras libertades, como entonces íbamos sin recursos, o si, por el contrario, levantamos el magnífico edificio de nuestra independencia y de nuestra gloria a la vista de las naciones atónitas que nos contemplan, del cielo satisfecho y de la justicia y de la humanidad vengada. *(Repetidos aplausos.)*

CONDE DE TORENO

Historia del levantamiento, guerra y revolución de España

1838 (1)

La turbación de los tiempos, sembrando por el mundo discordias, alteraciones y guerras, había estremecido hasta en sus cimientos antiguas y nombradas naciones. Empobrecida y desgobernada España, hubiera, al parecer, debido antes que ninguna ser azotada de los recios temporales que a otras habían afligido y revuelto. Pero, viva aún la memoria de su poderío, apartada al ocaso, y en el continente europeo postrera de las tierras, habíase mantenido firme y conservado casi intacto su vasto y desparramado imperio. No poco, y por desgracia, habían contribuido a ello la misma condescendencia y baja humillación de su gobierno, que, ciegamente sometido al de Francia, fuese democrático, consular o monárquico, dejábale éste disfrutar en paz hasta cierto punto de aparente sosiego, con tal que quedasen a merced suya las escuadras, los ejércitos y los caudales que aún restaban a la ya casi aniquilada España (2).

... ...

---

(1) José María Queipo de Llano, conde de Toreno (1786-1843), es uno de los pilares del sistema liberal moderado español. Hizo sus primeras armas en las Cortes de Cádiz; ocupó en los dos períodos constitucionales (1810-1814; 1820-1823) puestos de gran responsabilidad, sobre todo el ministerio de Hacienda. Publicó su *Historia*... en 1838 en París. Esta obra, varias veces traducida, tuvo mucho éxito.

Los tres extractos simbólicos que hemos escogido (Introducción; Levantamiento de las provincias contra el invasor; Conclusión) dan una idea del estilo del autor. Animado de un profundo sentimiento patriótico, confía en la monarquía constitucional para resolver el problema español, lo que no impide que, en ciertos momentos, lance críticas muy severas a Fernando VII. Sabe mostrarnos cómo España se ha levantado contra Napoleón y los franceses, viendo en este levantamiento un motivo de esperanza para el futuro.

(2) Todos los historiadores españoles han hecho la misma obser-

Encontrados afectos habían agitado durante dos meses a las vastas provincias de España. Tras la alegría y el júbilo, tras las esperanzas, tan lisonjeras como rápidas, de marzo, habían venido las zozobras, las sospechas, los temores de abril. El 2 de mayo había llevado consigo a todas partes el terror y el espanto y, al propagarse la nueva de las renuncias, de las perfidias y torpes hechos de Bayona, un grito de indignación y de guerra, lanzándose con admirable esfuerzo de las cabezas de provincia, se repitió y cundió, resonando por caseríos y aldeas, por villas y ciudades. A porfía las mujeres y los niños, los mozos y los ancianos, arrebatados de fuego patrio, llenos de cólera y rabia, clamaron unánime y simultáneamente por pronta, noble y tremenda venganza (3). Renació España, por decirlo así, fuerte, vigorosa, denodada; renació recordando sus pasadas glorias; y sus provincias, conmovidas, alteradas y enfurecidas, se representaban a la imaginación como las describía Veleyo Patérculo, *tam diffusas, tam frequentes, tam feras*. El viajero que un año antes, pisando los anchos campos de Castilla, la hubiese atravesado por medio de la soledad y desamparo de sus pueblos, si de nuevo hubiese ahora vuelto a recorrerlas, viéndolos llenos de gente, de turbación y afanosa diligencia, con razón hubiera podido achacar a mágica transformación mudanza tan extraordinaria y repentina. Aquellos moradores, como los de toda España, indiferentes no había mucho a los negocios públicos, salían ansiosamente a informarse de las novedades y ocurrencias del día, y desde el alcalde hasta el último labriego, embravecidos y airados, estremeciéndose con las muertes y tropelías del extranjero, prorrumpían al oírlas en lágrimas de despecho. Tan cierto era que aquellos nobles

---

vación amarga y desengañada. Se la puede comparar, por ejemplo, con el comienzo de la proclama dirigida por el Gobierno español a Europa en noviembre de 1808. El tono de esta última es, sin duda, más caluroso y vivaz, como conviene a este género de composiciones, pero la idea es la misma.

(3) Historiadores, poetas, escritores de todas clases, han glorificado el levantamiento de las provincias contra el invasor, reservando un puesto privilegiado a Asturias, como lo hará el conde de Toreno en la continuación de su relato. El que mejor ha traducido la extensión del movimiento nacional es quizá Martín de Garay. La evocación que nos ha dejado se dirigía a Fernando VII y le invitaba, ya en 1818, a reflexionar sobre una situación interior dramática.

y elevados sentimientos, que engendraron en el siglo XVI tantos portentos de valor y tantas y tan inauditas hazañas, estaban adormecidos, pero no apagados en los pechos españoles; y al dulce nombre de su Patria, a la voz de su rey cautivo, de su religión amenazada, de sus costumbres holladas y escarnecidas, se despertaron ahora con viva y recobrada fuerza. Cuantos mayores e inesperados habían sido los ultrajes, tanto más terrible y asombroso fue el público sacudimiento. La historia no nos ha transmitido ejemplo más grandioso de un alzamiento tan súbito y tan unánime contra una invasión extraña. Como si un premeditado acuerdo, como si una suprema inteligencia hubiera gobernado y dirigido tan gloriosa determinación, las más de las provincias se levantaron espontáneamente casi en un mismo día, sin que tuviesen muchas noticia de la insurrección de las otras, y animadas todas de un mismo espíritu exaltado y heroico. A resolución tan magnánima fue estimulada la Nación española por los engaños y alevosías de un falso amigo que, con capa de querer regenerarla, desconociendo sus usos y sus leyes, intentó a su antojo dictarle otras nuevas, variar la estirpe de sus reyes y destruir así su verdadera y bien entendida independencia, sin la que, desmoronándose los Estados más poderosos, hasta su nombre se acaba y lastimosamente perece.

... ...

En principios de mayo (4) había formado el Rey Fernando un ministerio, que modificó antes de finalizarse el mes, aunque a la cabeza de ambos siempre el duque de San Carlos (5). Siguióse por uno y otro la política comenzada en Valencia, creciendo cada día más las persecuciones y la intolerancia contra todos los hombres y todos los partidos que no desamaban la luz y buscaban el progreso de la razón; siendo, en verdad, muy dificultoso, ya que no de todo punto imposible, a los ministros salir del cenegal en que se metieran los primeros y mal-

---

(4) 1814.

(5) El duque de San Carlos (1771-1828) fue un hombre político del que se habló mucho durante el período absolutista (1814-1820). Gran amigo y confidente de Fernando VII, propugnó una política retrógrada, restableciendo la Inquisición y todos los tribunales de su incumbencia. Vivió esencialmente en contacto con la camarilla del monarca.

hadados consejeros que tuvo el Rey. Error fatal y culpable, del que todavía nos sentimos y nos sentiremos por largo espacio; pudiendo aplicarse desde entonces a la infeliz España lo que decía un antiguo de los atenienses: «Desorden y torbellino los gobierna; expulsada ha sido toda providencia conservadora» (6).

Otro rumbo hubiera convenido tomase el Rey a su vuelta a España, desoyendo dictámenes apasionados y adoptando un justo medio entre opiniones extremas. Erale todo hacedero entonces, y hubiérase Fernando colocado, con tal proceder, junto a los monarcas más gloriosos e insignes que han ocupado el solio español.

El transmitir fielmente a la posteridad los hechos sucesivos de su reinado y sus desastradas consecuencias será digna tarea de más elocuente y mejor cortada pluma. Detiénese la nuestra aquí, cansada ya y no satisfecha de haber acertado a trazar la historia de un período, no muy largo en días, pero fecundo en sucesos notables, en actos heroicos de valor y constancia, en victorias y descalabros. ¡Quiera el cielo que suministre su lectura provechosos ejemplos de imitación a la juventud española, destinada a sacar a la Patria de su actual abatimiento y a colocarla en el noble y encumbrado lugar de que la hizo merecedora el indomable empeño con que supo entonces contrarrestar la usurpación extraña y contribuir tan eficaz y vigorosamente al triunfo de la causa europea! (7).

---

(6) *Nota del conde de Toreno*: Aristófanes, en *Las nubes* («Torbellino manda, habiendo sido expulsado Júpiter»).

(7) Los liberales de todas las tendencias, de Toreno a Quintana, de Flórez Estrada a Alcalá Galiano, de Garay a Argüelles, han denunciado el grosero error de Fernando VII y su camarilla que, sumiendo a España, en 1814, en el terror y el oscurantismo, creyeron, sin razón, que se podía volver al Antiguo Régimen. Históricamente, las cosas ofrecen más dinamismo y el detalle de estos seis años nos lo prueba económica y políticamente.

JOSE MOR DE FUENTES

Bosquejillo de su vida

1838 (1)

En seguida quise trabajar una disertación latina con este título: *De causis pluviarum et ventorum in Hispania tentamen,* pero faltándome datos de Extremadura y de León, juzgué que mi teoría sería incompleta, y en seguida orillé el intento. Con efecto, hallándome en la sierra de Segura, hice varias observaciones, a mi parecer trascendenta es, sobre este punto importantísimo y absolutamente nuevo entre nosotros. A este propósito anticiparé un hecho que, en cuanto a nuestro vergonzosísimo atraso, dice relación con el asunto. Años pasados, hallándome en Madrid, no sé quién encargó desde Galicia a un amigo mío se informase de mí sobre si había en castellano alguna obra de *fontanería.* Dejóme parado la pregunta, y diciendo que ninguna había llegado a mi noticia,

(1) Mor de Fuentes (1762-1848) es un testigo original de su tiempo: poeta, prosista, polemista y *arbitrista* impenitente, busca por todas partes los aplausos con una falta de modestia conmovedora y un agudísimo sentido de su superioridad sobre los demás. Presa de una fiebre malsana de traducir e improvisar todo, consiguió hacerse notar constantemente. Sin embargo, es un espíritu interesante, e incluso brillante, a pesar de su constante inestabilidad. Azorín le ha dedicado un largo artículo en sus *Lecturas españolas.* Recordando los hechos esenciales de su vida escribe como conclusión: «Tal es la vida del peregrino, del agudo, cultísimo y errabundo escritor aragonés. Don José Mor de Fuentes representa en nuestra literatura un caso típico de profundo individualismo; el genio de la *raza* parece que se concentra y agudiza en su persona. "El ídolo de mis entrañas —dice él— fue siempre la absoluta independencia." Mor de Fuentes es un espíritu de la más pura y castiza cepa aragonesa; entre todas las regiones de España, Aragón sintetiza, mejor que ninguna, el carácter indomable, fuerte e independiente de los españoles; y entre todos los escritores, se puede afirmar que Mor de Fuentes no ha sido quien ha llevado menos alta esta modalidad de independencia y de energía.»

acudí al fontanero mayor, el amigo don Juan de Villanueva, quien me dijo que sólo había una malísima descripción de las fuentes y cañerías de Madrid. «¿Es posible —exclamé— que en una nación donde tantísimo se ha escrito de Teología inapeable, de Jurisprudencia bárbara, de Medicina irracional, de novelones chapuceros y de poesía insulsísima, nadie haya saludado un Arte tan importante como el de la fontanería?»

Aplicando ahora esta reflexión al asunto sobredicho, ¿es creíble que en una nación pobrísima y triste y desamparadamente labradora nadie haya escrito un renglón más que las ridiculeces del almanaque o el lunario perpetuo sobre la Meteorología, ciencia absolutamente indispensable para las especulaciones de la Agricultura, en un clima fatalísimo, donde las sequías son tan frecuentes y los malogros incesantes? (2).

... ...

Sabido es que en aquella época Godoy era el verdadero soberano de la nación, y a su serrallo acudían ansiosamente damas y galanes en busca de oro, de timbres y realmente de oprobio. Los literatos eran los más rendidos, y por descontado los más mentirosos y más desmedidos en sus humaredas de incienso. Estos mismos, fuera del alcázar de la corrupción, se consideraban unos Apolos y estaban mal avenidos con quien ni pisaba jamás los umbrales de la vileza (como se lo he dicho en otros términos al mismo Godoy en París) y, por otra parte, miraba todos sus ingenios y sus abortos con el sumo menosprecio que se merecían (3).

... ...

---

(2) El diario *Variedades*, a comienzos de siglo, se había esforzado por instruir a sus lectores en varias ramas del saber corrientemente despreciadas: astrología, meteorolgía, matemáticas, agricultura, artes prácticas, etc. Esta tentativa tenía por objetivo luchar contra una ignorancia y un vacío dramáticamente sentidos. Aquí vemos a Mor de Fuentes ser aún más pesimista, puesto que muestra que aún se está en los tiempos de Torres Villarroel y de su desengañada *Vida*.

(3) La imagen es conforme a la tradición: autoridad insolente, vanidad hueca y nulidad despreciable. Varias veces en su *Bosquejillo*, Mor de Fuentes critica ásperamente al artífice de la desgracia de España. La última visión que nos ofrece es la de un personaje envejecido que escribe en París sus *Memorias* en compañía de su amigo y traductor Esmenard.

Dígase cuanto se quiera del Gobierno, al viajar por Francia se ve que el país está en prosperidad, pues por dondequiera andan construyendo, mejorando y adelantando, lo que seguramente no sucede en Aragón, Castilla, Extremadura, Andalucía, etc., donde si se cae una casa, allí se queda; si se inutiliza un camino, un puentecillo, etc., así se está; pero con tal que tengamos muchas secretarías y oficinas, con secciones y subdivisiones y sueldazos bestiales con alamares y relumbros, poquísimo importa que expire la labranza entera. Está demostrado que todas las plumadas imaginables de todas las oficinas del Universo ni producirán una espiga, una aceituna o un racimo, ni plantearán jamás un telar o un ramo de industria. Pero vamos adelante; viva el delirio (4).

... ...

Todo París viene a ser una librería perpetua. Además de las tiendas principales, que son muchísimas y perfectamente surtidas, el Baluarte, plazuelas, pretiles, antepechos de puentes, todo asoma cuajado de obras que, aun siendo absolutamente nuevas, se suelen dar por menos de la mitad del precio que tienen señalado en la portada o en el lomo; de modo que un sujeto de algunas facultades, con una cantidad corta, en un rato puede acabalarse una biblioteca selectísima; y así se hace forzoso a los aficionados el pasar de largo, pues en clavando la vista se cayó en la tentación.

Vamos a los teatros. Son de catorce a dieciséis los corrientes. Sus edificios, aunque generalmente muy adornados por dentro, no pasan de medianos, excepto el de la Opera grande, que es capacísimo, superior al muy hermoso de Burdeos y perfectamente servido en decoraciones y comparsa, orquesta, etc.; su entrada, por tanto, es muy subida de punto (seis pesetas el asiento inferior), y en los otros tampoco es muy cómoda. En este asunto, ¿cómo podemos desentendernos del renglón principal, quiero decir del ingenio? Allá va, pues, mi opinión sincerísima, como siempre.

---

(4) Mor de Fuentes ha estado varias veces en Francia. Le llama la atención, como, por otra parte a Larra en sus *Artículos de costumbres,* el fervor intelectual, y la importancia concedida a las ciencias en aquel país. Por contraste, España ofrece aún un espectáculo más desolador.

DUQUE DE RIVAS

Discurso parlamentario
[En defensa de bienes eclesiásticos]

1 de marzo de 1838 (1)

Entraré a examinar [esta cuestión] tratando de demostrar que la medida tomada con las religiosas de España ha sido un atentado a la libertad, un atentado a la propiedad particular, un procedimiento bárbaro, atroz, cruel, y además una medida antieconómica y antipolítica.

... ...

En dos clases se pueden dividir las religiosas que existían en España: una de mendicantes, esto es, aquellas que vivían de la limosna de los fieles, y otra de las ricas y propietarias, que vivían de sus fincas más o menos cuantiosas. El haber despojado a las primeras de los humildes y pobres conventos en que moraban, el haberles quitado sus esperanzas y consuelos espirituales, el haberles privado de la subsistencia que les procuraba la limosna de los fieles, es, en mi concepto, un atentado a la libertad, a aquella libertad que tienen todos los individuos de vivir reunidos con otros de su especie, ocupados en esto y en lo otro, con tal que su ocupación no sea perjudicial a los demás, y viviendo no a costa del Erario

---

(1) Discurso pronunciado en una sesión del Senado. El duque de Rivas se propone mostrar que la política de *desamortización*, a la que va unida el nombre de Mendizábal, es un error religioso, económico y político; que sólo ha servido para indignar a una buena parte de la opinión pública y para enriquecer a un pequeño grupo de especuladores. En efecto, los bienes del clero desamortizados fueron comprados por algunos grandes propietarios casi siempre, sin que el Estado sacase ningún provecho. El duque de Rivas denuncia lo que estima ser una estafa manifiesta, e invita a sus colegas a protestar contra esa «iniquidad».

público, sino de las limosnas de sus amigos. Su subsistencia no pesaba sobre el Tesoro, no pesaba sobre la industria; su subsistencia, en fin, no pesaba sobre la sociedad, sino sobre aquellas personas timoratas que fundaban en esto su salvación. ¿Y por qué privar a los hombres de sus esperanzas, cuando éstas no son perjudiciales a la libertad?

Si se cometió este atentado con las mendicantes, igual atentado se cometió sin duda con las propietarias y ricas; pero a este atentado se agrega en éstas un despojo, un atentado horrible contra la propiedad particular. Señores, todos sabemos que la mayor parte de los bienes que disfrutaban estas religiosas eran el producto de sus dotes, el producto de su propio capital. Y el haberlas despojado de este capital, ¿no es un robo? Esta propiedad particular, señores, procedía de bienes dotales que en todos los Códigos del mundo son muy respetables, y es otra cosa que debe tenerse en cuenta, y yo espero que este argumento será reforzado por los ilustres prelados que me escuchan y que lo harán mejor que yo, lego en esta materia, y digo que estoy seguro que lo reforzarán porque es un argumento importante en que se versa un principio vital. Yo concedo la facultad o el derecho de reformar estas corporaciones, pero reformarlas después de un madurísimo examen; mas no concederé el derecho de despojar a los individuos de una propiedad particular.

Y este atentado a la libertad y a la propiedad particular, ¿cómo se ha ejecutado o en virtud de qué? ¿De una ley? No: de la transgresión de una ley. Estos actos contra las religiosas se cometieron abusando de la célebre ley del voto de confianza. Es verdad que después se han hecho leyes sobre el modo de proceder a la venta de estos bienes; pero el despojo se ejecutó abusando de aquel voto de confianza.

Y este atentado contra la libertad, contra la propiedad particular, esta ilegalidad, ¿de qué manera se ha cometido? ¿Vemos que, al tiempo de despojar a las inocentes religiosas de sus bienes, se usasen aquellos miramientos corteses, aquellas atenciones justas, aquellas consideraciones, señores, aquella hipocresía, porque al fin y al cabo hipocresía es la que en estas ocasiones se usa? No, señores, no; en medio de la precipitación con que se ejecutó esta medida se ve la inconsideración más inmoral, y que se les ha hecho apurar el cáliz de la amargura hasta las heces.

Han sido lanzadas de sus hogares, lanzadas de las mansiones que habían elegido para acabar sus días; han visto que se les han arrancado sus bienes; y han visto que con mofa se han tomado los objetos de su culto y adoración, los emblemas de su felicidad. Y todo esto, ¿para qué? Para que se enriquezcan una docena de especuladores inmorales que viven de la miseria pública. Señores, hablo en general, que en particular en esta clase los hay muy beneméritos; para que los comisionados de amortización en poco tiempo hayan formado una fortuna colosal, que contrasta con la miseria que se nota en las provincias. Y de todo esto, ¿qué bienes han resultado a la Nación? Ninguno. Por el contrario, ha perdido con la desaparición de muchos monumentos, orgullo de las Artes. Y en esta misma demolición se perdió un capital considerable, el capital de la mano de obra, que no supieron calcular esos mezquinos economistas.

Han desaparecido los conventos, se han malvendido sus bienes, se han robado sus alhajas y preseas. ¿Y se ha aumentado con los ingresos ni un solo batallón en el ejército, ni una trincadura en la escuadra? ¿Se ha mejorado en algo la suerte de los proletarios? No. Los conventos han desaparecido, todo se lo llevó el viento. ¿Y qué queda en pos de esto? Escombros, lodo, lágrimas, abatimiento (2).

Si el despojo de las religiones ha sido, como he tenido el honor de decir al Senado, un atentado a la libertad individual y un despojo de la propiedad, cometido del modo más áspero y más duro, la extinción de las religiosas, señores, ha sido una medida antieconómica y antipolítica. Más claro: ha sido una falta solemne, y en política las faltas son peores que los crímenes (3).

---

(2) El autor denuncia una política que, al no pasar de un anticlericalismo superficial, fue perfectamente demagógica. Las referencias a los «proletarios» y al Estado es interesante: habrían podido o debido ser los dos beneficiarios de la operación; en realidad, han sido frustrados. Muchos pensaban como el duque de Rivas y las protestas se multiplicaron en la tribuna y en la prensa.

(3) A través de estos argumentos se deja ver una ideología de clase. Que el duque de Rivas denuncie una maniobra financiera del capital ambicioso es muy legítimo, e incluso positivo, pero el encarnizamiento que pone en defender a las órdenes religiosas en nombre

Ha sido una medida antieconómica, en primer lugar, porque lo es haber sacado al mercado una gran cantidad de géneros cuando los mercados estaban encumbrados de ellos. Ha sido una medida antieconómica, porque se ha echado la Nación encima una carga pesadísima que no tenía, sin ventaja alguna, pues es sabido que los bienes de las religiosas, no ya habiendo desaparecido como se ha verificado, no ya malbaratándose como sucede, no ya administrados de una manera tan rapaz como se administran, sino administrados por un San Francisco, no producirían lo necesario para cubrir las pensiones asignadas; de suerte que el Erario público, ya harto barrido, tiene que cargar con esta obligación. Pues esto, señores, no se calculó. Y si se calculó, ¡qué inmoralidad! Cuando se hizo, se sabía que tales pensiones no iban a pagarse.

Y no se escuden los autores y fautores de esta medida en esa multitud de reales órdenes insignificantes recomendando el exacto pago de sus pensiones a esas infelices; los mismos que las firmaban sabían que no se habían de cumplir, y no sé qué nombre tenga en política y en economía una acción semejante; en honradez y en virtud tiene el de iniquidad.

---

de principios discutibles (libertad, propiedad) es revelador. Nadie ignoraba cuál era el origen de esa «propiedad», y nadie podía ignorar hasta qué punto los escandalosos beneficios de la Iglesia habían, desde siempre, arruinado y esquilmado al país. ¿Quién defendía al clero, por otra parte, salvo las clases privilegiadas? La crítica al responsable de la desamortización pierde valor en estas condiciones.

Juan Alvarez y Mendizábal (1790-1853) fue sin duda un audaz financiero. Compañero de Riego en 1820, lo vemos exiliado en Inglaterra después de la restauración de 1823. El 15 de junio de 1835 es nombrado ministro de Hacienda por el conde de Toreno. Ocupará este puesto en diversas ocasiones con más o menos éxito según la situación interior (guerras carlistas). Fue el 16 de enero de 1836 cuando solicitó un voto de confianza sobre la cuestión financiera. Se puede encontrar en una *Memoria* fechada el 18 de agosto de 1837 lo esencial de su política financiera.

BALDOMERO ESPARTERO

Discurso

10 de mayo de 1841 (1)

Señor presidente: Deseo dirigir mi voz siempre franca y sincera al pueblo español, aquí tan dignamente representado (2).

(1) Se trata del discurso que pronunció Espartero, «Duque de la Victoria», ante las Cortes en el momento que acababa de ser elegido único regente del reino, después de la partida forzada de María Cristina de Borbón. Al final de una sesión tormentosa había obtenido 179 votos contra 103 Argüelles, cinco María Cristina, uno el conde de Almodóvar, uno Tomás García Vicente y un boletín blanco. El breve discurso que pronuncia traduce un deseo de unión y apertura en este valiente militar que conoce mal los problemas políticos. Cree poder desempeñar un papel de conciliador, pero, arrastrado por su vehemencia y su autoritarismo intransigentes, perderá poco a poco sus partidarios, y será destituido después de los trágicos incidentes de Barcelona (1842) y los de Sevilla (1843). El 30 de julio de 1843 tiene que embarcarse para Inglaterra, no sin antes haber protestado de su buena fe ante la nación en estos términos: «Acepté el cargo de regente del reino para afianzar la Constitución y el trono de la reina después que la Providencia, coronando los nobles esfuerzos de los pueblos, los había salvado del despotismo. Como primer magistrado, juré la ley fundamental; jamás la quebranté ni aun para salvarla; sus enemigos han debido el triunfo a este ciego respeto, pero yo nunca soy perjuro. Feliz en otras ocasiones, vi restablecido el imperio de las leyes, y aun esperé que en el día señalado por la Constitución entregaría a la reina una monarquía tranquila dentro y respetada fuera. La nación me daba pruebas del aprecio que le merecían mis desvelos, y una ovación continuada, aun en las poblaciones mismas en que la insurrección había levantado la cabeza, me hacía conocer su voluntad, a pesar del estado de agitación de algunas capitales, a cuyos muros sólo estaba limitada la anarquía. Una insurrección militar, que hasta carece de pretexto, ha concluido la obra que muy pocos comenzaron. Y abandonado de los mismos que tantas veces conduje a la victoria, me veo en la necesidad de marchar a tierra extraña, haciendo los más fervientes votos por la felicidad de mi querida patria. A su justicia recomiendo a los que leales no han abandonado la causa legítima ni aun en los momentos más críticos. El Estado tendrá siempre en ellos servidores decididos. *A bordo del vapor «Betis»*, a 30 de julio de 1843.»

(2) El presidente era Agustín Argüelles, viejo zorro de la política

Señores senadores y diputados (3): La vida de todo ciudadano pertenece a su Patria. El pueblo español quiere que continúe consagrándole la mía... Yo me someto a su voluntad.

Al darme esta gran muestra de su confianza, me impone nuevamente el deber de conservar sus leyes, la Constitución del Estado y el trono de una niña huérfana, de la segunda Isabel.

Con la confianza y la voluntad de los pueblos, con los esfuerzos de los cuerpos colegisladores, con los de un ministerio responsable digno de la nación, y con los de todas las autoridades unidos a los míos, la libertad, la independencia, el orden público y la prosperidad nacional estarán al abrigo de los caprichos de la suerte y de la incertidumbre del porvenir. El pueblo español será tan feliz como merece serlo; y yo, contento entonces, veré llegar la última hora de mi vida sin inquietud sobre la opinión de las generaciones futuras.

En campaña siempre se me ha visto como el primer soldado del ejército, pronto a sacrificar mi vida por la Patria. Hoy, como primer magistrado, jamás perderé de vista que el menosprecio de las leyes y la alteración del orden social son siempre el resultado de la debilidad y de la incertidumbre de los gobiernos.

Señores senadores y diputados: Contad siempre con-

---

española desde las Cortes de Cádiz. Nacido en 1776, Argüelles tenía al celebrarse esta memorable sesión sesenta y cinco años. Moriría poco después, en 1844.

(3) José Segundo Flórez, que relata en 1845 los hechos esenciales de la vida de Espartero en *Espartero. Historia de su vida militar y política y de los grandes sucesos contemporáneos* (Madrid, Sociedad literaria, 4 vols.) señala (t. IV, p. 85) que en este discurso Espartero no era tan original como hubiera podido creerse: «La prensa reaccionaria se apresuró a publicar que este discurso, en su mayor parte, está traducido de otro que pronunció Napoleón en ocasión análoga. En efecto, aunque él no es una mera traducción, se conoce bien que está redactado con presencia del que hizo al Senado de Francia el cónsul perpetuo, de cuyo tipo hasta se han vertido algunas frases, señaladamente en los primeros períodos. Esto no es sino un defecto literario de que ha querido la enemistad sacar partido contra el duque o sus consejeros en estas materias: defecto que sólo atañe a las formas, o más bien a la procedencia de ellas; pero que en nada empacha a la esencia de las cosas, ni a la oportunidad, ni mucho menos es un crimen ni un deservicio al Estado, que era cuando por ello debiera imputarse al general Espartero...»

migo para sostener todos los actos inherentes al gobierno representativo. Yo cuento con que los representantes de la Nación serán también los consejeros del trono constitucional, en el cual descansa la gloria y prosperidad de la Patria (4).

(4) A este discurso patriótico, pronunciado en medio de un solemne silencio, respondió el presidente Argüelles en los siguientes términos: «Las Cortes han oído lo que el regente del reino ha expuesto y sometido a su alta consideración, y se complacen en los sentimientos que le animan de fidelidad, de amor y de respeto a S. M. la reina doña Isabel II. Asimismo confían en su firme resolución de defender el trono y las libertades patrias, de que son ilustre testimonio sus eminentes servicios a la nación y que observará fielmente y hará obedecer y cumplir a todos la Constitución de la Monarquía, conforme en ello al juramento que acaba de prestar solemnemente en presencia de esta augusta asamblea, con lo que coronará sus glorias y corresponderá así a la expectación pública.»

VENTURA DE LA VEGA

Discurso que leyó al tomar asiento en la Academia
3 de febrero de 1842 (1)

Pero la invasión *romántica* tuvo, para cruzar el Pirineo y extenderse rápidamente en España, una aliada de mucho poder. Un poeta de vivísima fantasía, a quien ya me he referido, aunque sin nombrarlo. *Víctor Hugo,* en fin, fue el primero cuyas obras penetraron en España por los años de 1830 y plantaron la nueva bandera (2). Al frente de uno de aquellos partos de su calenturienta fantasía, se ostentaba, a guisa de proclama incendiaria, un extravagante prólogo en que descollaba esta máxima: «El romanticismo es en literatura lo que el liberalismo en política» (3). Acababa de consumirse en Francia la re-

---

(1) Publicado en las *Memorias de la Academia española,* año I, tomo I. Madrid, Imprenta de M. Rivadeneyra, 1870.

(2) En este discurso, del que damos un extracto, Ventura de la Vega (1807-1865), se propone denunciar las extravagancias «románticas» en nombre del gusto y de la razón. Da, con esto, todo su sentido al fenómeno romántico en España, del cual es uno de los primeros representantes, y que se confunde totalmente con la ideología liberal moderada. Opone Alberto Lista, mediocre defensor de un prudente conformismo a Víctor Hugo, culpable de todos los males y a quien acusa —¡oh paradoja!— de rechazar la ciencia y de erigir en teoría la ignorancia, la barbarie y la violencia.

(3) Para evitar toda ambigüedad, es bueno recordar que Ventura de la Vega, fiel al sistema moderado, rechaza cualquier «exaltación» política, y denuncia con virulencia el «liberalismo» a la francesa, que intencionalmente confunde con «revolución jacobina». La tentativa no es nueva. Todos los liberales moderados practican este confusionismo durante el siglo XIX. Para ellos «las reformas bien

volución de julio; la noticia de aquel grande acontecimiento exaltaba los ánimos de nuestros jóvenes, que, fieles a las modas de París, querían también improvisar en Madrid otra revolución de tres días. Los que de allá venían, trayéndonos los pormenores de aquel triunfo, traían de paso ejemplares de *Nôtre-Dame de Paris*, de *Hernani, ou l'honneur castillan* y otras lindezas. Ambas cosas olían a *libertad*, a *quitar trabas*, a *desarraigar abusos*, a dar *libre vuelo al pensamiento;* de todo, pues, se hizo un baturrillo y todo se puso en moda, el *liberalismo* y el *romanticismo*.

El ensanche que recibieron la ley de imprenta y la censura de teatros, tres años después, o más bien dicho la libertad absoluta, pues sólo a materias políticas alcanzaban las restricciones, abrió ancho cauce al torrente *romántico* que, precipitándose del Pirineo, inundó nuestro país y produjo con sus miasmas mefíticos la peste general. Los pocos recalcitrantes que levantaron la voz en defensa de los sanos principios literarios fueron escarnecidos, escupidos, silbados: la guerra civil acababa de encenderse, y los dictados de *carlista* y de *clásico* eran, respectivamente, nombres de proscripción en ambas repúblicas. Fue preciso aceptar la moda de París, con todas sus consecuencias: allá lo era proscribir como *clásicos* a Corneille, Racine y Molière; aquí se exageró, como sucede con todo remedo, y no fue bastante proscribir a nuestros poetas; se les puso además en ridículo; se evocaron sus gloriosas sombras para hacerlas comparecer ante un tribunal de copleros imberbes, el cual falló que no habían cumplido con su *misión* de poetas; y la palabra *misión* aplicada sólo entre nosotros a las piadosas predicaciones de la cuaresma se hizo circunstancia indispensable de todo poeta. Quizá por no faltar a ella, comenzaron entonces a estilarse, en vez de la oda, canción inspirada y, como tal, corta, vehemente, elevada, esos interminables discursos en verso, divididos en párrafos,

---

comprendidas» se oponen a «la revolución sangrienta» (1789, 1830, 1848, en Francia).

Clasicista convencido, Ventura de la Vega deplora que «carlista» y «clásico» hayan llegado a ser sinónimos en cierto momento, pero reconoce implícitamente, al citar este hecho, que esta posición se debe a motivaciones ideológicas.

con todas las trazas de *misión* cuadragesimal; al paso que aparecían caricaturas en que se representaba a *Meléndez,* al restaurador de la poesía castellana, con peluca de bolsa, sombrero tricornio, zurrón y cayado, apacentando ovejas en el ejido y con este rótulo debajo: *El pastor Clasiquino* (4).

(4) Esto puede parecernos hoy día una anécdota sin importancia, pero las caricaturas del *Pastor Clasiquino* excitaron las pasiones de la época. Juan Meléndez Valdés (1754-1817), poeta clásico por excelencia, fue el maestro de toda una generación de poetas. Ventura de la Vega, indignado por las burlas que recibe, hace un llamamiento al sentido común y a la prudencia de la Academia española. «Afortunadamente, dice a modo de conclusión, señores, hay asilos donde venir a guarecerse de la tempestad; hay templos que cierran sus puertas a esos falsos sacerdotes de las Musas y se dignan abrirlas aun a aquellos que no traen más ofrenda que colocar en las aras de Minerva que un corazón amante del saber.»

JOSE SOMOZA

Recuerdos e impresiones. Una mirada en redondo a los sesenta y dos años

1843 (1)

¿Qué he visto? ¿Qué he aprendido? ¿Qué he hecho en este tiempo?

He visto variar de forma los gobiernos, las leyes, las ideas de casi toda la Europa, de la América entera, y de Africa, y del Asia, desde Argel hasta la China.

He aprendido que los hombres saben lo bastante ya para querer gobernarse y pensar en este bien; pero no lo suficiente para verificarlo. Que en ciencias y en artes útiles han dado un vuelo asombroso sobre todos los siglcs conocidos. Que en costumbres (por lo mismo) mejora la humanidad; que habrá en el mundo menos antropófagos, menos terrenos incultos, menos pantanos infectos, menos bosques desiertos y mares impracticables y desconocidos; menos causas, en fin, de inercia, de ignorancia, de miseria y mal. Viniendo ahora a tratar de lo

(1) Este largo artículo, del que sólo ofrecemos el preámbulo, fue publicado en Salamanca en 1843. José Somoza (1781-1852) pertenece a la generación de poetas, hombres públicos y pensadores que se ilustraron durante la primera mitad del siglo XIX. Alejado de la vida social en lo posible, no se negó a intervenir cuando su presencia era necesaria.

Gran admirador de Voltaire (lo mismo que Olavide, el abate Marchena, etc.), canta la beneficencia como lo hacen todos sus amigos de escuela. El mismo se burla de ello amablemente, alegando que es un vicio incurable y que, por ejemplo, los familiares de la legendaria duquesa de Alba sólo se preocupaban por ocultar el dinero que ella distribuía al primer recién llegado con una ingenua buena fe.

Librepensador, Somoza murió sin los sacramentos, lo que es un hecho que merece ser destacado en una época que, por más marcada que estuviera por el liberalismo, no dejaba de ser muy «bien pensante».

que he hecho, tendré que extenderme mucho, porque no habiendo hecho nada, quiero dar la razón de no haberlo hecho. A pesar de que mis padres se esmeraron en darme una excelente educación, por cierto tengo que confesar que les di chasco. Preferí los ejercicios de fuerza y de acción a los intelectuales. Ni aun siquiera gané ningún año cédula de curso en las escuelas públicas, y si me la concedieron fue por no dar a mi padre pesadumbre. A estas horas no he tomado ninguna carrera, ni he ejercido ninguna profesión. Quisieron que tomase la eclesiástica, y diéronme capellanías de familia; pero, muertos mis padres, las cedí. Pensé que para ser clérigo tenía que ser demasiado virtuoso, si había de vivir bienquisto. La jurisprudencia me pareció desde luego una ciencia tan oscura y tan incomprensible para mí que juzgué una indignidad y una insigne mala fe el ponerme a ejercerla.

Una vez me vi tentado a ser negociante en grande, de resultas de una conversación que tuvo con mi padre el conde de Cabarrús sobre su establecimiento de madera en Holanda. No me disgustaba el ser medio marino, el ser cosmopolita; mas cuando reflexioné que tenía que hacer cuentas, yo, que no he podido aprender la tabla de multiplicar, me negué a ser de los jóvenes empleados en la empresa. La carrera de las armas me deslumbraba a veces y parecía ser la más conforme a mi vanidad pueril de valentía. Mi entusiasmo por esta cualidad fue tan desde niño que, preguntado por mi madre a los cinco años qué deseaba ser, respondí que torero, porque había visto a Romero en la plaza con la espada en la mano recibiendo aplausos, y no sabía yo entonces, como lo supe después, que el bueno del señor Pedro estaba pretendiendo renunciar la carrera de la gloria por una plaza de guarda de puertas.

No me deslumbró, por fin, la carrera militar, porque vi en ella luego una alternativa odiosa de obedecer sin pensar o de mandar sin razón. Por supuesto, el mandar a los hombres me ha parecido siempre el oficio más tonto y más mezquino de la sociedad; sólo el ser indispensable le puede hacer ejercer, pero el mandar en la guerra lo he juzgado un tormento para la honradez.

En tiempos escribí unas reflexiones sobre el heroísmo, y referí en ellas, hablando de Escipión, que es de los reputados por más justos y humanos (y literato, además, que fue singularidad entre los antiguos héroes), una barbaridad de las que llaman un golpe de Estado. Supo Escipión que en la ciudad de Lucia, a una legua de Numancia, la juventud toda quería ir a auxiliar a los sitiados. Envía tropas para que se apoderen de cuatrocientos jóvenes inermes; y, traídos a su presencia, ordena que se les corten las manos derechas. Y era el delito de estos españoles amar la gloria, la libertad, la patria, como Escipión mismo. Hay, en la vasta ciencia de hacer mal, cálculos, pensamientos, invenciones más o menos repugnantes a la humanidad.

El que ideó la guillotina bien pudo ser de corazón humano; pero el que inventó el potro de tormento era un malvado necesariamente. Si la mutilación de cuatrocientas manos inocentes fue un acto necesario al heroísmo, ningún hombre de bien puede ser héroe. Ni a los ojos de la razón puede haber tal heroísmo, es decir, grandeza y excelencia en virtudes cardinales, sino en guerra defensiva contra una agresión injusta. En Numancia, si hubo héroes, los ha habido en Zaragoza. A los que no reconozco es a los héroes de oficio. Si al meteoro de nuestra era, llamado Napoleón, en medio de sus triunfos y conquistas, todos los habitantes de la tierra le hubieran dicho simultáneamente: *Manda, y déjanos en paz,* estoy en que se hubiera disgustado. Cervantes, en el discurso de las armas y las letras, quiere dar a las primeras la preferencia de gloria, porque el fin de las armas es la paz, que es el mayor beneficio de la sociedad. ¡Ojalá esta solución fuese tan cierta como es ingeniosa! Mas creo que la preeminencia de las armas sobre las letras, y aun sobre la virtud, en el vulgar sentir, consiste en que a la idea de grandeza unimos comúnmente la de poder destructor o irresistible. Por este cobarde modo de apreciar la grandeza, el león es el rey de los bosques; el águila, el de los aires, y el cetro del supremo Dios del cielo era el rayo vengador. Los griegos alzaron estatuas hasta a los luchadores y las prostitutas, porque la celebridad daba el mérito; mas las virtudes modestas nunca tuvieron la gracia suficiente para ser miradas sobre un pedestal. Aun hoy estamos muy atrasados sobre el particular. Las acciones más grandes, las más útiles, las más difíciles, las del valor pasivo, son poco admiradas, y el perdón de las injurias, el luchar con las pasiones, el vencerse a sí mismo, ¡vive Dios que suponen más valor que el andar al morro con los Doce Pares!

Concluida esta difusa digresión (que no será la última), vuelvo a tomar el hilo de mi historia y digo que no sólo se me pasaban los años sin tomar carrera, sino sin tomar estado. Pero esto sí, confieso francamente que era miedo y cobardía. ¡Veía tan pocos matrimonios que me pareciesen envidiables! ¡Veía tan pocos hijos que correspondiesen a la esperanza paterna! Y si todo ha de decirse, veía en mí tan pocas prendas de las esenciales para ser un buen padre de familia que nunca me atreví a serlo, más por no hacer desgraciados que por no serlo yo mismo. Además la época no me fue favorable; a los veinticinco años de mi edad comenzó la Guerra de la Independencia, a la que ha seguido la revolución y la guerra civil, y la han acompañado las emigraciones, los destierros, las prisiones, las pérdidas de bienes, que de todo me tocó algo. Si esta disculpa no es satisfactoria, aún tengo otra que dar. Un hermano enfermo, una hermana viuda, sus tres hijas aún sin colocar, formaban un grupo interesante, de que debía ser el centro y el punto de apoyo, por mi edad, por mi salud, por mi independencia misma, y así no quise separar entonces ni mi persona ni mi capital de esta amable compañía. Ella me lo ha agradecido, y el público de mi época también lo ha tenido a bien: prueba de que fue bien hecho.

Ya tendrán curiosidad de saber los lectores (se entiende, los que gustaren de que les hable de mí) cuáles han sido las inclinaciones, las ocupaciones y las distracciones mías. Respondo que las de todos los demás, excepto cazar, jugar y pretender. La poesía, música y pintura me han tenido en el paraíso. El campo ha sido y es mi amigo íntimo, y así no hay una sombra, un soplo de aire, un ruido de hojas o aguas que yo no sepa entender y apreciar. Pero, ¡cosa rara!, el campo que no es de mi país no es comprensible para mí, ni me da casi placer. En cuanto a ocupaciones económicas, mi capital, como el de mis hermanos, poca administración ha necesitado, como que ha consistido en ganados y rentas: mi buen hermano cuidó de él mientras vivió, y mi hermana ha tenido la misma bondad. Hasta ahora siempre he tenido persónas que se interesen por mis bienes mejor que yo mismo. Codicia no he tenido todavía, ni tampoco he caído en el vicio contrario de apetecer para dar. Tuve ocasión, por fortuna, de convencerme con tiempo de que la enfermedad de la beneficencia llega a hacer la desgracia de mucha gente buena. La duquesa de Alba la padecía, y era preciso ocultarla el dinero, como a los hidrópicos el cántaro del agua. No tenía fuerza bastante para reflexionar que todo el oro del mundo es insuficiente contra la multitud de males y calamidades que es preciso ver u oír, y que no es con el oro solamente con lo que se pueden hacer beneficios. Una mirada, un saludo, una sonrisa, una lágrima suelen ser de un valor infinito en ocasiones...

... ...

Volviendo a hablar de mí propio, quiero satisfacer a mis lectores sobre una cuestión la más interesante a casi todos los que leen biografías. Es, a saber: usted, señor Somoza, en resumidas cuentas, ¿ha sido feliz o no? Y van a quedar pasmados cuando me oigan responder afirmativamente; que lo he sido y que lo soy... Yo cuento por feliz todo momento en que puedo decirme: *no estás mal*. Digo, pues, que en mi vida han superado *los ratos no malos* a *los ratos malos*... Otra razón (quizá la principal) de no haber yo tenido *muchos malos ratos* ha sido mi situación y el haber nacido en aquella medianía, *ni envidiada ni envidiosa,* que dijo el poeta. En efecto, el que para vivir y para colocarse tiene que empujar a otros y arrojarlos de su puesto, o arrostrar los peligros y los precipicios por donde se camina a la fortuna, ha de padecer muchas adversidades. Y también, por otro estilo, el que para ser feliz necesita figurar, ostentar, ensancharse, encaramarse en alto, es decir, que no sabe ser feliz de incógnito, este tal, por lo mismo que excita la envidia general, tiene que acarrearse muchos adversarios. El que salve el tropiezo de la vanidad cuenta con que todo el mundo le dejará ir en paz por su camino. Los hombres, cuando no se les humilla, no exigen ni siquiera que se les haga bien; se dan por muy contentos de que no les hagan mal. Mas ¡ay del que se pone en guerra abierta con el amor propio de la sociedad, sea de obra, sea de palabra, sea con el buen fin de reformarla!...

... ...

Piedrahita, 30 de octubre de 1843.

GERTRUDIS GOMEZ DE AVELLANEDA

La Clemencia. Oda en elogio... de Doña Isabel II

1845 (1)

Sentí tu gloria y la canté al momento.

ARRIAZA (2)

Al impulso del Numen que me inspira
rebosar siento en la encendida mente,
cual férvido torrente,
el estro abrasador. ¡Dadme la lira!
¡Dádmela!, que no aspira
con mezquina ambición mi libre Musa
a enaltecer ilusa
las glorias de la guerra,
cuyas palmas rehúsa
teñida en sangre la asolada tierra.

---

(1) Esta poesía laudatoria, de factura perfectamente neoclásica, fue publicada en un folleto, en compañía de otra composición del mismo orden, firmada por Felipe de Escalada. Las dos odas se debían a la pluma de la Avellaneda. Habían sido escritas para un concurso patrocinado por el «Liceo Artístico y Literario», cuyos premios fueron financiados por Vicente Beltrán de Lis. El folleto se intitula: *Composiciones poéticas en elogio de la augusta clemencia de Nuestra Excelsa Reina Doña Isabel II, premiadas por el Liceo Artístico y Literario de esta Corte, en el certamen público propuesto por el Señor Don Vicente Beltrán de Lis, donador de los premios.* Madrid, Imprenta Nacional, 1845.

(2) La referencia a Arriaza, monárquico encarnizado y conservador intransigente, es significativa. Se trata de glorificar no sólo a un monarca, sino también a un sistema. Este verso liminar vale por el de V. Hugo que encabeza la oda de «F. de Escalada»:

«Heureux le Prince empli de pieuses pensées!»

No templo al eco del clarín mi acento,
ni al compás triste entonaré mis cantos
de gemidos y llantos,
que riego son de su laurel sangriento.
Yo doy al vago viento
voces más dignas del castalio coro.
Yo canto en lira de oro
la gloria, más sublime,
de disipar el lloro
y consolar la humanidad que gime.

Canto, y al par de mis acentos se alza
de todo un pueblo el jubiloso grito,
y oigo doquier bendito
el fausto nombre que mi voz ensalza.
¿No miráis cuál realza
su antiguo resplandor el Solio hispano,
cuando del Carpetano
monte en los antros huecos
hasta el confín lejano
¡Bendición a Isabel! claman los ecos? (3).

¡Bendita, sí, la que en la excelsa cumbre
de la grandeza y de la dicha humana
la mano soberana
tiende para aliviar la pesadumbre
de tanta muchedumbre
que aflige a su nación de acerbos males
y a ilusos criminales
compasiva perdona,
dando con rasgos tales
nuevo y digno florón a su Corona!

---

(3) Estas poesías de circunstancias son motivadas por la gracia que la reina Isabel II había concedido al coronel Rengifo y a sus cómplices. Vicente Beltrán de Lis, que fue siempre un pilar de todos los regímenes constitucionales, y cuya inmensa fortuna personal hace de él uno de los primeros grandes capitalistas del momento, ofreció tres premios (6.000, 3.000 y 3.000 reales) a los candidatos que mejor cantaran la magnificencia real. La Avellaneda obtuvo los... dos primeros premios. Beltrán de Lis declaró públicamente: «Se trata de una señora que honra positiva y gloriosamente la libertad española.»

No, no es dictar al universo leyes
la esclarecida gloria de un Monarca,
ni en cuanto el mar abarca
al yugo sujetar humildes greyes.
La gloria de los Reyes
es dispensar de la justicia dones;
es llevar corazones
por regia comitiva;
es alzar bendiciones
donde su voz patíbulos derriba.

Y esa tu gloria es, virgen augusta
que reinas en el Trono venerando
que del tercer Fernando
aún brilla con la fama excelsa y justa.
Cuando con faz adusta
la ley severa decretó *suplicio*
a los que al precipicio
llevara la desgracia,
por tu labio propicio
salvólos la piedad, diciendo: ¡Gracia!

¡Gracia! Y un pueblo respondió a tu acento:
¡Bendiciones a ti, beldad suprema!
Tu fúlgida diadema
es a mi vista, en tiempo turbulento,
como en el firmamento
en noche de pavor lucero claro;
o cual propicio faro
que puerto amigo ofrece
al que ya sin amparo
entre irritadas olas desfallece.

El cetro, de poder temible signo,
en esa mano angélica y suave
es la sagrada llave
que abre las puertas del perdón benigno.
Si por tributo digno
llanto de amor y gratitud lo baña,
no temas, que no empaña
su resplandor brillante,
y al suelo de tu España
es ese llanto riego fecundante.

¡Sí, noble suelo hispano, él te fecunde
y haga brotar tus lauros inmortales!
De los labios reales
aquella voz que por tus campos cunde
es aura que difunde
de la más bella flor plácido aroma:
eco de otra paloma
que nueva oliva alcanza
y te anuncia que asoma
por tu horizonte el iris de bonanza.

Y tú, ¡Isabel!, que escuchas sus loores,
tributo digno que a tus pies presenta,
¡tú su esperanza alienta!
Que al soplo de esos labios bienhechores
se extingan los rencores,
las ambiciones al nacer se aterren;
que a los que insanos yerren
tus piedades confundan
y en las tumbas que cierren
partidos y odios para siempre se hundan.

¡Dichosa entonces la nación que cuna
fue de Pelayos, Cides y Guzmanes!
A más nobles afanes
consagrará su esfuerzo; haráse una
a su antigua fortuna
de sus desastres útil experiencia;
y grande por su ciencia,
y grande por su gloria,
la antigua preeminencia
recobrará que consignó en su historia.

¡Recobraràla, sí! Pues en ti admira
de la magna Isabel renuevo ilustre,
por su pasado lustre
no en vano ya con ansiedad suspira.
¡Lo reclama, te mira,
y al porvenir se lanza sin recelo,
cual ave coronada
que remontando el vuelo
la impávida mirada
fija en el sol y piérdese en el cielo!

INDICE GENERAL DE LIBROS PROHIBIDOS... POR EL SEÑOR INQUISIDOR GENERAL Y SEÑORES DEL SUPREMO CONSEJO DE LA SANTA GENERAL INQUISICION

1848 (1)

Addison. *De la religion chrétienne.* Traduit de l'anglais par Gabriel Seigneux; 2 tom.; 1757. Edicto de 1759 (a).

Addison (Mr. Joseph). *Remarques sur divers endroits d'Italie pour servir de quatrième tome au voyage de Mr. Misson.* Decr. 18 julii 1729 (c).

Alfieri da Asti (Vittorio). *Trajedie.* 5 vol. en 8.°, imp. en Milán, año 1802, en casa de los libreros Pirota y Masfero (d).

Alfieri. Otros tres tom. del mismo autor de la misma

(1) Este *Index* se publicó en la significativa fecha de 1848, de la misma manera que un montón de libelos y panfletos clericales y reaccionarios. Hemos reagrupado, en las rúbricas que siguen, censuras a veces muy anteriores, a fin de que el amplio muestrario que proponemos dé una idea de la continuidad de la obra del piadoso Tribunal. El *Indice general,* acompañado del *Index librorum prohibitorum,* aparece en Madrid, Imprenta de D. José Félix Palacios, en 1844; y el conjunto de la obra (enriquecido con el *Apéndice al Indice general*), en 1848, *ibid.* Cuenta con 363+31 páginas. Indicamos con letras la calidad de la censura pronunciada, según las normas dictadas por el mismo Tribunal:

(a) Censura normal, sea total o parcial, y que en ciertos casos, bajo reserva de correcciones impuestas, puede permitir la circulación de la obra. El motivo de la censura, por si hubiera necesidad, es indicado de manera detallada.

(b) Autores cuyas obras están todas prohibidas.

(c) Obras prohibidas por S. S. el Papa.

(d) Autores que se prohiben incluso a los lectores que poseen una licencia especial de la Inquisición para leer libros prohibidos.

imprenta y año titulados: *Opere varie philosophico-politiche in prosa e in versi.* Edicto 25 de agosto de 1805 (d).

Alfieri. *Satire.* Decr. 20 januarii 1823 (c).

Alfieri. *La Tirannide.* Decr. eodem (c).

Alfieri. *Vita scritta da esso.* Decr. eodem (c).

Alfieri. *Panegirico di Plinio a Trajano* (Non illa vera panegirica oratio Plinii, sed ficta a Victorio Alfieri). Decr. 11 junii 1827 (c).

Alfieri. *Del principe e delle lettere* (inter opera Victorii Alfieri). Decr. eodem (c).

Arte de las putas. Poema ms. en 106 págs. así intit. Se divide en cuatro cantos. El primero empieza: «Hermosa Venus, que al amor presides.» Y el cuarto acaba: «El dulce Moratín fue mi maestro.» Edicto de 20 de jun. 1777 (d).

Catéchisme des grandes filles avec la manière d'attirer les amants. Impr. así titulado. Edicto de 2 de diciembre de 1797, y por el de 6 de abril de 1799 (b).

Catéchisme du citoyen, ou éléments du droit public français, par demandes et réponses. Suivi de fragments politiques par le même auteur. Un tom. en 8.° impr. en Francia, año 1788. Edicto 6 de marzo de 1791 (b).

Del Censor, obra periódica en Madrid, desde el año 1781. Los núm. 1, 4, 9, 18, 23, 24, 25, 33, 34, 36, 37, 38, 41, 42, 43, 44, 45, 46, 70, 71, 75 y 79, y los núm. 37 y 75. Del número 35, pág. 552, bórrese todo el § que empieza: «El fundamento de la potestad...» Edicto de 28 de febrero de 1789 (d).

Charon (Joseph). *Cahier de doléances, instructions et griefs présenté à nos frères les électeurs des 60 districts, en 1789.* Edicto de 13 de diciembre de 1789 (b).

Condorcet (ouvrage posthume de). Impr. en París, un vol. 8.° titulado: *Esquisse d'un tableau historique des progrès de l'esprit humain.* Edicto de 3 de diciembre de 1797 (d).

Cuestión importante: Los diputados de nuestras Cortes, ¿son inviolables respecto de la Curia romana? Decret. 26 augusti 1822 (c).

Discursos sobre la libertad de pensar y discurrir sobre las materias más importantes. En todo idioma e impresión. Y no valgan las licencias de leer libros prohibidos para éste, si no se hace expresa mención de él (d).

Encyclopédie ou Dictionnaire raisonné des sciences, des artes et des métiers, par une société de gens de lettres. Brevi Clem. PP. XIII, 3 septembris 1759 (c).

España venturosa por la vida de la Constitución y la muerte de la Inquisición. Decr. 27 novembris 1820 (c).

Heine (Henri). *De la France.* Decr. 22 septembris 1836 (c).
Heine. *Oeuvres. Reisebilder, Tableaux de voyage.* Decr. 22 septembris 1836 (c).
Heine. *Oeuvres. De l'Allemagne.* Decr. 22 septembris 1836 (c).

Jacques le Fataliste et son maître, par Diderot, à Paris, chez Buisson, imprimeur-libraire, rue Haute-Feuille, n.° 20, an cinquième de la République, vol. 2. Decr. 2 julii 1804 (c).

Jovellanos (Gaspar Melchor de). *Informe de la Sociedad económica de esta Corte al real y supremo Consejo de Castilla.* Decr. 5 septembris 1825 (c).

Lettres d'un voyageur, par George Sand. Decr. 30 martii 1841 (c).

Licencias para leer y retener libros prohibidos. Los impetrantes deban consultarlas anualmente con sus confesores, y éstos se las interdigan cuando su uso les cause perjuicio, preguntándoles también a sus penitentes si tienen algún libro de los prohibidos o mandados expurgar por el Santo Oficio. Las obtenidas de las congregaciones de Roma no sufragan para estos reinos; y las de Su Santidad se presenten ante el Illmo. Sr. Inquisidor General o Consejo Supremo de la Inquisición; y sin licencia del Señor Inquisidor General nadie introduzca libros prohibidos en estos reinos, ni los compre, venda o done, aun a los que tienen licencia. Las concedidas a las comunidades o cuerpos literarios no se extienden a los particulares. *Véase* más largamente el Edicto de 7 de mayo de 1782.

Livre (le) du peuple, par F. Lamennais. Decr. 13 februarii 1838 (c).

Llorente (Juan Antonio). *Aforismos políticos escritos en una de las lenguas del Norte de la Europa por un filósofo y traducidos al español.* Decr. 20 januarii 1823 (c).

Llorente. *Apología católica del proyecto de una constitución religiosa.* Decr. 26 augusti 1822 (c).

Llorente. *Defensa de la obra intitulada: Proyecto de una constitución religiosa.* Decr. 26 augusti 1822 (c).

Llorente. *Discursos sobre una constitución religiosa: su autor un Americano.* Decr. 26 augusti 1822 (c).

Llorente. *Disertación sobre el poder que los reyes españoles ejercieron hasta el siglo duodécimo en la división de obispados, y otros puntos concesos de disciplina eclesiástica.* Decr. 6 septembris 1824 (c).

Llorente. *Histoire critique de l'Inquisition d'Espagne.* Decr. 16 augusti 1822 (c).

Llorente. *Notas al dictamen de la comisión eclesiástica encargada del arreglo definitivo del clero de España.* Decr. 6 septembris 1824 (c).

Llorente. *Portrait politique des papes considérés comme princes temporels et comme chefs de l'Eglise depuis l'établissement du Saint-Siège à Rome jusqu'en 1822.* Decr. 19 januarii 1824 (c).

Maçonnerie (la), considérée comme le résultat des religions égyptienne, juive, chrétienne, par le F. M. R. de S. Decr. 23 junii 1836 (c).

Martine (Alphonse de la). *Souvenirs, impressions, pensées et paysages pendant un voyage en Orient (1832-1833), ou notes d'un voyageur.* Decr. 22 septembris 1836 (c).

Martine (la). *Jocelyn, épisode: journal trouvé chez un curé de village.* Decr. 22 septembris 1836 (c).

Martine (la). *La chute d'un ange.* Decr. 27 augusti 1838 (c).

Nôtre-Dame de Paris, par Victor Hugo. Decr. 28 julii 1834 (c).

Sand (George). *Lelia.* Decr. 27 novembris 1840 (c).
Sand. *Lettre d'un voyageur.* Decr. 30 martii 1841 (c).
Sand. *Les sept cordes de la lyre.* Decr. 30 martii 1841 (c).
Sand. *Gabriel.* Decr. 30 martii 1841 (c).
Sand. *Le secrétaire intime.* Decr. 30 martii 1841 (c).
Sand. *L'Uscoque.* Decret. 30 martii 1841 (c).
Sand. *La dernière Aldini.* Decr. 30 martii 1841 (c).
Sand. *Simon.* Decr. 30 martii 1841 (c).
Sand. *Les maîtres mosaïstes.* Decr. 30 martii 1841 (c).
Sand. *Mauprat.* Decr. 30 martii 1841 (c).
Sand. *Jacques.* Decr. 30 martii 1841 (c).
Sand. *Leone Leoni.* Decr. 30 martii 1841 (c).

Cantinela con un fraile y una joven, y *La confesión de una niña casadita.* Dos manuscritos así intitulados, por estar sembrados de proposiciones escandalosas, torpes, blasfemas e inductivas a lujuria, y ser injuriosas a los ministros del sacramento de la penitencia. Decreto de 1 de marzo de 1817 (a).

Constitución fundamental secreta para el gobierno de los liberales. Papel manuscrito, por capcioso, sedicioso, herético, escandaloso, blasfemo y subversivo del buen orden (a).

Sucesos memorables de Maximiliano Robespierre, traducidos de la historia de su conjuración e ilustrados con notas y estampas por su traductor P. B. D. Cuarta edición en 1804, sin lugar de impresión. Por estar comprendida en el Edicto de 13 de diciembre de 1789. Decreto de 22 de febrero de 1808 (d).

Traité élémentaire de géographie astronomique, naturelle et politique, ouvrage envoyé au concours établi par la Convención. Un tomo en 12.º, sin nombre de autor, impreso en París en el año 6.º de la República. Por contener proposiciones erróneas, heréticas, *piarum aurium* ofensivas, injuriosas a la religión católica y al Santo Oficio de la Inquisición. Decreto de 22 de febrero de 1806 (a).

Zadig o el destino: historia oriental publicada en francés por Mr. de Vadé y traducida al español por D.* Un tomo en 12.º, impreso en Salamanca por don Francisco de Tojar, año de 1804. Por ser extraída de las *Obras* de Voltaire, generalmente prohibidas aun para los que tienen licencia, y porque el objeto de esta obra es atribuir la causa de los acontecimientos humanos al acaso, fomentando el pernicioso sistema del fatalismo. Decreto de 20 de septiembre de 1806 (d) (2).

(2) Es particularmente sabroso ver que obras moralmente escandalosas son poco perseguidas (a), mientras que los Inquisidores se encarnizan con Heine, Hugo, G. Sand, Lamennais, J. A. Llorente y Lamartine (¡quién lo hubiera creído!), en los cuales ven un peligro real (c) pero menor, es cierto, que el que encuentran en Alfieri, Condorcet, Robespierre, Voltaire, en todos los periódicos en conjunto o en el *Arte de las putas* (d). El lector del siglo XX sacará mucho provecho...

ANONIMO

Errores políticos del día

1848 (1)

Gobierno

Somos los primeros en confesar que la civilización ha progresado, que se han hecho grandes adelantamientos en punto de gobierno; mas conviene mucho advertir que no se deben a esos sistemas quiméricos y absurdos, ni a estas visiones pueriles, ni a estas teorías vanas que en diferentes épocas, o de tiempo en tiempo, se han presentado por hombres más bien de imaginación caldeada que de juicio y reflexión madura, sino que son obra del tiempo y de la experiencia y de ese poder irresistible, inherente a nuestra naturaleza de proceder en lo moral y en lo físico hacia un constante desarrollo que, a manera del producido por la vegetación, da sabrosos y abundantes frutos, si no se la precipita y se tiene paciencia para aguardar su completa sazón, pero que los rinde desabridos y perjudiciales, si se atropella la vegetación y quieren cogerse los frutos verdes o antes de tiempo.

... ...

Dios ha querido que el hombre viva en sociedad y le ha revelado el principio de todas las leyes, que deben regirle como ser social, y de todos sus deberes en el precepto: *No hagas a otro lo que no quieras que se haga a ti*, mandamiento admitido en todas las creencias de todos

(1) Es uno de los numerosos folletos publicados después de 1848 (Madrid, Imprenta de la Viuda de Sanchiz). Como éste hubo centenares de libelos y panfletos en España aquel año, lo que atestigua el impacto profundo de los acontecimientos franceses en un país en el que el liberalismo continuaba vanamente buscando su imposible camino. Se trata, por supuesto, de publicaciones reaccionarias que pretenden defender los derechos de las clases privilegiadas.

los pueblos. Por la ley de su propia naturaleza, de su creación, por la ley de Dios, en fin, es por la que el hombre vive en sociedad, y no por efecto de convenio alguno político, y mucho menos de un contrato social.

Habiendo, pues, Dios sometido las sociedades humanas a su ley, de la cual se derivan todos los derechos que corresponden a la sociedad y todos sus deberes hacia sus individuos, así como todas las obligaciones de éstos hacia ella, las utopías de la soberanía del pueblo, de la voluntad general, etc., desaparecen ante esta voluntad suprema.

Estas son las verdades fundamentales sobre que descansan las sociedades humanas; todas las demás doctrinas que proceden de los hombres son falsas y vanas. Ese precepto de eterna justicia y perfecta sociabilidad es la base sólida y segura de todo régimen, de toda organización social y política; es el inefable principio e indestructible fundamento de todo buen gobierno, sea cual fuere su forma.

Con el fin de asegurar el cumplimiento de este gran principio social, que el Criador ha infundido en nuestro entendimiento y corazón, se conceptúa, y se ha conceptuado siempre, como indispensable un poder supremo, y a su ejercicio se le ha llamado gobierno.

Veamos, pues, en qué debe fundarse la organización de este poder para que resulte la mejor posible en favor de la sociedad, es decir, en bien de la nación.

Es preciso ante todo empezar por distinguir clara y exactamente la sociedad de los individuos de que ella se compone y constituirla de modo que los individuos jamás puedan abnegarse ni invadir, poco ni mucho, sus derechos.

Estará perfectamente organizado un gobierno cuando la sociedad, considerada como un cuerpo, como una reunión de hombres, como unidad, mande sobre sus individuos; lo estará mal cuando alguno o más individuos la sojuzguen o dominen.

Este axioma fundamental es el único que debe servirnos de regla infalible para comprender y determinar lo que es cada gobierno, para saber apreciar todos sus actos, y poder, por consiguiente, conocer y evitar todos los errores sobre este punto.

... ...

Nosotros por el estudio de la historia observamos que, en todos los Estados antiguos y modernos que han sido gobernados por autoridades colectivas o cuerpos llamados populares, a muy poco tiempo se han introducido y fomentado desórdenes y trastornos, más o menos graves, y que para poner término a ellos no se ha encontrado más que un medio, a saber: o el de un ambicioso haberse apoderado de la suprema autoridad y haberse constituido en lo que antiguamente decíase el *tirano,* o haber el pueblo erigido en jefe a uno de sus individuos con esta o la otra denominación, a quien investía de todos los poderes, y entonces renacían el orden y la seguridad personal, y a lo menos, por de pronto, se salvaba el Estado. Puesto que se ha observado siempre que la unidad del poder ha sido, por sí sola, bastante para del torbellino de la anarquía hacer surgir el orden, es evidente que esta unidad del poder supremo será también lo único que podrá conservarle y consolidarle. Téngalo, pues, entendido esto la democracia pura para su desengaño.

Respecto a los gobiernos colectivos, ora provengan de elección general y directa, denominada popular, ora de elección indirecta y atribuida a ciertas clases, nos enseña constantemente la historia haberse sostenido mientras hubo una verdadera dictadura, existente o emanada del seno mismo de aquel poder colectivo, y que, al punto que ésta se enervaba o sucumbía, se disolvía el gobierno o degeneraba en otro de diferente forma, y lo más frecuentemente en anarquía.

Nos persuadimos que los aristócratas no nos negarán ser lo dicho, valga la verdad, lo acaecido en todas las aristocracias o cuerpos gobernantes.

... ...

Nos resta presentar lo que la historia nos muestra sobre la monarquía hereditaria, de cuyo solo nombre al oírle los demagogos de todos tiempos y de todos países se afectaban de los nervios, se horripilaban gritando al punto: *tiranía, tiranía.*

Nosotros, sin querer calificar de aprensiones o manías sus excitaciones y ataques convulsivos, les diremos, para que logren calmarse, que, en realidad, hubo y puede haber siempre monarcas hereditarios, déspotas y tiranos, ni tiene nada de extraño que los hubiera, atendida la flaqueza humana, el poderío de las pasiones y su desenfreno, cuando ni están coartadas por las leyes, ni reprimidas por fuerza alguna moral o material que las baste a contener.

Pero, por cada tirano que cuenta la monarquía hereditaria, ¿cuántos se hallan registrados en los archivos de la democracia y aristocracia? ¿Y cuáles fueron peores? Si los tiranuelos republicanos lo hubieran podido ser de grandes Estados, ¿no hubieran sido todos unos Tiberios o Calígulas? Y para un pueblo, para una nación, ¿qué tiranía es peor, la de uno solo o la de muchos? (2).

A lo menos un monarca hereditario tiene un gran interés en ser humano, por conservar y dejar el trono a su descendencia, y ordinariamente no se encona sino contra los que recela, que desean o tratan de quitárselo, pero de los vitalicios y temporeros ningún interés, ningún miramiento, el miedo solo, podrá enfrenar o contener sus pasiones (3).

... ...

Engendrada la monarquía en las grandes emigraciones de los pueblos del Norte que invadieron el romano imperio, aseguró su existencia a favor de la necesidad que tenía la invasión de ser mandada y dirigida por el jefe más bizarro, más sabio y más experto. Así fue como pudo fijar su autoridad, extenderla, organizarla; así fue como subyugó a sus rivales ambiciosos y díscolos, y así como dominó el colosal feudalismo. La monarquía inauguró la administración de justicia, que le sirvió de mucho apo-

---

(2) En esta larga demostración, en la que el poder de los reyes sólo puede ser divino, en la que la voluntad del «pueblo» o de la «nación» no existe, y en la que la tiranía se justifica por la debilidad humana, es interesante notar que uno de los argumentos desarrollados por el folleto reaccionario lo es también por los teóricos liberales menos sospechosos. Pensemos en algunas de las páginas del *Semanario patriótico*, entre 1808 y 1812, en las que se leen afirmaciones como las siguientes: «Sea dicho sin escándalo, es más cómodo vivir en un gobierno en que está consolidado el despotismo que en la república fundada sobre los principios más libres» (núm. 18, del 25 de mayo de 1809).

(3) Esta teoría del buen monarca, «padre» de sus «súbditos», y del gobierno «paternal» que ejerce para satisfacción de todos, es igualmente sostenida por los liberales. Sin embargo, está en contradicción flagrante con algunos de los reinados recientes: con el de Fernando VII, por no citar otros.

yo para afianzar el poder; se hizo respetar en lo interior por buenas leyes, y en el exterior por la fuerza de sus ejércitos y armadas, y aumentó su prosperidad con el establecimiento de colonias, extensión de su comercio y perfección de la industria, mostrándose radiante a la vista de las naciones por el desarrollo de la civilización, esplendor de los tronos, brillo de las Cortes y progreso de las artes y de las ciencias.

Este es el fiel bosquejo de lo que la monarquía ha hecho en favor de la ilustración y bienestar de la humanidad; y si bien hubo monarcas que no llenaron cumplidamente su cometido, no por eso la monarquía ha dejado de marchar siempre hacia su fin y objeto de su institución.

Mas luego que la monarquía se vio desembarazada de todos los obstáculos que se oponían a la completa estabilidad de la sociedad y de sus derechos, se halló, por decirlo así, ésta a la merced del monarca que, no teniendo un freno duro y eficaz que le contuviera, podía, como hombre, entregarse al furor de todas las pasiones.

Esta observación hizo notar al punto en dichas monarquías dos grandes vicios, dos enfermedades crónicas, que inevitablemente habían de causar su disolución, su consumación y su muerte: la irregularidad y la arbitrariedad.

Faltaba a los monarcas una norma exacta, constante e indeclinable a que deber atenerse en el ejercicio del poder supremo; faltaba a los pueblos una garantía, una prenda de que esta regla no sería olvidada y menospreciada por el príncipe.

El establecimiento de una ley fundamental, de una Constitución de la monarquía ocurrió a la primera necesidad; la segunda se llena completamente con la responsabilidad ministerial. La sujeción omnímoda e imprescindible a la ley fundamental y demás leyes quita la irregularidad; el poder hacer efectiva las cámaras la responsabilidad de los ministros, por la acusación de sus actos en la una y juicio de la otra, remedia y evita, cuanto en lo humano y legalmente es posible, la arbitrariedad.

... ...

Tarde o temprano, la recta razón, los escarmientos y los desengaños compelerán a los ilusos hacia los sanos principios de gobierno que dejamos insinuados, y quizá nuestros descendientes se condolerán de lo que en política se ha deliberado, se ha aplaudido y se ha escrito en nuestros días, compadeciendo nuestra ceguedad y las desgracias y calamidades que la irreflexión, el orgullo, el interés o la malicia de ciertos famosos políticos nos han causado.

Pueblo

Cuando esta palabra no se había aún introducido en la región de la política, se entendía por ella meramente en las aldeas, villas y ciudades, la gente común y ordinaria de estas poblaciones, para diferenciarla de los nobles o personas de distinción.

... ...

Mas de un siglo acá, ingerida esta palabra en la política y elevada al rango y consideración de suponerse lo que antes se llamaba pueblo, equivalente ahora a una sociedad entera, un Estado, una nación, atribuyéndosele y concediéndosele las mismas cualidades y derechos que a éstas, es cuando no cabe en lo humano discernir ni rectificar los innumerables yerros o aberraciones, que en el significado y uso de esta palabra se advierten.

Ya se dice que el pueblo discurre, ya que clama, ora que se impacienta, ora que no puede errar, ya que es justo, ya que es sabio, ya que es ignorante, bien que es esclavo, bien que es soberano. Unos quieren que se le consulte en todo, otros que no se le atienda para nada, unos que todo se haga para el pueblo y por el pueblo; otros dicen que lo que se invoca por el pueblo no lo es, que el pueblo es un ente de razón, y finalmente que la palabra pueblo en política no debía usarse jamás en sentido idéntico al de nación.

Sin embargo, los focos en que se hallan reconcentrados todos los errores acerca de la palabra pueblo, y de donde salen como de la cueva de Eolo todas las tempestades y trastornos, son la *soberanía del pueblo* y la *representación popular.*

... ...

Al oír invocar la soberanía del pueblo y al ver titularse representación del mismo una turba, un tropel, y aun cualquiera clase de personas, se les presentan *[a los hombres de sano juicio]* al momento a su imaginación las infinitas falsedades y supercherías de semejantes soberanos y representantes y las trágicas escenas de estas farsas o dramas tumultuosos.

Tales títulos son casi en todos los casos en que se recurre a ellos, o se les invoca en apoyo de algún plan, de alguna teoría, de algún intento o alguna combinación política, un fantasma o una grosera mentira, puesto que ni lo que se dice o quiere hacerse pasar por pueblo es tal pueblo, ni los que se pavonean con ser sus representantes lo son ni pueden serlo.

El pueblo (4), como equivalente a una nación o una sociedad política, es un todo que no admite división; al momento que se le parte, ya no es un pueblo, será dos, tres o tantos pueblos como partes o fracciones que de él se hagan, pero ninguna de éstas, sea cual fuese, será el pueblo. En el hecho de haberse fraccionado, todas las relaciones de los individuos que componían el pueblo han desaparecido o se han alterado y cambiado de manera que ya no puede reconocérselas por partes que forman un todo, que es el pueblo, ni cantidades que sean homogéneas y puedan estimarse, porque el pueblo como nación es una unidad indivisible e indisminuible.

... ...

Ninguna cosa, sino esta unidad, es el pueblo; ninguna porción de individuos, por numerosa que sea, es el pueblo; ninguna clase, ningún estado, ninguna colección o número de personas es el pueblo. En una palabra, el pueblo

---

(4) Esta palabra no deja de suscitar problemas. Empleada desde comienzos del siglo XIX con más frecuencia aún que «nación», recubre varios sentidos. Puede tener uno vago y muy general, pero casi siempre designa al conjunto de los «ciudadanos», es decir, a los individuos que desempeñan un papel activo en la estructuración del Estado. «Pueblo» también puede designar pura y simplemente a la clase electoral, privilegiada por la riqueza y, por lo tanto, por la capacidad de voto. A la luz de estas indicaciones, se comprende mejor el sentido de «soberanía del pueblo» o de la «nación»: en efecto, para los liberales, todo poder constitucional emana del «pueblo», sin que pueda tener otro origen. Y si Quintana, Argüelles o Martínez de la Rosa se refieren al papel del «pueblo» en tal situación dada, en ningún caso piensan en las «masas», de las que prefieren ignorar la existencia histórica y política. Una vez más, liberales y reaccionarios se encuentran en el mismo terreno.

es la nación, y la nación es la totalidad de sus individuos (5).

Aquí no tienen lugar mayorías ni minorías, aquí no hay conjunto, categorías, clases o rangos; el número ni las condiciones nada importan; lo esencial, lo constituyente de nación o pueblo es la totalidad completa, en términos que tan falso y absurdo es llamar pueblo en una nación de diez millones a los nueve millones novecientos mil individuos como a los cien mil restantes a la clase plebeya como a la noble, a los ricos como a los pobres, a los que saben como a los ignorantes, a los hombres como a las mujeres y niños. La suma de todos es el pueblo; faltando uno, no hay pueblo.

¿Dónde está pues, la soberanía de éste, cuándo y cómo podrá ejercerla? ¿Cómo se representa el pueblo, ante quién ha de ser representado, para qué y por quién lo podrá ser o le conviene serlo?

... ...

No puede en ninguna forma ni combinación personal representarse el pueblo o la nación; sea cual fuere el expediente o medio que se adopte, sea cual fuere el artificio o supuesto que se presuponga. Es imposible que la identidad se represente a sí misma, es falso que la figura o la imagen de un objeto sea el mismo objeto...

La representación del pueblo o de la nación es un ente moral; es el goce, es el uso, es su función, es su ejercicio, con absoluta abstracción de la persona o personas en quienes se halla. Así pues, como la existencia de un poder supremo es de toda necesidad y esencial requisito de toda sociedad para el cumplimiento de la ley, esto es para ejercer la soberanía del pueblo, de la nación, así también este poder supremo es la personificación del pueblo y de la nación, no su representación, sino su realidad;

(5) Se vuelve, en 1848, al sentido primero al que se referían ocasionalmente los liberales de 1808: cómodo y bastante impreciso al mismo tiempo, excluye toda denotación política. Ahora bien, en 1848 el «pueblo» es ya otra cosa que este conjunto indeterminado. Los recientes afrontamientos lo han demostrado. El cuidado que el autor pone por aislar —y a la vez ignorar— a la «clase plebeya», disfraza la situación del momento. Por eso le será evidentemente fácil afirmar que la «soberanía del pueblo» —así definido— no puede existir, porque es irrealizable ya que los intereses que recubre serían opuestos. El autor juega con dos ambigüedades, perfectamente consciente de ello.

no su figura, sino su identidad; no un supuesto, sino su ser.

... ...

Por diferentes que sean las formas de gobierno e innumerables las combinaciones del ejercicio del poder, y muchísimas las modificaciones y condiciones establecidas en él mismo, siempre, de derecho o de hecho, habrá un poder supremo, resultado preciso e indispensable de toda existencia social, que será, por lo antes dicho, el soberano, la verdadera personificación nacional (6).

Todo esto es lógico, sencillo, perceptible, real, positivo, y todo, en nuestro concepto, cierto y práctico. Lo demás que sobre estos principios se dice, se escribe, se sostiene, se cree por unos y por otro se finge, lo reputamos error, extravagancias, delirios, engaños o sofismas...

---

(6) Por absurda que parezca a primera vista esta proposición en 1848, después de los profundos trastornos sociales que han tenido lugar, se justifica en España perfectamente, ya que liberales y conservadores creen, al unísono, que el soberano es el único por naturaleza —con o sin Constitución, en definitiva— llamado a asumir los destinos del Estado. Esta supervivencia de una ideología retrógrada hará estragos hasta 1854, e incluso hasta después de la Revolución de 1868. Una buena parte de la obra de Pérez Galdós nos lo recuerda.

MIGUEL AGUSTIN PRINCIPE

Tirios y Troyanos

27 de junio de 1849 (1)

Y murió el rey al fin, como digo, y murió cuando debía morir, cuando su descenso a la tumba no tenía el inconveniente de dejar al infante D. Carlos dueño absoluto de la monarquía. Y su muerte por lo demás fue esta vez tan ejecutiva como algunos de los suplicios ordenados por las comisiones militares, no habiendo transcurrido sino cinco minutos entre el ataque de apoplejía que empezó a matarle de veras y el estremecimiento final que separó su alma del cuerpo de una manera definitiva. Y en todo lo que había vivido, había sido siempre el azote de este desventurado país, salvo sólo en estos últimos meses en que de puro malo que estaba no podía ya hacer el mal. Y aun así no bajó a la tumba sin legarnos una guerra civil, la más encarnizada y sangrienta, guerra que a haber sabido ser rey cuando lo pudo ser tantas veces, o a haber sido su política otra de la que fue desgraciadamente, sobre todo en lo tocante a su hermano

(1) M. A. Príncipe (1811-1866), periodista, polemista y poeta, estudió con finura e ironía agudísimas la historia de su tiempo. Liberal relativamente avanzado, pinta en este importante libro el panorama de los años 1808-1833, que corresponden a los del reinado de Fernando VII. Ofrecemos el final de su gracioso estudio. Antes de darnos la conclusión hace el balance de los daños del absolutismo en España, enumera sus víctimas, y fustiga al monarca responsable de tantos crímenes.

El título está tomado del famoso verso de romance: «Callaron todos Tirios y Troyanos» (el «Conticuere omnes...», de Virgilio), que, como se sabe, Cervantes empleó burlonamente en el *Quijote.* Amigos y enemigos del sistema liberal han ofrecido a M. A. Príncipe una abundante materia que el autor les agradece con humor. No olvida denunciar, en buen liberal, el peligro de la doble barbarie que amenaza a España: el carlismo retrógrado y el republicanismo sangriento.

y a la causa que simboliza, nos la hubiera podido evitar o habría conseguido a lo menos mitigarla considerablemente, debilitando sus elementos. Y él mismo lo auguraba y decía: *la España es una botella de cerveza, a la cual sirvo yo de tapón; y cuando éste salte, ¡ay de aquélla!* Y no podía ser más exacta la imagen con que se expresaba aquel monarca prosaico en todo, hasta en sus figuras retóricas, y lo único que se debe sentir es que el tapón lo fuese tanto tiempo para sólo hacer más terrible el estallido de la fermentación cuando él saltase de la botella. Y saltó, y Dios no quiera que en castigo de haber dado fuerza al fermento en lugar de disminuirlo, fuese su dirección la del corcho que, al dejar la tierra en su ímpetu, sube para bajar otra vez, después de estrellarse en el techo.

Y no falta quien se ha entretenido en hacer un cálculo aproximado de las víctimas de toda especie inmoladas de mil distintos modos en las aras de aquel monarca durante su venturoso reinado, y de él resulta haber sido *quince mil* los emigrados que en 1814 fueron lanzados del patrio suelo a consecuencia de las proscripciones, *veinte mil* los que el año 23 tuvieron idéntica suerte, *doscientos cincuenta mil* los que en la Guerra de la Independencia, en la de dicho año 23 y después en la del 27, sucumbieron en el campo de batalla, y *seis mil* los que por opiniones políticas perecieron en el cadalso. Y en esos cerca de *trescientos mil* no entran en cuenta, como se ve, los Españoles idos a presidio por delitos igualmente políticos; y si ahora, después de sumar, dividimos el resultado por los días que tienen catorce años y medio, a contar desde el Dos de Mayo de 1808, en que dieron principio las víctimas, hasta el día feliz en que Cristina puso fin al reinado del terror y vino a enjugar nuestras lágrimas, sacaremos un cociente de 50, saliendo por consiguiente cada día a seis desterrados y pico, a cerca de cuarenta y un muertos en el campo igualmente por día, y a ajusticiado y pico también diario. Y tan caro nos estuvo ese rey a quien sólo males debimos; y eso que no mencionamos los infinitos que nos dejó a la cola en la guerra de los siete años, cuyas tres cuartas partes de víctimas debieran en todo rigor serle también cargadas en cuenta por las razones arriba dichas.

Y aquí termina en nuestro país la sangrienta y nefanda historia de la *monarquía absoluta* y traslado de sus excesos a los que, mal hallados con lo presente, quisieran que volviese el país a los tiempos de esa monarquía.

Y aquí también concluís vosotros, Tirios y Troyanos del alma, y Dios sabe cuánto me duele hacer punto en mi narración tragi-cómico-histórico-política, sin hablar de lo demás ocurrido desde el año 33 al presente; pero este segundo tomo excede ya en un pliego al primero, y sucesos tan interesantes como los que debiera contar no podrían caber en él sin hacerlo voluminosísimo y dilatar su ansiada terminación por más tiempo del conveniente, haciendo ya cerca de cuatro años que empezó a publicarse la obra. Y fuera de esa consideración, bien podéis concluir aquí, pues al cabo formáis *un todo,* comprendiendo a la vez *un reinado y un completo preliminar a la historia de nuestros días,* historia que a su tiempo dará a luz el que no la difiere hoy sino para añadir nuevos datos a los muchos que tiene ya, relativos a la época presente, tan fecunda en acontecimientos como en útiles desengaños: desengaños ¡oh Tirios! que vuestro autor no ha dejado caer en saco roto como en varios lugares de esta obra repetidas veces ha dicho.

Y entre tanto os rindo mil gracias, ¡oh mis queridos Tirios y Troyanos!, por la parte que habéis tenido en hacerme mirar las cosas bajo su verdadero punto de vista a medida que he ido avanzando en el relato de vuestros acontecimientos, poniéndome en el caso de ser el más independiente de los hombres en mis juicios sobre las personas, para sólo atenerme a las ideas, únicas que merecen mi culto.

Y esa dote, la *independencia,* es la que nadie podrá negaros cuando otras literarias os falten; y aun por eso, queridos Tirios, no habéis mendigado el apoyo de ninguna bandera política, no os habéis casado con nadie en materia de disponer elogios o de fulminar anatemas, sin otro norte en unos y otros que decir la verdad desnuda, tal al menos cual la habéis comprendido.

Y eso mientras tanto no quita que contra toda vuestra voluntad hayáis más de una vez incurrido en errores inevitables; pero aun en medio de las ilusiones que os puedan haber fascinado en determinadas materias, os quedan todavía hartas dotes para ser leídos con fruto en un tiempo en que son tan necesarias las lecciones de lo pasado para leer en el porvenir... en un tiempo en que sólo siguiendo los consejos de la templanza y de una sabia moderación, podemos conservar en nuestro país la Monarquía constitucional, única que puede salvaros de los horrores de la anarquía y del cetro del despotismo.

Y *para verdades el tiempo,* dice el castellano refrán, y ya que tan a tiempo han venido las lecciones de la experiencia, aprovechémoslas como es justo, rindiendo gracias a la Providencia por no haber consentido en España ni el triunfo de la nueva demagogia ni el del ya difunto carlismo, dándonos hombres bastante fuertes y bastante sensatos a la vez para evitar a nuestro país el doble escollo con que le amenazaba el terrible y subversivo dilema: o *republicano,* o *cosaco.*

KARL MARX

Sobre la Revolución de 1854

21 de julio - 4 de agosto de 1854 (1)

Sería prematuro formular una opinión sobre el carácter general de esta insurrección. Puedo decir, sin embargo, que no parece proceder del partido progresista, cuyo soldado, el general San Miguel, permanece inactivo en Madrid. A juzgar por todas las informaciones, parece al contrario que Narváez esté en el fondo del movimiento, y que no le sea completamente extraña la reina Cristina, cuya influencia ha disminuido mucho en los últimos tiempos ante el favorito de la reina, conde San Luis.

Acaso no haya país alguno salvo Turquía que sea tan poco conocido y tan mal juzgado por Europa como España. Los numerosos pronunciamientos locales y rebeliones militares han acostumbrado a Europa a considerar a España como un país colocado en la situación de la Roma imperial en la era de los pretorianos. Es éste un error tan superficial como el que cometieron en el caso de Turquía quienes creyeron que la vida de la nación se había extinguido por el hecho de que su historia oficial del último siglo no consistiera más que en revoluciones palaciegas y en *émeutes* de los jenízaros. La explicación de esta falacia reside en la sencilla razón de que los historiadores, en vez de descubrir los recursos y la fuerza de

(1) Son tres fragmentos de los famosos artículos que envió Marx al *New-York Daily Tribune*, en los cuales se proponía, no sólo dar su opinión sobre la «Vicalvarada», sino analizar también la aptitud de España para la acción revolucionaria. Sin cesar subraya el carácter específico del país y muestra el fracaso de 1854, la recuperación del movimiento por la monarquía y el desvaído papel del general Espartero. Pero, por encima de estos problemas, muestra también que la revolución no ha terminado.

esos países en su organización provincial y local, se han limitado a tomar sus materiales de los almanaques de la corte. Los movimientos de aquello que solemos llamar estado han afectado tan escasamente al pueblo español que éste se ha desentendido muy gustosamente de este estanco dominio de alternas pasiones y mezquinas intrigas de los guapos de la corte, de los militares, aventureros y del puñado de sedicentes estadistas, y no ha tenido razones importantes para arrepentirse de su indiferencia. Como el carácter de la historia moderna de España merece ser apreciado muy diversamente de como lo ha sido hasta ahora, aprovecharé una oportunidad para tratar este tema en una de mis próximas cartas. Ya ahora, empero, quería indicar que no sería cosa de asombrarse si estallara en la Península un movimiento general partiendo de la mera rebelión militar, ya que las últimas medidas financieras del gobierno han convertido al exactor de impuestos en un eficacísimo propagandista revolucionario (2).

(*New York Daily Tribune,* núm. 4136,
del 21 de julio de 1854.)

---

(2) El lector interesado podrá consultar este texto y los siguientes en la edición de Karl Marx y Friedrich Engels, *Werke,* t. X (Dietz Verlag Berlin, 1970). Efectivamente, son escasas las ediciones de Marx y es difícil consultarlas, sea la de Moscú, sea la ya vieja de las *Oeuvres complètes* —incompletas en realidad— de París, en la editorial de Alfred Costes, hacia los años 1930. En cuanto a las traducciones, no son más que fragmentarias, en España o en Francia. Es de mayor interés, por tanto, consultar la edición de Berlín, por ser completa y escrupulosamente científica.

La última frase del artículo alude al decreto del 19 de mayo de 1854, según el cual la contribución directa debía ser cobrada con seis meses de antelación.

Proclamas de Dulce y O'Donnell. Exitos de los insurrectos

Londres, 18 de julio de 1854

La insurrección española parece tomar un nuevo aspecto, como resulta evidente por las proclamas de Dulce y O'Donnell, el primero de los cuales es un partidario de Espartero, mientras el segundo era un importante seguidor de Narváez, adicto también, acaso secretamente, a la reina Cristina. Al convencerse de que las ciudades españolas no pueden movilizarse esta vez por una mera revolución palaciega, O'Donnell ha postulado inesperadamente principios liberales. Su proclama está fechada en Manzanares, un burgo de la Mancha no lejano de Ciudad Real. Dice que sus objetivos consisten en preservar el trono, pero expulsando la camarilla, la observancia rigurosa de las leyes fundamentales, el perfeccionamiento de las leyes electorales y de prensa, la disminución de los impuestos, la implantación en las carreras civiles del ascenso por méritos exclusivamente, la descentralización y el establecimiento de una Milicia Nacional con amplia base. Propone la constitución de Juntas y una asamblea general de las Cortes en Madrid para encargarse de la revisión de las leyes. La proclama del general Dulce es todavía más enérgica. Dice en ella:

«Ya no hay progresistas ni moderados; todos somos españoles, émulos de los hombres del 7 de julio de 1822. Vuelta a la Constitución de 1837; mantenimiento de Isabel II; destierro perpetuo de la reina madre; destitución del actual ministerio; restablecimiento de la paz en el país: tal es el fin que perseguimos a toda costa, como mostraremos en el campo del honor a los traidores que castigaremos por su culpable locura.»

(*New York Daily Tribune,* núm. 4147, del 3 de agosto de 1854.)

La Revolución española. Lucha de partidos. Pronunciamientos en San Sebastián, Barcelona, Zaragoza y Madrid

Londres, 21 de julio de 1854

Ne touchez pas à la Reine es vieja máxima en Castilla, pero la aventurera señora Muñoz (1) y su hija Isabel han sobrepasado tan ampliamente sus derechos de reinas de Castilla que por fuerza tienen que haber debilitado los monárquicos prejuicios del pueblo español.

Los pronunciamientos de 1843 duraron tres meses; los de 1854 han durado escasamente otras tantas semanas. Ha sido disuelto el ministerio, el conde de San Luis ha huido, la reina Cristina está intentando llegar a la frontera francesa y las tropas y los ciudadanos de Madrid se han declarado contra el gobierno.

Los movimientos revolucionarios españoles ofrecen desde comienzos del siglo un aspecto notablemente uniforme, con excepción de los movimientos en favor de privilegios provinciales y locales que agitan periódicamente las provincias del Norte. En todo otro caso ocurre que cada complot palaciego se basa en insurrecciones militares que arrastran indefectiblemente tras de sí pronunciamientos municipales. Dos causas explican este fenómeno. En primer lugar, lo que llamamos estado en el sentido moderno de la palabra no tiene verdadera corporización frente a la corte, por causa de la vida exclusivamente provincial del pueblo, si no es en el ejército. En segundo lugar, la peculiar posición de España y la guerra por la Independencia crearon condiciones en las cuales el ejército resultó el único lugar en que podían concentrarse

(1) Se trata de María Cristina de Borbón, casada por vía de matrimonio morganático con Agustín Fernando Muñoz, tres meses después de fallecer Fernando VII. Recibió Muñoz en 1843 el título de duque de Riansares, después de la destitución de Espartero, y las Cortes legalizaron el matrimonio el 8 de abril de 1845.

las fuerzas vitales de la nación española. Así pudo ocurrir que las únicas manifestaciones nacionales (las de 1812 y 1822) procedieran del ejército (2); con ello, los sectores movilizables de la nación se han acostumbrado a ver en el ejército el instrumento natural de todo movimiento nacional. Durante el difícil período 1830-1854 las ciudades españolas comprendieron empero que el ejército, en vez de seguir siendo un sostén de la causa de la nación, se había transformado en instrumento de las rivalidades de ambiciosos pretendientes a la tutoría militar de la corte. Consecuentemente, el movimiento de 1854 es muy diverso del de 1843. La *émeute* del general O'Donnell fue considerada por la población como una mera conspiración contra las personas influyentes en la corte, especialmente desde que se vio que el movimiento contaba con el apoyo del ex favorito Serrano. Las ciudades y el campo se guardaron consiguientemente de responder al llamamiento de la caballería de Madrid. Así se vio obligado el general O'Donnell a cambiar completamente la naturaleza de su operación, con objeto de no quedarse aislado y expuesto al fracaso. Se vio, pues, obligado a incluir en su proclama tres puntos a cual más opuestos a la supremacía del ejército: convocatoria de las Cortes, gobierno económico y formación de una milicia nacional —reivindicación esta última originada precisamente en el deseo de las ciudades de recobrar su independencia respecto del ejército—. Es, por tanto, un hecho que la insurrección militar no ha obtenido la ayuda de un movimiento popular, sino a cambio de aceptar las condiciones de este último. Falta por ver si también será obligada a adherirse a ellas y a cumplir sus promesas.

(*New York Daily Tribune,* núm. 4148,
del 4 de agosto de 1854.)

(2) El vocabulario de Marx no carece de interés, desde «insurrección» hasta «movimiento», pasando por «pronunciamiento» (militar) y «complot palaciego». El término «manifestación», aplicado a la Guerra de la Independencia y al Trienio Constitucional, cobra un valor particular: en ningún caso puede tratarse de un fenómeno de masas. Es una manera para el autor de apreciar la «revolución» liberal de los orígenes y el movimiento, mucho más amplio, de 1854.

ANEXOS

BIBLIOGRAFIA CRITICA

Evidentemente, no se pretende dar una bibliografía abundante, especializada y, aún menos, exhaustiva. Preferimos ofrecer indicaciones de lecturas para que el lector interesado sepa en qué dirección puede, con más provecho, perfeccionar y enriquecer sus conocimientos.

No faltan historias generales sobre este período. Pueden leerse con provecho: F. G. Bruguera, *Histoire contemporaine d'Espagne, 1789-1950,* Ed. Ophrys, 1953; Manuel Tuñón de Lara *La España del siglo XIX (1808-1914),* París, Librería Espa iola, 1968; Raymond Carr, *España, 1808-1939,* Editorial Ariel, Col. «Horas de España», 1969. Muy útil es también la importante *Historia social y económica de España y América,* de Jaime Vicéns Vives (t. V, *Burguesía, industrialización, obrerismo) (Examen de la evolución de la Sociedad española y americana durante los siglos XIX y XX),* Barcelona, 1959. Para el lector que desee poseer en pocas páginas una visión magistral de la época, le bastará consultar Pierre Vilar, *Histoire de l'Espagne,* Coll. «Que sais-je?», núm. 275. (Existe traducción española.)

Otras obras tocan temas que hemos abordado ampliamente. En primer lugar, Antonio Jutglar, *Ideologías y clases en la España contemporánea* (t. I, 1808-1874), Madrid, «Cuadernos para el Diálogo», 1969; luego, Maximiano García Venero, *Historia del parlamentarismo español,* Madrid, Instituto de Estudios Políticos, 1946, y por último, la excelente obra de Javier Herrero, *Los orígenes del pensamiento reaccionario español,* Madrid, «Cuadernos para el Diálogo», 1971.

En cuanto a los temas propiamente literarios, recordemos los trabajos de Jean Sarraílh, *L'Espagne éclairée de la seconde moitié du XVIII siècle,* París, Klincksieck, 1954, y sobre la génesis y crecimiento del movimiento romántico, el imponente trabajo de A. Allison Peers, *Historia del movi-*

miento romántico español, Madrid, Gredos, 1954, 2 vols., o el más accesible de Guillermo Díaz Plaja, *Introducción al estudio del romanticismo español,* Madrid, Espasa-Calpe, 2.ª ed., 1942. Debe seguir leyéndose con placer la *Literatura española. Siglo XIX,* de Antonio Alcalá Galiano, antología publicada en Madrid por Alianza Editorial, núm. 170.

El mismo Alcalá Galiano nos ofrece una visión de la historia, de la literatura y de la sociedad mucho más pintoresca y anecdótica en sus célebres *Recuerdos de un anciano* (Col. Austral, núm. 1.048), lo mismo que Ramón Mesonero Romanos en sus *Memorias de un setentón* (Madrid, Publ. Españolas, 1961, 2 vols.). La obra de Antonio Flores, *La sociedad de 1850* (Madrid, Alianza Editorial, núm. 128), es también muy rica, aunque en un registro diferente.

No faltan obras más especializadas. Nos contentaremos con indicar aquellas que, aunque son muy especializadas, resultan de lectura útil. Recomendamos, por ejemplo, los estudios de Iris M. Zavala, *Románticos y socialistas. Prensa española del XIX* (Madrid, 1972) y *Masones, comuneros y carbonarios* (Madrid, 1971); el de Manuel Tuñón de Lara, *Estudios sobre el siglo XIX español* (Madrid, 1972), o el de A. Dérozier, *Manuel Josef Quintana et la naissance du libéralisme en Espagne* (París, 1968-1970, 2 vols.).

Igualmente hay que mencionar a Miguel Artola, *Los afrancesados,* Madrid, 1953; Vicente Lloréns Castillo, *Liberales y románticos. Una emigración española en Inglaterra (1823-1834),* México, 1954; Manuel Núñez de Arenas, *L'Espagne, des Lumières au Romantisme.* Etudes réunies par Robert Marrast, París, 1963. Añádase la obra dactilografiada del mismo R. Marrast, *José de Espronceda en son temps (I, 1808-1838).* Thèse pour le Doctorat ès Lettres, Paris, 1972.

Sobre la Inquisición hay que consultar: *L'Inquisition espagnole et les livres français au XVIII siècle,* Paris, P. U. F., 1963, de Marcelin Défourneaux. Sobre las *Cortes* españolas, las dos obras siguientes: Ramón Solís, *El Cádiz de las Cortes* (Madrid, Alianza Edtorial, núm. 160), y María Cruz Seoane, *El primer lenguaje constitucional español (Las Cortes de Cádiz),* Madrid, 1968. Sobre la política en materia de instrucción pública, señalaremos la obra de Julio Ruiz Berrio, *Política escolar de España en el siglo XIX, 1808-1833* (Madrid, C. S. I. C., 1970).

Por último, no carece de interés volver sobre ciertos autores, según la curiosidad que se tenga por un tema determinado. Los indicaremos pura y simplemente por orden alfabético (escogiendo buenas ediciones y de fácil acceso), aunque estemos convencidos de su importancia capital para esta época, donde se conjugan estrechamente las preocupaciones políticas, literarias y sociales:

1. *Actas de las Cortes de Cádiz,* Madrid, Biblioteca Política Taurus, 1964, 2 vols.
2. CADALSO, José de, *Cartas marruecas,* pról., ed. y notas de Lucien Dupuis y Nigel Glendinning, London, 1966.
3. ESPRONCEDA, José de, *Articles et discours oubliés,* par Robert Marrast, Paris, P. U. F., 1966.
4. FLÓREZ ESTRADA, Alvaro de, *Obras,* Madrid, B. A. E., tomos CXII y CXIII.
5. JOVELLANOS, Gaspar Melchor de, *Obras,* Madrid, B. A. E., tomo XLVI (*Memoria en defensa de la Junta Central*), tomo L (*Informe en el expediente de la ley agraria*), tomo LXXXVII (*Introducción a un discurso sobre el estudio de la economía civil*).
6. LARRA, Mariano José de, *En este país y otros artículos* (Madrid, Alianza Editorial, núm. 63) y *Artículos sociales* (Madrid, Taurus, «Temas de España», núm. 52).
7. MARTÍNEZ DE LA ROSA, Francisco, *Obras dramáticas, La viuda de Padilla, Aben Humeya* y *La conjuración de Venecia,* Madrid, «Clásicos Castellanos», núm. 107.
8. MARX, Karl, y ENGELS, Friedrich, *Revolución en España,* Caracas-Barcelona, Ed. Ariel, 1960.
9. *Memorias de tiempos de Fernando VII,* Madrid. B. A. E., tomos XCVII y XCVIII.
10. *Poetas líricos del siglo XVIII* (Antología que menciona también a los poetas de la primera mitad del siglo XIX), Madrid, B. A. E., tomos LXI, LXIII y LXVII.
11. QUINTANA, Manuel José, *Obras completas,* Madrid, B. A. E., tomo XIX, y *Poesías completas,* Madrid, «Clásicos Castalia», núm. 16.

Entre los oradores interesantes de las Cortes recordemos particularmente a A. Argüelles, J. N. Gallego, R. Giraldo, E. Pérez de Castro, F. Aner, J. L. Villanueva, J. Mejía, G. Moragues, M. García Herreros, A. Oliveros, D. Muñoz Torrero, M. de Luján, Fr. Fernández Golfín, Fr. J. Borrull, el conde de Toreno y J. M. Lequerica.

Menos útil quizá, salvo a título de curiosidad, es leer los discursos de los diputados más reaccionarios: L. de Dou,

V. Terrero, P. Inguanzo, B. de Ostolaza, el obispo de Calahorra y algunos otros. En cuanto a las cuestiones debatidas, las más importantes fueron ciertamente: la libertad de prensa, las provincias de ultramar y sus derechos políticos, el puesto del rey en el sistema constitucional, la Constitución de 1812 y la abolición del Tribunal de la Inquisición.

ORIENTACIONES PARA LA INVESTIGACION

(Seminarios, discusiones, etc.)

Sobre este período de 1789-1854 se puede profundizar en las tres direcciones siguientes:

— La «clase media» y su papel histórico,
— La noción de revolución,
— La evolución de los modos de expresión literarios.

Para cada una de estas rúbricas proponemos un plan de estudios sumario, prolongación de la primera y segunda parte de esta obra:

A) *La «clase media» y su papel histórico*

— La situación económica de España en 1788 a la llegada al trono de Carlos IV.
— Los grandes rasgos de la política del despotismo ilustrado (relaciones entre la clase dirigente y la masa, fuentes de riqueza, finalidad de la instrucción pública y de la cultura en general). Los tecnócratas.
— La modificación de las estructuras sociales durante la guerra de la Independencia, el Trieno Constitucional y después de la muerte de Fernando VII.
— La actitud de las clases privilegiadas (clero, nobleza) bajo el despotismo ilustrado, entre 1808 y 1814, entre 1820 y 1823 y después de 1833.
— Tentativa de definición de la «clase media». ¿A partir de cuándo se puede hablar de consolidación de la burguesía? Actitud ante la invasión napoleónica, ante los movimientos independentistas americanos y ante la revisión de los valores sociales después de la Revolución francesa.

— Las cualidades y virtudes propias de la burguesía. ¿En qué se oponen a las de la aristocracia y a las de las masas?, ¿cómo se esfuerzan por imponerse (en el terreno económico, social y político)?
— El nacimiento del capitalismo español. Determinación geográfica (Cataluña, Andalucía, Madrid). ¿Tiene carácter nacional? Implantación de un capitalismo extranjero (finanzas, banca, compañías de seguros, inversiones). Debilidad del capitalismo español. ¿Se puede hablar de nacionalismo?
— Estructuración progresiva de la clase dominante: media y alta burguesía.
— Implantación de un ideal burgués por vías estéticas: ensayo de definición.

B) *La noción de revolución*

— «Revolución» y «reforma» según el sistema liberal. La teoría liberal del Estado. La estructuración del Estado burgués.
— El proceso revolucionario en España a partir de 1808 y sus diferentes fases (1808-1814, 1820-1823, 1841-1843, 1854-1856). Historia estática e historia dinámica.
— Los golpes de Estado militares (1814, 1820 y 1854): su razón de ser, sus consecuencias. El papel del ejército en la sociedad moderna. La política del menor número.
— Infraestructuras y superestructuras. El nivel económico y el nivel político.
— La Constitución de 1812 y las siguientes. Comparación de la Constitución de Cádiz con la francesa de 1791. Comparación de las dos «revoluciones», la de 1789 y la de 1808. Hacia la democracia.
— El sistema electoral. La discriminación por la riqueza. La ampliación del cuerpo electoral y el problema de la representatividad. La propiedad y las capacidades electorales. El capital riqueza y el capital talento. «Propietarios» y «sabios». Las querellas bajo los dos primeros períodos constitucionales y después de la muerte de Fernando VII.
— La puesta al margen de la masa. El fundamento de la teoría liberal: negación del sufragio universal. Actitud idéntica de los medios clericales y de las clases privilegiadas en conjunto. La reivindicación electoral de la masa.

— La noción de «pueblo» según la teoría liberal.
— La revisión de la noción de monarquía.
— La utilización de las sociedades secretas como arma revolucionaria (francmasonería, *comunería*) o contrarrevolucionaria (*Anillo de Oro,* reuniones carlistas). El papel de los clubs patrióticos y de las sociedades patrióticas.
— «Exaltados» y «moderados». Progresistas y demócratas.
— El desarrollo de las capas explotadas. Su presencia histórica y su importancia creciente. Los afrontamientos sociales. La lucha de clases.
— Actitud del clero: los defensores de la Inquisición y del carlismo (alto clero) y los adeptos del liberalismo (clero medio). División ideológica entre el bajo clero.
— La clase dominante y el miedo a la anarquía y a la agitación callejera: panorama de una evolución significativa. Actitud política consciente de confusión entre crímenes-sedición-violencias e insurrección-revolución. Nacimiento de la noción de manifestación en la calle.
— La «recuperación» a continuación de las revoluciones. La mitología del «salvador».
— Historia acabada e historia inacabada: 1854 y el porvenir de la revolución.

C) *La evolución de los modos de expresión literarios. Literatura e Historia. Literatura y Sociedad.*

— Negación de las dicotomías tradicionales: literatura noble-literatura menor. Ensayo de definición conjugada de criterios ideológicos y estéticos. Modificación profunda en contacto con los acontecimientos. Literatura utilitaria. La literatura orienta la historia.
— La literatura en su primer estadio: literatura oficial de adhesión. La admiración o la reprobación incondicionales.
— La literatura en su segundo estadio: literatura militante (proclamas, prensa, discursos). Definición de la prensa. Noción del «periódico» y del «periodista». El problema de la censura. El papel revolucionario de la prensa bajo sus formas más humildes.
— La literatura en su tercer estadio: la reflexión sobre la sociedad. La obra de los economistas. Reflexión sobre el Estado, la fuente de las riquezas y el reparto de la tierra. La obra de los escritores *costumbristas.* Actitud «paseísta» y

actitud progresista. Larra: individuos, categorías y clases sociales. Aspiraciones y conflictos. Hacia una definición de criterios estéticos nuevos.

— La literatura en su último estadio: el problema de la novela histórica y del drama histórico. La especificidad del movimiento romántico español. Ideología de Estado militante o lo que la reemplaza en un momento histórico determinado.

— Lingüística e ideología: el problema del vocabulario. Proyecto de estudio del lenguaje constitucional y del lenguaje revolucionario. Estadística: la palabra y el concepto ideológico que recubre.

INDICE ONOMASTICO

ABASCAL *(virrey de Lima)*, 160.
ADDISON, Joseph, 301.
AGAR, Pedro de, 39.
ALATORRE, A., 9.
ALBA, duquesa de, 292, 296.
ALCAÍNA, Antonio, 167.
ALCALÁ GALIANO, Antonio, 20, 25, 55, 56, 119-123, 156, 221, 222, 278, 326.
ALCALÁ GALIANO, Antonio *(tío del orador)*, 154-156.
ALEA, José Miguel, 120-121.
ALEMBERT, D', 51.
ALFIERI, Vittorio, 301-302, 306.
ALLISON PEERS, A., 9, 325.
ALMODÓVAR, conde de, 286.
ALVAREZ DE CIENFUEGOS, Juan Nicasio, 18, 25, 100-104, 121, 122.
ALVAREZ GUERRA, Juan, 60, 121, 151, 153, 228, 230.
ALVAREZ Y MENDIZÁBAL, Juan, 38, 66, 74, 75, 80, 81, 282, 285.
AMARILLAS, marqués de las, 60.
ANER, Felipe, 327.
ANGLONA, príncipe de, 60.
ANTILLÓN, Isidoro de, 41, 270.
ARANDA, conde de, 21, 24, 50, 244.
ARCO AGÜERO, Felipe de, 51.
ARGÜELLES, Agustín, 34, 38, 40, 41, 42, 46, 51, 54, 55, 56, 57, 60, 62, 78, 84, 86, 111, 173-177, 186, 190, 205, 246, 251, 278, 286-287, 288, 313, 327.
ARJONA, Manuel María de, 18, 22, 41, 49, 61, 120, 198-200.
ARRIAZA, Juan Bautista, 20, 22, 26, 37, 50, 60, 66, 121, 123, 209-213, 222, 297.
ARTOLA, Miguel, 9, 326.
ASTORGA, marqués de, 130.
AZANZA, Miguel José de, 156.
AZORÍN, 279.
BALANZAT, Luis, 55.
BALLESTEROS, Francisco, general, 59, 245.
BARDAJÍ, Eusebio de, 55, 66.
BAYLE, 51.
BEAUMARCHAIS, 73.
BECCARIA, 44.
BELTRÁN DE LIS, Vicente, 297, 298.
BÉRANGER, 121.
BERNANDIN DE SAINT-PIERRE, 120.
BLAKE, Joaquín, general, 39, 160.
BLANCO-WHITE *(seudónimo)*. Ver: BLANCO Y CRESPO, José María.
BLANCO Y CRESPO, José María, 22, 29, 61, 62, 120, 137, 248, 251, 252.
BLASCO NEGRILLO, Juan, 121.
BOLÍVAR, Simón, 140, 141, 143, 144, 145.
BONAPARTE. Ver: NAPOLEÓN.
BORRULL, Francisco Javier, 327.
BRAVO MURILLO, Juan, 86.
BRUGUERA, F. G., 9, 84, 325.
BURGOS, Javier de, 49, 60.
BUSCHENTAL *(financiero)*, 84.

CABARRÚS, Francisco de, 27, 293.
CADALSO, José, 23, 25, 78, 95-99, 270, 327.
CALAHORRA, obispo de, 328.
CALATRAVA, José María, 38, 41, 57, 60, 78, 270-271.
CALDERÓN, Serafín, 82.
CALOMARDE, Francisco Tadeo, 72.
CALVO DE ROZAS, Lorenzo, 35, 41, 55.
CAMINERO, Agustín, 53.
CAMPOMANES, conde de, 21, 50.
CANGA ARGÜELLES, José, 55, 254.
CANO MANUEL, Antonio, 55.
CÁNOVAS CERVANTES, S., 208.
CAPMANY, Antonio de, 120-121, 122.

CARLOS III, 21, 22, 50, 151.
CARLOS IV, 17, 18, 30, 32, 89, 100, 117, 329.
CARLOS DE BORBÓN, Don *(hermano de Fernando VII)*, 59, 67, 73, 214, 316.
CARR, Raymond, 325.
CASASARRIA, marqués de, 60.
CASTAÑOS, Francisco Javier, general, 60, 159.
CASTROTERREÑO, conde de, 60.
CEA BERMÚDEZ, Francisco, 66, 72, 84.
CEBALLOS, Pedro, 31.
CERVANTES, Miguel de, 294, 316.
CHARON, Joseph, 302.
CÍSCAR, Gabriel, 39.
CLADERA, abate, 120.
CLEMENCÍN, Diego, 55, 60, 233.
COLÓN, José, 31.
CONDORCET, 302, 306.
CONSTANT, Benjamín, 260.
CORNEILLE, Pierre, 290.
CORTABARRÍA, Antonio Ignacio, 157-163.
COSCA VAYO, Estanislao de, 82.
COTTU, Charles, 62, 249-253.
COUTO, José María, 235.
CUETO, Leopoldo Augusto de, 191.

DÉFOURNEAUX, Marcelin, 9, 326.
DÉROZIER, Albert, 326.
DÍAZ-PLAJA, Guillermo, 9, 326.
DIDEROT, 44, 303.
DOMÍNGUEZ ORTIZ, Antonio, 11.
DOU, Lázaro de, 327.
DULCE, Domingo, 322.
DUPUIS, Lucien, 95, 327.

EGUÍA, Francisco Ramón, general, 214.
ELÍO, Francisco Javier, general, 49, 201.
ENGELS, Friedrich, 321, 327.
ENSENADA, marqués de la, 21.
ESCALADA, Felipe de *(seudónimo)*, 297.
ESCOSURA, Jerónimo de la, 121.
ESCOSURA, Patricio de la, 82.
ESCUDERO, Francisco de Paula, 55.
ESMÉNARD, 280.
ESPARTERO, Baldomero, general, 16, 66, 70, 83-84, 86, 87, 89, 272, 286-288, 320, 322, 323.
ESPIGA, José de, 190.
ESPRONCEDA, José de, 81, 82, 83, 263-266, 326, 327.
ESTALA, Pedro, 122.

FELÍU, Ramón, 53, 55.
FERNÁNDEZ, Ramón *(seudónimo)*, 119, 122.
FERNÁNDEZ GASCO, Francisco, 235.
FERNÁNDEZ GOLFÍN, Francisco, 147, 327.
FERNÁNDEZ DE MORATÍN, Leandro, 20, 78, 122, 302.
FERNANDO VII, 19, 20, 27, 29, 31, 33, 34, 38, 39, 46, 49, 51, 52, 54, 55, 58, 59, 63, 66 67, 68, 73, 89, 140, 141, 143, 145, 147, 158, 162, 173, 178, 195, 196, 198, 199, 200, 201, 202, 204, 208, 209, 210, 211, 212, 213, 214, 243, 269, 275, 276, 277, 278, 310, 316, 323, 327, 329, 330.
FÍGARO *(seudónimo)*, 73.
FLORES, Antonio, 326.
FLÓREZ, José Segundo, 287.
FLÓREZ ESTRADA, Alvaro, 35, 41, 55, 62, 65, 107, 227, 228, 254-256, 270, 278, 327.
FLORIDABLANCA, conde de, 21, 50.
FOLCH, José, 121.
FORNER, Juan Pablo, 18, 22.
FRÍAS, duque de, 60, 66.

GALLARDO, Bartolomé José, 67, 111, 246, 257-259.
GALLEGO, Juan Nicasio, 26, 38, 41, 120, 147, 164-167, 327.
GÁNDARA, abate D. M. A. de la, 43, 151-153.
GARAY, Martín de, 30, 50, 52, 53, 214-220, 276, 278.
GARCÍA HERREROS, Manuel, 41, 43, 60, 147, 186-190, 327.
GARCÍA MALO, Ignacio, 37, 121, 135-139, 153.
GARCÍA VENERO, Maximiano, 222, 325.
GARCÍA VICENTE, Tomás, 286.
GARELI, Nicolás, 55, 60, 232-233.
GIL NOVALES, Alberto, 11.
GIL Y ZÁRATE, Antonio, 82.
GIMENO, José María, 9.
GIRALDO, Ramón, 327.
GIRÓN, *Pedro Agustín*. Ver: AMARILLAS, marqués de las.

GLENDINNING, Nigel, 95, 327.
GODOY, Manuel, 18, 27, 89, 100, 122, 123, 155, 227, 280.
GÓMEZ DE AVELLANEDA, Gertrudis, 84, 297-300.
GÓMEZ DE LA CORTINA, 257.
GÓMEZ HERMOSILLA, José, 122.
GÓNGORA, Luis de, 122.
GONZÁLEZ CARVAJAL, Tomás José, 29, 52, 66.
GONZÁLEZ PALENCIA, Angel, 9.
GOYA, 22, 26, 27, 127, 130, 227.

HARTZENBUSCH, Juan Eugenio, 25, 99.
HEINE, Henri, 303, 306.
HERRERO, Javier, 11, 325.
HOLLAND, Lord, 51, 52, 55, 61, 242, 243.
HORACIO, 120.
HORMAZAS, marqués de las, 31.
HUGALDE-MOLLINEDO, 257.
HUGO, Víctor, 83, 289-290, 297, 304, 306.

IGLESIAS, José, 22.
INFANTADO, duque del, 31, 60.
INGUANZO, Pedro, 328.
IRIARTE, Tomás de, 22.
ISABEL II, 10, 31, 66, 73, 82, 84, 89, 288, 297-300, 322, 323.
ISTÚRIZ, Francisco Javier, 66, 74.

JABAT, Juan, 55.
JÁUREGUI, Andrés de, 190.
JOSÉ I, 20, 26, 31, 155, 196.
JOVELLANOS, Gaspar Melchor de, 21, 22, 26, 27-28, 29, 32, 35, 105-108, 117-118, 303, 327.
JUTGLAR, Antonio, 325.

LAMARTINE, Alphonse de, 304, 306.
LAMENNAIS, F. R. de, 304, 306.
LARDIZÁBAL Y URIBE, Miguel de, 39.
LARRA, Mariano José de, 24, 25, 63, 67, 70, 71-81, 82, 99, 263, 266, 267-269, 281, 327, 332.
LAZÁN, marqués de, 52, 53.
LEQUERICA, José María, 38, 327.
LISTA, Alberto, 22, 37, 61, 66, 257, 289.
LLORENS CASTILLO, Vicente, 9, 326.
LLORENTE, Juan, 31, 304, 306.
LOBATO, Benito, 232.
LOCKE, 23.
LÓPEZ, Joaquín María, 83, 272-274.
LÓPEZ PELEGRÍN, Francisco, 55.
LÓPEZ SOLER, Ramón, 82, 83.
LOZANO DE TORRES, Juan, 214.
LUJÁN, Manuel de, 41, 147, 327.
LUZURIAGA, José de, 121.

MACANAZ, Pedro, 21.
MAC'CULLOCH, J., 254.
MALTHUS, Th. R., 254.
MANZANARES, Salvador, 55.
MARAÑÓN, Gregorio, 9.
MARAT, 44.
MARCHENA, José, 292.
MARCO, José Antonio, 53.
MARÍA CRISTINA DE BORBÓN, 31, 66-67, 68, 73, 74, 83, 88, 89, 286, 317, 320, 322, 323.
MARÍA LUISA DE PARMA, 18, 89.
MARRAST, Robert, 326, 327.
MARTÍNEZ DE LA ROSA, Francisco, 54, 55, 60, 62, 66, 72, 74, 78, 83, 86, 121, 228, 231, 236, 247, 260-262, 271, 313, 327.
MARTÍNEZ DE SAN MARTÍN, José, 60.
MARX, Karl, 87-88, 89, 320-324, 327.
MASSÉNA, mariscal, 159.
MAZARREDO, José de, 27.
MEJÍA, José, 147, 327.
MELÉNDEZ VALDÉS, Juan, 18, 22, 27, 121, 291.
MELÓN, Juan Antonio, 122.
MENDIOLA, Mariano, 190.
MENÉNDEZ Y PELAYO, Marcelino, 10, 32.
MERINO, Martín *(cura)*, 86.
MESONERO ROMANOS, Ramón de, 191, 326.
METTERNICH, príncipe, 58, 246.
MILL, James, 254.
MIÑANO, Sebastián, 257.
MIRANDA, Francisco, 157.
MISSON, Maximilien, 301.
MOLIÈRE, 290.
MONTESQUIEU, 23, 25, 270.
MONTIJO, conde de, 50, 244.
MOR DE FUENTES, José, 20, 26, 81, 120, 279-281.
MORAGUES, Guillermo, 327.
MORENO GUERRA, José, 55, 229-230.
MORILLO, Pablo, general, 60.
MOSCOSO DE ALTAMIRA, José María, 55, 57, 60, 236-239.

MOZO ROSALES, Francisco, 53, 201.
MUÑOZ, Agustín Fernando, 84, 323.
MUÑOZ TORRERO, Diego, 38, 41, 43, 147-150, 190, 327.
MURAT, Joachim, 26.
MUSSO Y VALIENTE, José, 60.

NAPOLEÓN, 19, 20, 25, 26, 29, 31, 32, 33, 100, 139, 142, 144, 156, 159, 162, 195, 196, 202, 203, 275, 287, 294.
NARVÁEZ, Ramón María, 84, 86, 320, 322.
NELSON, 20.
NIPORESAS, Andrés *(seudónimo)*, 78.
NOROÑA, Gaspar de, 18, 22, 61.
NÚÑEZ DE ARENAS, Manuel, 326.

O'DONNELL, Leopoldo, general, 16, 86, 322, 324.
O'FARRIL, Gonzalo, 155.
OLAVIDE, Pablo de, 292.
OLIVEROS, Antonio, 41, 147, 190, 327.
O'NEYLLE, general, 132.
ORENSE, obispo de, 39.
OSTOLAZA, Blas de, 39, 53, 328.

PACHECO, Joaquín, 82.
PALAFOX Y MELCI, Luis. Ver: LAZÁN, marqués de.
PASTOR DÍAZ, Nicomedes, 82.
PATIÑO, José, 21.
PEÑA, Eugenio de la, 121.
PÉREZ DE CASTRO, Evaristo, 55, 147, 327.
PÉREZ DE MUNGUÍA, Juan *(seudónimo)*, 71.
PÉREZ GALDÓS, Benito, 52, 56, 57, 82, 99, 121, 123, 243, 315.
PESTALOZZI, J. H., 24.
PRIM, Juan, 82.
PRÍNCIPE, Miguel Agustín, 86, 316-319.
PRÍNCIPE DE LA PAZ. Ver: GODOY, Manuel.

QUESNAY, François, 255, 256.
QUEVEDO Y QUINTANO, Pedro de. Ver: ORENSE, obispo de.
QUILLIET, 119, 123.
QUINTANA, Manuel José, 18, 20, 22, 25, 27, 29, 30, 40, 51, 52, 60, 61, 62, 66, 99, 100, 109-116, 119, 120, 121, 122, 123, 124-129, 130, 140-146, 206, 242, 243-247, 251, 270, 278, 313, 326, 327.
QUIROGA, Antonio, 51.

RACINE, 290.
RAMONET, Francisco, 60.
REBOLLO, José, 121.
REGATO, José Manuel, 59, 245, 246.
REINOSO, Félix José, 22, 257.
RENGIFO, coronel, 298.
RICARDO, David, 254.
RICO Y AMAT, Juan, 10.
RIEGO, Rafael, 50, 51-52, 53, 56, 57, 208, 214, 221, 222, 223, 224, 226, 227, 244, 247, 285.
RIVAS, duque de, 75, 81, 86, 282-285.
RIVERO, Pedro, 30.
ROBESPIERRE, 44, 305, 306.
RODRÍGUEZ-MOÑINO, Antonio, 9, 259.
ROMARATE, Jacinto, 55.
ROMERO, Pedro, 293.
ROMERO ALPUENTE, Juan, 41, 55, 56, 227, 228, 245.
ROS DE OLANO, José, 82.
ROUSSEAU, Jean-Jacques, 23, 24, 35, 44, 51, 117.
RUIZ BERRIO, Julio, 326.

SAINT-MARC, general, 132.
SALAMANCA, José de *(financiero)*, 84.
SAN CARLOS, duque de, 277.
SAND, George, 303, 305, 306.
SAN FERNANDO, duque de, 214.
SAN LUIS, conde de, 320, 323.
SAN MIGUEL, Evaristo, 51, 55, 227, 228, 320.
SÁNCHEZ BARBERO, Francisco, 20, 22, 25, 26, 29, 40, 61, 99, 191-194.
SÁNCHEZ SALVADOR, Estanislao, 55, 60.
SARRAILH, Jean, 9, 325.
SÉBASTIANI, mariscal, 28, 160.
SEIGNEUX, Gabriel, 301.
SEOANE, María Cruz, 326.
SERRANO, Francisco, 324.
SIERRA PAMBLEY, Felipe, 55, 60.
SMITH, Adam, 107, 254, 256.
SOLÍS, Dionisio, 37, 60.
SOLÍS, Ramón, 11, 326.
SOMOZA CARBAJAL, José, 40, 81, 292-296.
SOULT, general, 169.

TAPIA, Eugenio de, 49, 168-172.
TERRERO, Vicente, 328.
TILLY, conde de, 30, 154, 155.
TINEO, J., 122.
TORENO, conde de, 41, 51, 54, 60, 66, 74, 81, 186, 228-229, 275-278, 285, 327.
TORRES VILLARROEL, Diego de, 280.
TORRIJOS, José María, 51, 55, 245.
TUÑÓN DE LARA, Manuel, 9, 58, 243, 325, 326.

UNAMUNO, Miguel de, 68.

VADILLO, José Manuel, 51.
VALLEJO, José Mariano, 55.
VEGA, Ventura de la, 82, 83, 86, 289-291.
VELASCO, Manuel de, general, 55.
VÉLEZ, Rafael *(arzobispo de Santiago)*, 44-45, 111.
VENEGAS *(virrey de México)*, 160.
VERI, Tomás de, 30.
VICÉNS VIVES, Jaime, 325.
VILAR, Pierre, 9, 325.
VILLALTA, José de, 82.
VILLANUEVA, Joaquín Lorenzo, 327.
VILLANUEVA, Juan de, 280.
VILLEL, marqués de, 30.
VILLIERS, George, 271.
VINUESA, Matías, 230.
VIRGILIO, 26, 100, 316.
VIUDO, Manuel, 121.
VOLTAIRE, 23, 51, 270, 292, 305-306.

WALL, Richard, 21.

ZAVALA, Iris M., 11, 58, 222, 326.
ZORRAQUÍN, José de, 41.

INDICE

INTRODUCCIÓN 9

PRIMERA PARTE: NACIMIENTO Y ASCENSIÓN DEL PENSAMIENTO LIBERAL 13

CAPÍTULO I. *De la revolución francesa a la Guerra de la Independencia (1789-1808)* 15

Importancia de la cronología.—Los orígenes del espíritu liberal.—Alianzas históricas entre Francia y España.—Hacia Trafalgar.—Las consecuencias de Trafalgar y la aparición de Fernando VII en la escena política española.—Los escritores: formación cultural y actitudes.—El «despotismo ilustrado».—El progreso.—Cultura y clase dominante.—«Afrancesados» y «afrancesamiento».

CAPÍTULO II. *El fracaso de la revolución liberal (1808-1823)* 29

Sublevación de las Provincias y nacimiento de la Junta Central Suprema del Reino. — Las ideologías en presencia.—La convocatoria de las *Cortes*.—La futura Constitución.—Diversas reacciones ante el programa liberal.—Las peripecias de la historia.—Atmósfera política en el seno de las *Cortes*.—Medidas políticas votadas por la Asamblea.—La Constitución de Cádiz.—Constitución española de 1812 y Constitución francesa de 1791.—La restauración absolutista de 1814. «Los seis años ominosos».—La génesis del golpe de estado de Riego: obra de la francmasonería.—La recuperación de la «Revolución» de 1820.

Orientación ideológica del Trienio Constitucional.—Desarrollo de las sociedades patrióticas. La literatura, reflejo de la inestabilidad histórica.—Situación económica catastrófica.—Las sociedades secretas.—La caída del sistema liberal. Literatura e Historia.—Un período de mutación histórica.

CAPÍTULO III. *Parlamentarismo e historia inacabada (1823-1854)* 65

Diez años de marasmo.—Papel determinante de María Cristina de Borbón.—Las primeras medidas políticas.—El problema de la instrucción pública.—La importancia histórica de Mariano José de Larra.—Vacío de la historia y fracaso de la literatura.—El fracaso de la novela histórica.—El fenómeno romántico.—El mito Espartero.—1848.—1854 y sus promesas.

CONCLUSIÓN GENERAL 89

SEGUNDA PARTE: ANTOLOGÍA DE TEXTOS DEL SIGLO XIX (1789-1854) 91

INTRODUCCIÓN 93

JOSÉ DE CADALSO: *Carta de Gazel a Ben-Beley (Cartas marruecas,* XLI) 95

NICASIO ALVAREZ DE CIENFUEGOS: *A la paz entre España y Francia en 1795* 100

GASPAR MELCHOR DE JOVELLANOS: *Informe en el Expediente de la ley agraria* 105

MANUEL JOSÉ QUINTANA: *A Juan de Padilla* 109

GASPAR MELCHOR DE JOVELLANOS: *Representación a Carlos IV e incidentes sobre la obra «El Contrato Social»* 117

ANTONIO ALCALÁ GALIANO: *Memorias* 119

MANUEL JOSÉ QUINTANA: *Al armamento de las Provincias españolas contra los Franceses* 124

DECRETO SOBRE LAS REPRESALIAS DURANTE LA GUERRA DE LA INDEPENDENCIA 130

DECLARACIONES DEL GOBIERNO ESPAÑOL DESPUÉS DE LA CAPITULACIÓN DE ZARAGOZA 132

IGNACIO GARCÍA MALO: *Memoria sobre las críticas circunstancias en que se halla la Patria y el Gobierno y medidas de precaución que ellas mismas dictan* 135

PROCLAMA A LOS ESPAÑOLES DE AMÉRICA 140

DIEGO MUÑOZ TORRERO: *Discurso sobre la libertad de la prensa* 147

ABATE D. M. A. DE LA GÁNDARA: *Apuntes sobre el bien y el mal de España, escritos de orden del Rey.* 151

ANTONIO ALCALÁ GALIANO: *Representaciones que hizo a Su Majestad, el Augusto Congreso Nacional... sobre la «Gaceta de Madrid»* 154

ANTONIO IGNACIO DE CORTABARRÍA: *Proclama a los insurrectos de las Provincias de Venezuela* ... 157

JUAN NICASIO GALLEGO: *Discurso sobre la Constitución* 164

EUGENIO DE TAPIA: *El Censor angustiado* 168

AGUSTÍN ARGÜELLES: *Discurso sobre la micilia nacional* 173

CONSTITUCIÓN POLÍTICA DE LA MONARQUÍA ESPAÑOLA. PROMULGADA EN CÁDIZ A 19 DE MARZO DE 1812 ... 178

MANUEL GARCÍA HERREROS: *Discurso sobre la abolición de la Inquisición* 186

FRANCISCO SÁNCHEZ BARBERO: *El patriotismo. A la nueva Constitución* 191

SESIÓN SECRETA DE LAS CORTES DEL DÍA 2 DE FEBRERO DE 1814 EN MADRID. PUBLICADA DE ORDEN DE LAS CORTES 195

MANUEL MARÍA DE ARJONA: *Al Rey, Nuestro Señor, en 28 de abril de 1814* 198

MANIFIESTO DE LOS «PERSAS» 201

JUAN BAUTISTA ARRIAZA: *El regreso de Fernando* ... 209

MARTÍN DE GARAY: *Plan de Hacienda* 214

CANCIONES PATRIÓTICAS DEL TRIENIO CONSTITUCIONAL. 221

ANÓNIMO: *Condiciones y semblanzas de los diputados a Cortes para la legislatura de 1820 y 1821.* 227

ORDEN DE LAS CORTES: SE ADOPTAN VARIAS MEDIDAS PARA LA AVERIGUACIÓN Y CASTIGO DE LOS QUE INCENDIARON LAS MÁQUINAS DE HILAR Y CARDAR EN ALCOY, E INDEMNIZACIÓN A LOS DUEÑOS DE ELLAS. 234

JOSÉ MARÍA MOSCOSO DE ALTAMIRA: *Memoria leída a las Cortes sobre el estado de los negocios concernientes a la Secretaría de su cargo* 236

CONSTITUCIÓN DE LA CONFEDERACIÓN DE LOS CABALLEROS COMUNEROS 240

MANUEL JOSÉ QUINTANA: *Cartas a lord Holland sobre los sucesos políticos de España en la segunda época constitucional* 243

CHARLES COTTU: *De la Administración de la Justicia criminal en Inglaterra; y espíritu del sistema gubernativo inglés* 248

ALVARO FLÓREZ ESTRADA: *Curso de economía política.* 254

BARTOLOMÉ JOSÉ GALLARDO: *Cuatro palmetazos bien plantados por el Dómine Lucas a los gazeteros de Bayona*... 257

FRANCISCO MARTÍNEZ DE LA ROSA: *Espíritu del siglo.* 260

JOSÉ DE ESPRONCEDA: *Política y filosofía: Libertad. Igualdad. Fraternidad* 263

MARIANO JOSÉ DE LARRA: *Dios nos asista* 267

JOSÉ MARÍA CALATRAVA: *Memoria leída a las Cortes generales de la Nación española por el secretario del Despacho de Estado* 270

JOAQUÍN MARÍA LÓPEZ: *Discurso sobre la victoria de Luchana* 272

CONDE DE TORENO: *Historia del levantamiento, guerra y revolución de España* 275

JOSÉ MOR DE FUENTES: *Bosquejillo de su vida* ... 279

DUQUE DE RIVAS: *Discurso parlamentario.* [*En defensa de bienes eclesiásticos.*] 282

BALDOMERO ESPARTERO: *Discurso* 286

VENTURA DE LA VEGA: *Discurso que leyó al tomar asiento en la Academia* 289

JOSÉ SOMOZA: *Recuerdos e impresiones. Una mirada en redondo a los sesenta y dos años* 292

GERTRUDIS GÓMEZ DE AVELLANEDA: *La Clemencia. Oda en elogio... de Doña Isabel II* 297

INDICE GENERAL DE LIBROS PROHIBIDOS POR EL SEÑOR INQUISIDOR GENERAL Y SEÑORES DEL SUPREMO CONSEJO DE LA SANTA GENERAL INQUISICIÓN 301

ANÓNIMO: *Errores políticos del día* 307

MIGUEL AGUSTÍN PRÍNCIPE: *Tirios y Troyanos* 316

KARL MARX: *Sobre la Revolución de 1854* 320

— *Proclamas de Dulce y O'Donnell. Exitos de los insurrectos* 322

— *La Revolución española. Lucha de partidos. Pronunciamientos en San Sebastián, Barcelona, Zaragoza y Madrid* 323

ANEXOS: *Bibliografía crítica* 325

Orientaciones para la investigación 329

INDICE ONOMÁSTICO 333

EDICIONES TURNER

Títulos publicados

1. *El bandolerismo andaluz,* por C. Bernaldo de Quirós y Luis Ardila.
2. *Cruz y raya: Antología.* Selección y prólogo de José Bergamín.
3. *El cántico americano de Jorge Guillén,* por J. Ruiz de Conde.
4. *La sociedad madrileña fin de siglo y Baroja,* por Carmen del Moral. Prólogo de Blanco Aguinaga.
5. *Las cartas boca arriba,* por Gabriel Celaya.
6. *El espartaquismo agrario andaluz,* por C. Bernaldo de Quirós.
7. *Las cosas de España,* por Richard Ford. Prólogo de Gerald Brenan.
8. *Azaña,* por E. Giménez Caballero. Prólogo del autor.
9. *Hora de España: Antología.* Selección y prólogo de Francisco Caudet.
10. *Numancia,* por Rafael Alberti.
11. *Yo, inspector de alcantarillas,* por E. Giménez Caballero. Prólogo de Edward Baker.
12. *Cantos iberos,* por Gabriel Celaya.
13. *Primera imagen de...,* por Rafael Alberti.
14. *La picota. Figuras delincuentes,* por C. Bernaldo de Quirós. Prólogo de Antón Oneca.

15. *Escritores políticos españoles, 1780-1854.* Selección y prólogo de Albert Derozier.

16. *Política obrera en el País Vasco, 1880-1923,* por Juan Pablo Fusi.

17. *Discursos fundamentales,* por Indalecio Prieto. Selección y prólogo de E. Malefakis.

18. *Galdós: Burguesía y revolución,* por Julio Rodríguez-Puértolas.

LA NOVELA SOCIAL ESPAÑOLA

1. *El médico rural,* por Felipe Trigo. Prólogo de José Bergamín.

2. *La vida difícil,* por A. Carranque de Ríos. Prólogo de José Luis Fortea.

3. *La turbina,* por César M. Arconada.

4. *Los caimanes,* por M. Ciges Aparicio. Prólogo de José Esteban.

5. *Jarrapellejos,* por Felipe Trigo. Prólogo de Rafael Conte.

SERIE ESPECIAL

España a Go-Gó. Turismo charter y neocolonialismo del espacio, por Mario Gaviria y otros.

El caso valenciano. Ni desarrollo regional ni ordenación del territorio. Informe dirigido por Mario Gaviria.

El turismo de playa en España, por Mario Gaviria y otros.